CEMENTERIOS, NECRÓPOLIS
Y OTROS LUGARES DE ENTERRAMIENTO
DE CEUTA

J. L. Gómez Barceló

V. Martínez Enamorado

A. Palomo Laburu

J. Suárez Padilla

F. Villada Paredes

© Textos: J. L. Gómez Barceló
V. Martínez Enamorado
A. Palomo Laburu
J. Suárez Padilla
F. Villada Paredes

© Edición: Ciudad Autónoma de Ceuta
Consejería de Educación y Cultura
Archivo General de Ceuta

Depósito Legal: CE - 57/2016
ISBN: 978-84-15243-64-9
Impresión y Diseño: Papel de Aguas, S.l. Ceuta.

PVP: 12 €

INDICE

et bene -discedens dicet- placideque quiescas,
terraque securae sit super ossa levis

A, Tibullus (54-18 a.C.)
Carmina, II, 4, 49-50

y al marchar dirá: "con bien y en paz descansa y sea ligera
la tierra sobre los huesos de quien ya no sufre"

(trad. E. Otón Sobrino)

Pocas certezas más absolutas en la vida que su propia finitud.

Durante siglos, aunque con diferentes actitudes, la muerte fue asumida y afrontada como parte inexcusable de la existencia, como una experiencia cotidiana aunque dolorosa. Sin embargo, en el mundo contemporáneo se ha transformado en un tema tabú (la "muerte prohibida" fue denominado este periodo por Ph. Ariès en su ensayo sobre la muerte en Occidente). Prestarle atención es considerado enfermizo, macabro e incluso de mal gusto.

Quizás por ello sorprenda al lector la publicación de esta obra que, vaya por delante, no es un ensayo sobre usos y costumbres funerarios que pudiera inscribirse dentro de la denominada historia de las mentalidades. Su propósito, mucho más modesto, no es otro que analizar lo que hoy sabemos sobre la evolución de los lugares de enterramiento en Ceuta entendidos como fuente esencial para el conocimiento de su historia.

Efectivamente, como consecuencia de la investigación realizada en las últimas décadas, poseemos ya un significativo corpus de datos sobre cementerios, necrópolis y otros lugares de enterramiento, en muchas ocasiones inéditos o publicados en obras de difícil acceso para el público en general. Pensamos que tendría interés recopilar toda esta información y ponerla a disposición de los investigadores y del público interesado. Así surgió esta obra y ese es su principal objetivo.

El libro, a pesar de su temática común, es necesariamente heterogéneo pues son distintas las fuentes y volumen de información disponibles para cada uno de los periodos analizados. También porque los capítulos que lo componen han sido redactados por varios autores que abordan esta cuestión desde su particular perspectiva.

Se organiza siguiendo un criterio cronológico en tres capítulos.

En el primero se analizan los datos que poseemos sobre el mundo funerario ceutí hasta la conquista musulmana, es decir hasta 709. En este caso la investigación arqueológica adquiere un protagonismo esencial debido a la ausencia de otras fuentes.

El segundo se ocupa del periodo medieval islámico (709-1415). Aquí afortunadamente los datos arqueológicos pueden ser contrastados, ampliados y enriquecidos con la aportación de los textos coetáneos. Incorpora además un estudio antropológico de parte de los restos exhumados que permite conocer de primera mano las características físicas de la población que habitaba entonces Ceuta, su esperanza de vida y algunas de las patologías que sufrieron.

El tercer capítulo cubre el periodo que lleva desde la conquista portuguesa hasta nuestros días. Es de especial interés por su cercanía cronológica y por el ingente volumen de datos aportados, en su mayor parte inéditos.

Aunque el libro se beneficia de anteriores investigaciones, hasta el momento nunca había sido publicado una obra de estas características. Esto debe ser tenido en cuenta pues se trata únicamente de una aproximación preliminar a esta temática que confiamos sea ampliada y corregida en el futuro.

Para terminar quisiéramos poner de manifiesto que la publicación de esta obra no hubiese sido posible sin el decidido apoyo de la Ciudad Autónoma de Ceuta y específicamente del Servicio de Publicaciones del Archivo Central, que desarrolla desde hace décadas una ingente labor editorial que destaca tanto en volumen como en calidad.

A Dña. M. I. Deu, Consejera de Educación y Cultura, y a Dña. R. Valriberas, directora del Archivo Central, nuestro agradecimiento por la confianza depositada en nuestro trabajo.

Sit tibi terra levis. Necrópolis romanas en Ceuta

Fernando Villada Paredes

El conocimiento del mundo funerario previo a la conquista musulmana en Ceuta se fundamenta en la investigación arqueológica al ser otras fuentes inexistentes, en el caso de la prehistoria, o no aportar datos relevantes en momentos posteriores.

Se trata, en cualquier caso, de información publicada en mayor o menor medida por lo que las consideraciones realizadas en estas páginas no son sino una revisión y puesta al día de las evidencias dadas a conocer por distintos autores.

Antecedentes

El proyecto de investigación sobre el abrigo y la cueva de Benzú[1] ha permitido avanzar decisivamente en el conocimiento de las sociedades cazadoras-recolectoras y tribales-comunitarias en el área del estrecho de Gibraltar. Así, tras más de una década de investigación, de ser un lugar del que apenas habían sido publicados algunos útiles líticos de difícil adscripción cronológica recuperados en superficie, Ceuta se ha convertido en uno de los puntos esenciales para la comprensión de la dinámica histórica regional en este amplio periodo (RAMOS, BERNAL, 2009; RAMOS el al, 2013).

El registro antropológico procede exclusivamente de la cueva. Su cronología se ha establecido, en razón del material lítico recuperado y de la datación por termoluminiscencia de un fragmento cerámico, en el VI milenio a. C. (VIJANDE et al., 2013, p. 699).

1.- El yacimiento fue descubierto durante la realización de la Carta Arqueológica Terrestre de Ceuta dirigida en 2001 por D. Bernal. A espaldas de la actual cantera de explotación de áridos se localizaron, además de vestigios muebles de cronología más reciente, un abrigo abierto en dolomías frecuentado durante el Pleistoceno Medio y Superior y una pequeña cueva, ocupada durante el Neolítico, a sólo unos metros de la primera. Desde su descubrimiento se desarrolla en ambos yacimientos un proyecto de investigación promovido por la Ciudad Autónoma de Ceuta y dirigido actualmente por J. Ramos, D. Bernal y E. Vijande de la Universidad de Cádiz. El proyecto ha generado hasta el momento una abundante bibliografía que puede ser consultada en RAMOS et *al.*, 2013.

Los restos humanos proceden del denominado Estrato II. Se trata de cincuenta y seis elementos esqueléticos correspondientes en su inmensa mayoría a dientes y en menor medida a falanges de manos o pies. Su estudio, a pesar de lo exiguo de la muestra recuperada, ha permitido conocer el número mínimo de individuos representados (siete), su edad (un individuo infantil entre tres y seis años y el resto adolescentes y adultos, alguno de ellos de avanzada edad), así como las principales características anatómicas de la población. También ha sido posible identificar distintas patologías bucales y confirmar el uso de la boca para diversas actividades paramasticatorias (ROSAS, ESTALRRICH y BASTIR, 2013, pp. 597-606).

El claro sesgo de la muestra recuperada, caracterizada por la presencia exclusiva de huesos de pequeño tamaño, ha sido interpretado como resultado de un enterramiento primario del que habrían sido desplazados posteriormente los restos cadavéricos a otro lugar que desconocemos (enterramiento secundario) (ROSAS, ESTALRRICH y BASTIR, 2013, p. 604; VIJANDE et al., 2013, p. 697).

No existen hasta el momento muchas más evidencias arqueológicas de ocupación de la Prehistoria Reciente en el actual término municipal de Ceuta si bien han podido documentarse en zonas próximas de Marruecos diversos yacimientos de esta cronología (RAMOS et al., 2008; RAMOS et al., 2011; RAMOS et al., 2015).

En cambio, una reciente excavación arqueológica en la plaza de la Catedral ha confirmado la existencia de un asentamiento estable al menos desde finales del siglo VIII a.C. en el casco urbano (VILLADA, TORRES y SUÁREZ, 2010). El lugar se encontraba muy afectado por una ocupación continuada que alcanza hasta nuestros días con la consiguiente dificultad para la interpretación de la secuencia.

Ningún resto humano de época protohistórica ha sido recuperado[2] lo que no es extraño pues, como es sabido, las necrópolis en este periodo suelen situarse alejadas de los núcleos de hábitat, a menudo separadas de ellos por un curso de agua (PELLICER, 2004; PRADOS, GARCÍA, CASTAÑEDA, 2010).

2.- En un texto redactado por el cronista local A. Ramos para la Guía del Norte de África y Sur de España de 1917 recoge una curiosa noticia que alude a la existencia de un poblado fenicio en la batería del Pintor encontrándose restos humanos durante su construcción. Posiblemente se trate de sepulturas islámicas o posteriores (ORTEGA, 1917, p. 449).

Roma

Las fuentes textuales sobre el periodo romano en Ceuta no son abundantes y en ningún caso hacen referencia a cementerios. Sin embargo, y a diferencia de en periodos anteriores, la investigación arqueológica ha proporcionado un mayor volumen de datos significativos.

En tres puntos han sido localizados restos relacionados con el mundo funerario de la *Septem* romana (fig. 1).

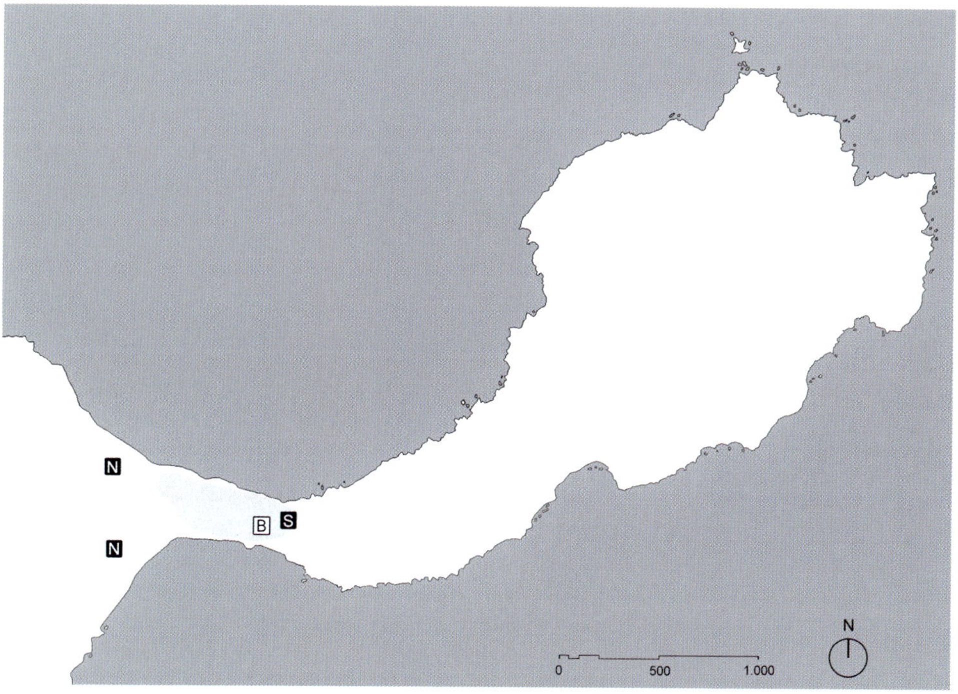

Fig. 1.- Mapa de distribución de hallazgos. N: Necrópolis / S: Sarcófago / B: Basílica / Gris: Zona de máxima concentración de hallazgos romanos (no funerarios).

Los primeros datos se remontan a abril de 1965 cuando en el curso de unas obras que tenían lugar en la avenida de España, cerca del antiguo Cuartel de Automovilismo, fueron puestos al descubierto por Laureano Macías y Luis Navas los restos de una sepultura. En esta zona no era infrecuente la aparición de restos humanos que, aunque de difícil datación, se relacionaban habitualmente con los enfrentamientos bélicos que tuvieron lugar aquí, principalmente durante el Gran Sitio de Ceuta por Mulay Ismail (1694-1727) (POSAC, 1966a, pp. 331-332).

Lám. 1, 2 y 3.- Tumbas de la necrópolis Puertas del Campo (fotos archivo Museo de Ceuta).

El hallazgo fue comunicado por el contratista Francisco Fraiz Fernández a Carlos Posac, que se encontraba en esos momentos al frente de la Delegación Local de Excavaciones Arqueológicas (la noticia fue publicada en el periódico local El Faro de Ceuta del viernes el 7 de mayo). Posac confirmó su antigüedad y llevó a cabo una intervención de urgencia (POSAC, 1966a y 1966b).

Se excavaron ocho inhumaciones en total. Se trataba de fosas orientadas en dirección este-oeste construidas con ladrillos de 30 por 21 por 5 cm, tanto sus paredes como su base, en su mayoría partidos por la mitad. Las dimensiones de estas fosas oscilaban entre 160 y 200 cm de longitud, 50 y 70 cm de anchura y una profundidad entre 40 y 60 cm (lám. 1, 2 y 3).

Presentaban tres tipos diferentes de cubiertas:

- *Tegulae*, tres o cuatro, dispuestas en dos filas en forma de caballete y protegidas por ladrillos de forma *"aproximadamente pentagonal"*
- *Tegulae* dispuestas horizontalmente
- Placas cuadrangulares de 44 cm de lado con decoración digitada que formaban líneas cruzadas

Los restos humanos que albergaban estaban muy deteriorados mencionándose únicamente como vestigio más destacado los restos de una bóveda craneal. No fue publicado ningún ajuar aunque en la noticia de prensa se señala la aparición de algunas vasijas, entre ellas la boca de un ánfora.

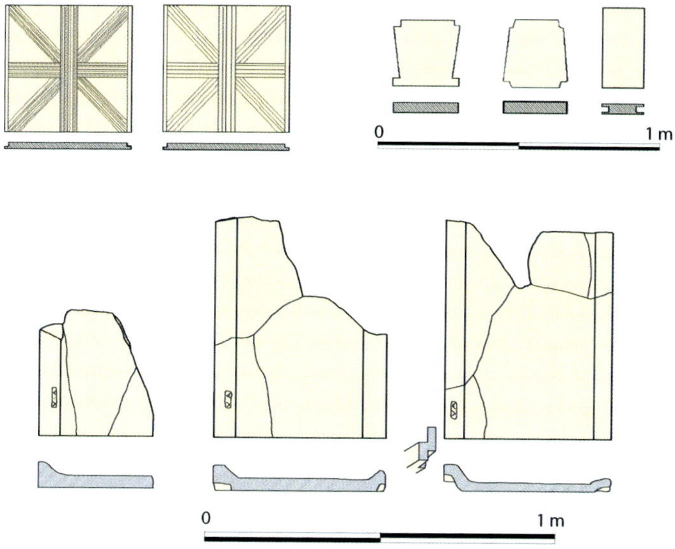

Fig. 2.- Materiales constructivos recuperados en la necrópolis de las Puertas del Campo (redibujados a partir de Posac, 1966a y Bernal, 1994)

Atendiendo a su tipología y a los materiales recuperados Posac confirmó su datación en el periodo romano, posiblemente en el siglo III d.C. (POSAC, 1966a).

Entre 1985 y 1986, en el curso de una ordenación de las colecciones del Museo procedentes de la desaparecida Sala Municipal de Arqueología, Bernal estudió algunas de las piezas recuperadas en esta excavación aportando nueva información (BERNAL, 1994).

Se trataba fundamentalmente de materiales de construcción con restos de argamasa. Entre ellos destacan varias *tegulae*. Tras su limpieza Bernal pudo comprobar que tres de ellas tenían una misma marca en la parte baja del reborde, cuya lectura es V.A., circunscrita en una cartela. Aparecen en positivo y fueron realizadas antes de la cocción. Las diferentes dimensiones de estas marcas permiten asegurar la utilización al menos de dos punzones diferentes. Carecen de paralelos conocidos ni en la Bética ni en la Tingitana lo que hace pensar que fueron fabricadas en un taller de escasas dimensiones relativamente próximo a su lugar de aparición (BERNAL, 1994, pp. 63-64).

Además de las *tegulae* pudieron ser estudiados diversos *lateres* (al menos de cuatro tipos) que, en función de su particular morfología, fueron interpretados como reaprovechados de un edificio termal próximo. Algunos de ellos presentan una serie de incisiones "cruciformes" destinadas a facilitar la adherencia del mortero[3] (BERNAL, 1994, pp. 65-66) (fig. 2).

3.- Corresponden a las piezas descritas por Posac como placas cuadrangulares.

Para Bernal las tumbas responderían a dos tipos. El primero se caracteriza por su fosa paralelepipédica con muros formados por guijarros trabados con argamasa y cubiertas de tégulas a doble vertiente o bien dispuestas horizontalmente. El segundo tiene paredes levantadas con ladrillo y cubierta horizontal de tégulas (BERNAL, 1994, p. 66).

Aborda también Bernal la cuestión de la datación proponiendo en razón del tipo de enterramiento (inhumación) y de diversos paralelos, tanto de la propia morfología de las tumbas como de los materiales utilizados para su construcción, una cronología que sitúa en época bajo-imperial temprana (BERNAL, 1994, p. 69).

El segundo punto en que han sido documentados enterramientos romanos está también situado al occidente de la península ceutí. Efectivamente, inhumaciones de época romana fueron consignadas en 1998 durante una intervención arqueológica dirigida por Bernal, Pérez y Nogueras en un solar del Llano de las Damas, donde ya se tenía noticias de la aparición de algunas tégulas. Fueron localizadas una tumba y la trinchera de construcción de otra, ambas muy alteradas al encontrarse cortadas por uno de los perfiles del terreno.

Las fosas rectangulares se excavaron directamente en un nivel natural de margas arcillosas. Sobre la base se formó un suelo de tégulas, conservado parcialmente, estando las paredes protegidas también por tégulas dispuestas verticalmente. Están orientadas en dirección NW-SE.

No se recuperaron restos óseos ni tampoco ajuares posiblemente debido al alto grado de deterioro de estas sepulturas. Los directores de la excavación basándose en sus características y ritual de enterramiento, inhumaciones, las fechan en momentos muy avanzados del siglo II o en el siglo III d.C. si bien admiten que esta datación podría prolongarse a momentos bajoimperiales (BERNAL, PÉREZ, NOGUERAS, 1998).

Señalan además la aparición además de varios fragmentos de ánforas localizados en posición secundaria.

El lugar fue ocupado posteriormente por un importante complejo alfarero de época tardo-islámica en el que actualmente se continúan las labores de excavación[4] sin que hayan sido localizados nuevos hallazgos de época

4.- Cuatro campañas de excavación (2012-2015) se han desarrollado en el marco de los campos de trabajo "Arqueología frente al mar" organizados por el INJUVE. En 2016 ha tenido lugar una nueva ampliación de la excavación bajo la dirección de F. Villada.

Lám. 4.- Sarcófago romano en el momento de su aparición (Foto C. Posac).

romana, excepción hecha de algunos fragmentos de tégulas descontextualizadas, un ánfora del tipo Keay XIX y algunos huesos humanos de pequeño tamaño que quizás cabría relacionar con las inhumaciones arrasadas.

Entre ambos hallazgos de sepulturas, es decir entre las Puertas del Campo y el Llano de las Damas, media una distancia aproximada de unos 500 metros en línea recta sin otros hallazgos intermedios de cronología romana. Bernal ha propuesto no obstante, basándose en su contemporaneidad y en la similitud de la tipología de las inhumaciones, la existencia de un área cementerial de notable extensión que ocupase el área occidental de *Septem*[5] (BERNAL, 2009, p. 162).

El tercer y último emplazamiento en que se mencionan tumbas romanas corresponde al extremo oriental del Istmo, en las inmediaciones del foso seco de la Almina.

Allí, en febrero de 1962, fue descubierto[6] un sarcófago romano incompleto, al que "le falta la parte superior y la tapa" (POSAC, 1962, p. 33). Aunque apareció descontextualizado (un orificio en su parte posterior denota su reutilización) su ubicación original posiblemente no estuvo muy lejos del lugar en que se recuperó (lám. 4).

Esta pieza, de gran valor artístico y sin paralelos hasta hoy en la *Tingitana*, viene a confirmar la plena inclusión de *Septem* en los circuitos comerciales

5.- Como indicamos no existen datos que permitan confirmar o refutar esta propuesta pudiendo ser interpretados también como hallazgos independientes. En caso de aceptar la hipótesis de que perteneciesen a un único cementerio se trataría de una necrópolis notable máxime si se tiene en cuenta la población (3.800 habitantes) y extensión (en torno a 12 hectáreas) estimada para *Septem* en esos momentos (BERNAL, 2009, p. 160).

6.- Su localización se produjo durante la excavación de una zanja para la instalación de un colector. Al levantar un estrato arenoso apareció la pieza de mármol que el capataz Jerónimo García intentó extraer sin ocasionarle desperfectos. Posteriormente dio cuenta de ello a Juan Jurado que ordenó se recuperasen todos los fragmentos. El ingeniero Jefe de la Junta de Obras del Puerto Sr. Castellón, responsable de las obras que se ejecutaban, facilitó la entrega de las piezas para que fuesen conservadas (POSAC, 1962, p. 56).

Fig. 3.- Sarcófago romano. Arriba: Vista frontal. Centro izquierda: Vista parcial (extremo derecho). Centro derecha: Detalle de escena central. Abajo: Vista parcial (extremo izquierdo).

mediterráneos, circunstancia puesta de manifiesto también por el registro cerámico. Además, la localización de una pieza de estas características es significativa pues supone la existencia de un individuo, posiblemente de sexo femenino, plenamente al tanto de los gustos de la capital imperial y con posibilidades para adquirir una pieza suntuaria de alto precio.

La decoración ocupa tres de sus caras por lo que puede deducirse que estaba adosado en su lado no tallado. Las figuras de la cara frontal presentan mayor relieve y cuidado en su ejecución en tanto que las situadas en sus lados menores son más planas. Presenta una composición simétrica cuyo elemento central está formado por una escena que representa el baño de Venus. La diosa en cuclillas aparece flanqueada por un personaje femenino que la ayuda y una representación de Cupido. Completan la escena dos personajes, un amorcillo y otro de difícil interpretación. A ambos lados de esta escena central se conservan parcialmente otras seis figuras que representan dos victorias que sostendrían el *clipeus*, hoy perdido, y representaciones de las cuatro estaciones del año. Entre sus piernas, algunos erotes de menor tamaño cabalgando animales completan la composición. En sus caras laterales se labraron sendas personificaciones de *Oceanus* y *Tellus* (Océano y Tierra) (VILLAVERDE, 1988) (fig. 3).

Atendiendo a sus características estilísticas se ha propuesto que se trate de una pieza tallada en talleres itálicos posiblemente durante el reinado de Galieno (253-268 d.C.) (VILLAVERDE, 1988, pp. 902-903).

Años más tarde, entre 1987 y 1993, fue excavado por Fernández Sotelo en las proximidades del lugar de aparición del sarcófago un edificio de planta basilical en cuyo interior y en sus inmediaciones se documentaron un total de ciento setenta y ocho inhumaciones[7] (lám. 5).

Lám. 5.- Excavación de la Basílica (1987)

7.- De ellas ciento sesenta y tres se encontraban en el interior del recinto y quince en el exterior, ocho en el lado oeste y siete al este (FERNÁNDEZ, 2000, pp. 113-116). No obstante, Lagóstena que tuvo acceso a los diarios de Ana Vázquez Bodas, arqueóloga que participó en la excavación, señala la mención de alguna inhumación más (LAGÓSTENA, 2009, p. 436).

En general, las tumbas están orientadas como es habitual en época tardo-antigua con la cabecera a Occidente y los pies a Oriente, pudiéndose atribuir las anomalías detectadas al aprovechamiento de espacios residuales que no permitían tal disposición (fig. 4).

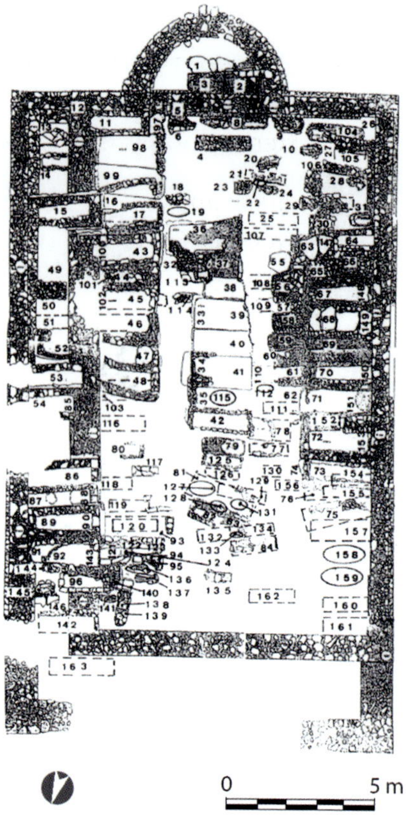

Fig. 4.- Planta general de la Basílica y necrópolis (Fernández, 2000 : 269)

Los cadáveres inhumados aparecen en posición decúbito supino con los brazos dispuestos a lo largo del cuerpo o con las manos entrecruzadas sobre la pelvis (FERNÁNDEZ, 2000, pp. 43-44).

Si bien las inhumaciones múltiples en una única sepultura son frecuentes en las necrópolis tardo-antiguas en el caso de la necrópolis de la basílica ceutí son extremadamente raras (LAGÓSTENA, 2009, p. 453).

No se han recuperado epígrafes[8] u otros elementos de señalización de las tumbas (FERNÁNDEZ, 2000, pp. 39-40). Tampoco se localizaron ajuares en los enterramientos más que de forma excepcional[9] lo que unido al tipo de materiales empleados en su construcción atestigua la pobreza de los inhumados que ha permitido interpretarlos como enterramientos de los trabajadores de las cercanas factorías de salazones (LAGÓSTENA, 2009, p. 615).

Estas sepulturas se han visto considerablemente afectadas por acciones antrópicas diversas. En primer lugar, la propia superposición de enterramientos, a la que nos referiremos un poco más adelante, contribuyó al deterioro

8.- Las únicas inscripciones localizadas corresponden a la fase altoimperial de la necrópolis y aparecieron reaprovechadas en contextos secundarios (véase más adelante).

9.- En la tumba infantil 7 se documentó una caja con una moneda de Teodosio adherida a una placa de bronce, tres piezas de collar y una semilla (FERNÁDEZ, 2000, p. 64) y en la tumba 110 un ungüentario de vidrio (FERNÁNDEZ, 2000, p. 97). Además, Lagóstena, a partir de la revisión de los diarios de excavación, señala la aparición de lucernas en el interior de determinadas sepulturas (LAGÓSTENA, 2009, p. 457).

de las inferiores. Pero también la ocupación continuada de este espacio hasta nuestros días provocó daños en las tumbas y en el propio edificio basilical, cuyo extremo norte se encontraba perdido (FERNÁNDEZ, 2000, p. 40-43).

El análisis antropológico de los restos óseos destaca la fuerte mortalidad infantil que supera el 58% de la muestra estudiada, el escaso número de individuos que alcanzan edades avanzadas (2,1%) y la buena salud corporal general de la población con escasa documentación de lesiones (ALCÁZAR, SUÁREZ, 2000, p. 198).

Edad del fallecido (grupo de edad)	Nº de individuos
0-1	15 (15,9%)
1-3	20 (21,2%)
3-12	20 (21,2 %)
12-20	10 (10,6%)
20-50	27 (28,7%)
50 o más	2 (2,1%)

Tabla 1. Distribución por grupos de edad (a partir de los datos de ALCÁZAR, SUÁREZ, 2000)

La tipología sepulcral es amplia (fig. 5).

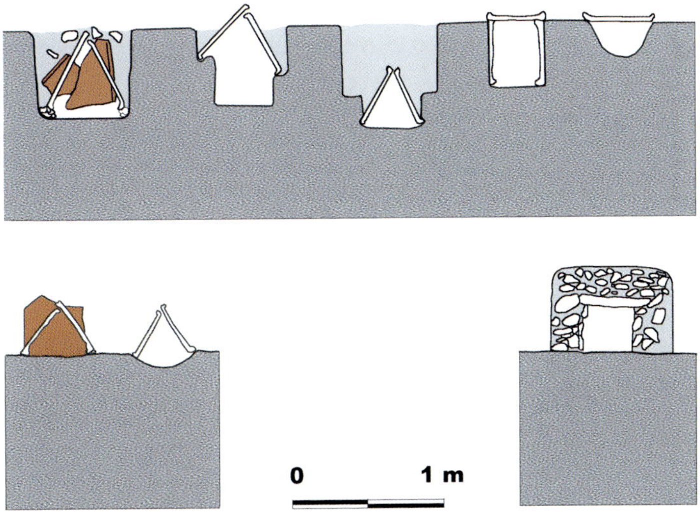

Fig. 5.- Tipología de enterramientos de la Basílica. Arriba. Enterramientos en fosa (nivel inferior de Fernández Sotelo). Abajo a la izquierda. Enterramientos en superficie (nivel inferior de Fernández Sotelo). Abajo a la derecha. Sepultura tipo "mensa" (nivel superior de Fernández Sotelo) (redibujado a partir de FERNÁNDEZ, 2000)

En primer lugar se distinguen aquellas tumbas que consisten en una fosa excavada en el terreno, con paredes reforzadas con muretes, lajas de piedra o tégulas en ocasiones, y cubiertas de tégulas, piedras, etc., que suman 54[10].

Otro tipo serían las realizadas sobre el terreno natural o con un leve rebaje del mismo. Se cubren con tégulas a doble vertiente (23 sepulturas) o ánforas (25).

Ambas tipologías corresponden al llamado por Fernández Sotelo "primer nivel" representado por 102 inhumaciones (FERNÁNDEZ, 2000, pp. 34-37).

En un "nivel superior", sobre la cota del terreno y en muchas ocasiones superpuestas a otros enterramientos, se levantaron tumbas del tipo denominado "*mensae*" con muretes construidos con materiales diversos y recubiertas por una capa de *opus signinum* (fig. 6). Estas "sepulturas aéreas o de superficie" (61 en total), como son denominadas por Fernández Sotelo, serían a su juicio más modernas que el resto (FERNÁNDEZ, 2000, pp. 33-39) (lám. 6).

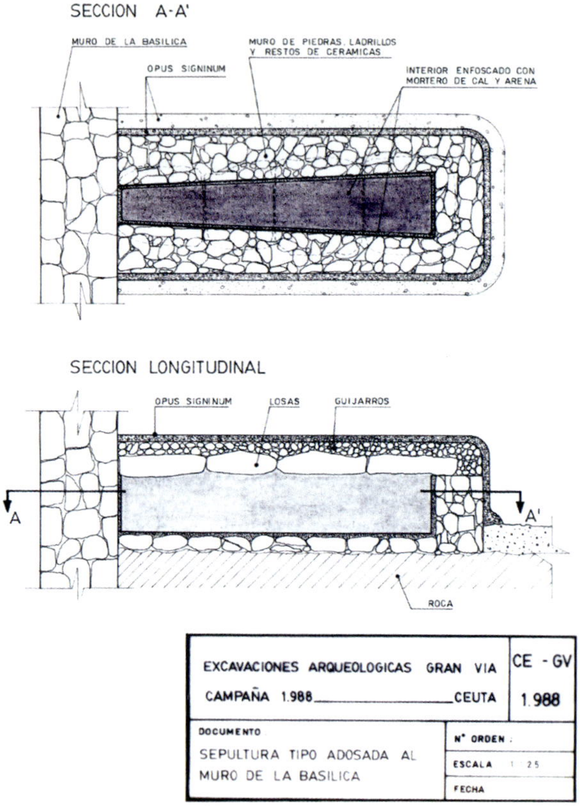

Fig. 6.- Documentación de una *mensa* localizada durante la campaña de excavaciones 1988.

Lagóstena, que mantiene básicamente esta clasificación (LAGÓSTENA, 2009, p. 447), agrupa en tres fases la evolución de esta necrópolis al dividir en dos las tumbas agrupadas por Fernández Sotelo dentro del primer nivel. La primera, que corresponde a las tumbas más profundas, es datada en época

10.- El número de tumbas consignado en los diferentes grupos hace mención únicamente a las situadas en el interior del edificio basilical. Las exteriores se encuentran generalmente en mal estado de conservación lo que dificulta su clasificación.

Lám. 6.- Vista parcial de la necrópolis.

altoimperial. La segunda la relaciona con la construcción de un edificio de planta rectangular articulado en torno a una tumba principal T4 (fig. 7). Una tercera fase estaría caracterizada por la ampliación de esta edificación hacia el este y por la construcción de un ábside en su cabecera. Estas dos últimas las fecha en el siglo V (LAGÓSTENA, 2009, pp. 614-615).

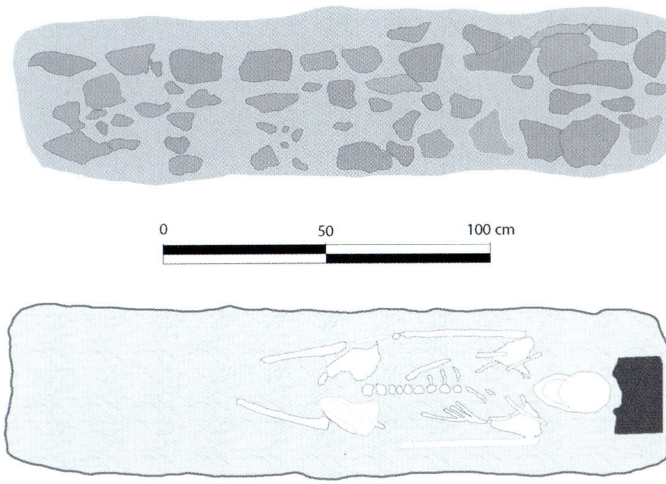

Fig. 7.- Tumba 4 (redibujada a partir de Fernández Sotelo 2000 : 260).

FERNÁNDEZ SOTELO		LAGÓSTENA		
Nivel inferior	102	54		Tipo 1
		48	Tégulas (23)	Tipo 2
			Ánforas (25)	
Nivel superior	61	61		Tipo 3

Tabla 2. Tipología de las sepulturas.

Uno de los hechos característicos de la necrópolis de la basílica ceutí es la extraordinaria densidad de enterramientos, en muchas ocasiones superpuestos hasta en tres y cuatro niveles de tumbas. Únicamente la cabecera del recinto frente al ábside aparece más despejada de sepulturas. Allí la zona preferente es ocupada por una tumba en fosa (T4) con el cadáver en posición decúbito supino que apoyaba la cabeza en un ladrillo. Se trata de una tumba muy sencilla en la que se cubrió el cuerpo con tierra. Al exterior una capa de piedras sin argamasa señalizaba su situación (FERNÁNDEZ, 2000, p. 63) (lám. 7).

Lám. 7.- Vista parcial de la necrópolis. Se observa el espacio más despejado en torno a la T4 frente al ábside y la acumulación de sepulturas en el ángulo SE.

Las restantes sepulturas se distribuyen en el espacio disponible, incluido el ábside, organizadas en sentido longitudinal. También, como indicamos, existieron tumbas al exterior del recinto en sus lados oeste y este conservadas en muy mal estado.

La basílica y necrópolis son hallazgos excepcionales tanto por su buen estado de conservación como por tratarse de uno de los escasos testimonios del cristianismo primitivo conservados en el extremo occidental norteafricano[11]. Por esta razón el yacimiento fue declarado bien de interés cultural como "zona arqueológica" en 1991 y transformado en Museo en 2006 (lám. 8).

Lám. 8.- Una de las salas del Museo de la Basílica Tardo-romana.

Su interpretación ha sido controvertida tanto en lo que afecta a su carácter (simple recinto funerario o lugar de celebración de culto) como a su cronología[12].

11.- En el norte de África occidental, el único paralelo es el de la basílica de Zilil (Dchar Jdid) aunque se han apuntado otros, menos claros, en Tánger y Lixus. Para consultar un panorama del mundo funerario en época tardía en el área del estrecho de Gibraltar véase LAGÓSTENA, 2009 y BERNAL et al., 2015.

12.- Otro aspecto discutido por la historiografía han sido su orientación, la cabecera está situada al sur, que se aparta de la norma, aunque se conocen bastantes ejemplos de construcciones de esta naturaleza que tampoco tienen una orientación canónica (FERNÁNDEZ, 2000 : 26-27; LAGÓSTENA, 2009 : 245). También, la restitución de sus pies, que para Fernández Sotelo nunca fueron levantados, pero que Lagóstena propone, aunque lo considera una "remota posibilidad", pudiese ser un ábside contrapuesto con funciones litúrgicas o un nártex (LAGÓSTENA, 2009 : 489 y 609-610).

Atendiendo a diversos indicios[13], Fernández Sotelo consideró que se trataba de un edificio inacabado (FERNÁNDEZ, 1991 ; FERNÁNDEZ, 2000, pp. 24-28).

Identificó dos fases principales en su construcción (FERNÁNDEZ, 2000, pp. 27-28).

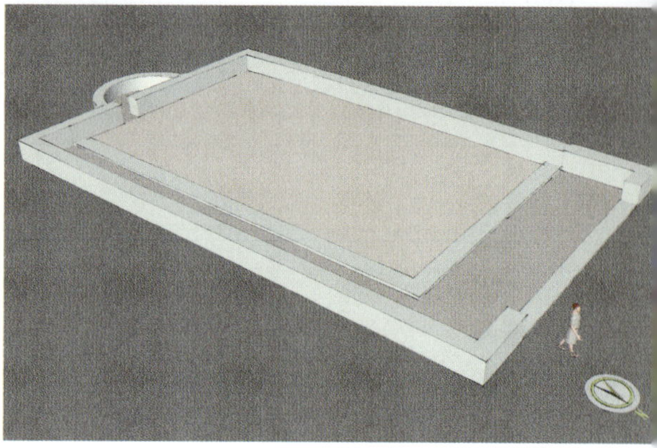

Fig. 8.- Croquis de las dos fases constructivas de la basílica

La primera, una edificación de planta rectangular (18,40 x 11,50 m), es fechada por él en época bajoimperial. Antes de su finalización sería ampliada hacia el este incorporándole además un ábside, en su opinión debido al auge de la comunidad cristiana ceutí. Alcanzó así unas dimensiones de 21,80 x 12,80 m (sin contar el ábside)[14]. Pero esta ampliación tampoco llegaría a ser terminada (FERNÁNDEZ, 2000, p. 23) (fig. 8 ; lám. 9).

Lám. 9.- Vista parcial de la Basílica. Con una flecha se señala la cimentación del primer recinto construido. T4 indica la situación de la tumba de la supuesta mártir.

13.- Fernández Sotelo basa esta hipótesis en la ausencia de baptisterio (aunque posteriormente defendió su existencia), sacristía, suelos, elementos de sustentación de la cubierta y en que el elevado número de sepulturas, algunas a distintas alturas, impediría la celebración del culto (FERNÁNDEZ, 2000: 25-26).

14.- La basílica ceutí es un proyecto arquitectónico de entidad, semejante en extensión a otros templos tardo-antiguos de la península Ibérica como los de Aljezares, el anfiteatro de Tarragona, El Germo, Es Cap des Port, etc., en la península Ibérica o de *Zilil* en Tingitana y, en cualquier caso, en la media de las dimensiones de este tipo de edificios (LAGÓSTENA, 2009, p. 250-253).

En su opinión "*la necrópolis sucedió cronológicamente al abandono del proyecto basilical y su desarrollo en el interior de los muros se mantuvo por la consideración de recinto sagrado*" (FERNÁNDEZ, 2000, p. 22). Como hipótesis plantea como una posible causa de la interrupción de la construcción la irrupción vándala en el norte de África lo que nos llevaría a situar este hecho en torno al 429 (FERNÁNDEZ, 2000, p. 28).

Sotomayor analizó este monumento poco después de ser exhumado. Siguiendo la hipótesis de Fernández Sotelo llegó a la conclusión de que "*es evidente que el recinto, en su último momento de uso, tal como ha llegado a nosotros, no era ya un edificio de culto litúrgico, sino un cementerio y, además, a la intemperie. Es imposible que un espacio totalmente ocupado por grandes túmulos pudiera servir para acoger a una asamblea de fieles. Por otra parte, los rodapiés o cuartos de bocel que rodean la parte inferior de muchos de los sepulcros de mensa parecen construidos con la finalidad de evitar la penetración del agua de lluvia*" (SOTOMAYOR, 1995, p. 529).

Se interroga también por la causa por la que los cristianos de *Septem* tuvieron ese "*empeño decidido de ser sepultados dentro del recinto, aun a costa de apretar las sepulturas unas contra otras y de superponerlas hasta en tres o aun cuatro niveles*" lo que contrasta con el espacio libre frente al ábside ocupado por una tumba aislada, muy sencilla. Plantea la posibilidad de que nos encontramos ante una *tumulatio ad sanctos*, es decir, que la necrópolis se originase en torno a una posible mártir[15] o persona fallecida en olor de santidad lo que motivó el interés de los cristianos ceutíes en ser inhumados cerca de ella. Identifica este enterramiento principal con la denominada sepultura T4, no afectada por la superposición de tumbas y en un lugar preferente en la cabecera (SOTOMAYOR, 1995, p. 533).

Sin embargo, otros autores (BERNAL, PÉREZ, 1999, p. 94-96) defendieron que el edificio sí fue concluido e incluso lo identificaron, concretamente su ampliación, con el templo dedicado a la *Theotokos* que Procopio en su *De Aedificiis* afirma que Justiniano I construyó en Ceuta[16]. Además, contraria-

15.- El análisis de los restos óseos recuperados no identificó ningún traumatismo que pudiera hacer pensar en una muerte violenta pero dado su mal estado de conservación estos datos no pueden ser considerados concluyentes.

16.- Tomando como referencia una cita de al-Bakri que indica que la mezquita mayor de Ceuta, situada en el emplazamiento de la actual Catedral, se edificó sobre una antigua iglesia E. Gozalbes señaló, antes del descubrimiento del edificio de planta basilical, que ahí se situaría el templo justinianeo (GOZALBES, 1977, p. 190-192; GOZALBES, 1986, p. 21).

mente a la datación ofrecida por Fernández Sotelo, Bernal defiende un uso del edificio "*entre momentos avanzados del siglo III o iniciales del IV, hasta el siglo VII d.C. sin hiatus alguno perceptible. Significativa resulta la tardía datación de los sondeos a ambos lados del ábside (siglos VI-VII), que posiblemente debamos interpretar como resultado de la fecha en la que se produce la ampliación del inmueble (¿siglo VI?), y la progresiva acumulación de sedimento en su entorno*" (BERNAL, 2009, p. 184).

Si el recinto basilical excavado por Fernández Sotelo no fuese el citado por Procopio sería necesario explicar la existencia de dos templos en un emplazamiento relativamente pequeño como Ceuta a una distancia de menos de 300 metros entre ambos (BERNAL, PÉREZ, 1999, p. 96).

Villaverde consideró el edificio de planta basilical como un cercado cementerial bajoimperial, construido sobre una necrópolis precedente. Fecha las sepulturas entre el siglo III e inicios del siglo V pues considera el registro material recuperado entre las tumbas (de los siglos V, VI e incluso VII) consecuencia de su abandono y uso como vertedero (VILLAVERDE, 2001, p. 212).

Entiende también improbable su identificación con el templo justinianeo que sitúa en el emplazamiento de la actual catedral (VILLAVERDE, 2001, p. 216).

Recientemente Lagóstena ha reinterpretado nuevamente, a partir de una exhaustiva revisión de los datos arqueológicos, la evolución de este espacio (LAGÓSTENA, 2009, pp. 614-615).

Para él, en una primera fase altoimperial se ubicaría allí una necrópolis de la que serían testimonio tres inscripciones paganas (fig. 9), dos fechadas a mediados del siglo II y la tercera a finales de esa centuria o inicios de la posterior, reutilizadas como material constructivo en tumbas posteriores (BERNAL, HOYO, 1996; BERNAL, HOYO, 1988) así como el sarcófago datado en época de Galieno[17].

Fig. 9.- Epígrafes altoimperiales reutilizados en las sepulturas de la basílica (BERNAL, HOYO, 1996)

17.- Diversas piezas de numario anterior a la reforma dioclecianea así como fragmentos cerámicos de sigillatas sudgálicas e hispánicas testimonian también la frecuentación de este espacio antes de la construcción del recinto basilical.

Lám. 10.- Propuesta de restitución de la basílica de Ceuta (captura de imágenes del video dirigido por D. Bernal y J. Lagóstena para el Museo de la Basílica Tardorromana).

Un segundo momento de la necrópolis se corresponde en su opinión con la primera fase constructiva del edificio.

Una tercera y última fase coincidiría con su ampliación y su disposición definitiva como edificio de culto. Sería esta última razón, la configuración de una topografía más religiosa añadiendo el ábside más que la posible ampliación del número de creyentes, la que explicaría esta reordenación espacial (LAGÓSTENA, 2009, p. 502) (lám. 10).

Atendiendo al registro material documentado, Lagóstena considera que el uso de la necrópolis en estas dos últimas fases estuvo centrado en el siglo V habiéndose sucedido una a otra en un corto espacio de tiempo (LAGÓSTENA, 2009, p. 616), datación aceptada por otros autores recientemente (BERNAL *et al.*, 2015, p. 126). Llega incluso a plantear que la necrópolis de Ceuta en el siglo IV –es de suponer que también la del siglo VI- debió estar situada en otro lugar (LAGÓSTENA, 2009, p. 618).

Interpreta el yacimiento, siguiendo a Sotomayor, como una basílica *ad sanctos* (SOTOMAYOR, 1995, p. 533), una "basílica cementerial" cuya función esencial es la de necrópolis quedando el culto litúrgico en un segundo plano (LAGÓSTENA, 2009, p. 498). Incluso debido a la presencia de inhumaciones principalmente infantiles[18] alrededor de la tumba T4 plantea la hipótesis de que podemos encontrarnos ante una mártir protectora de niños de un *xenodochium* u hospicio. (LAGÓSTENA, 2009, p. 464). Defiende además, no únicamente que el edificio fue concluido y utilizado sino que en él, aunque su función principal fue servir como cementerio, se realizaron celebraciones litúrgicas (LAGÓSTENA, 2009, p. 609).

La datación de las necrópolis bajoimperiales y tardo-antiguas es compleja debido a la continuidad en las prácticas rituales en este periodo así como la escasez de elementos significativos que aporten datos cronológicos y por ello el caso de *Septem* no puede ser considerado excepcional. Tampoco lo es que la interpretación de la basílica haya resultado tan dispar y controvertida. Se trata de un hallazgo singular en la Tingitana y sobre el que los datos disponibles hacen posible proponer hipótesis diversas.

Recopilando la información disponible es necesario concluir señalando algunos puntos de interés.

En primer lugar, ninguno de los restos exhumados puede ser fechado con anterioridad al siglo II d.C. por lo que nada sabemos de los cementerios ceutíes anteriores a ese momento.

También es de resaltar, en línea con lo anterior, que únicamente han sido documentadas inhumaciones, un ritual funerario que en la región acaba por imponerse aproximadamente hacia el siglo III d.C. desterrando las cremaciones con las que convivía en centurias precedentes.

Por otra parte, se constata la existencia de cementerios tanto al occidente como a oriente de la zona ístmica hacia el siglo III-IV d.C. Indirectamente podría reflejar un aumento de la importancia del lugar y un incremento en el número de habitantes, circunstancia apuntada también por el registro arqueológico.

Las tumbas situadas a occidente del Istmo debían ser la primera imagen que recibía el visitante a su llegada a *Septem* desde el continente como era habitual en el mundo romano. La necrópolis oriental lo sería para quienes llegasen desde el interior de la península ceutí.

18.- De las once tumbas cercanas a la T4 diez corresponden a enterramientos infantiles y una sola a un individuo varón del que llega a plantearse si no sería el marido de la mártir. Por otra parte cabe indicar que el análisis de los oligoelementos en hueso denotan que la difunta inhumada en la T4 presentaba el índice más elevado de Zn/Ca lo que hace suponer que disfrutó de una dieta más rica y por tanto gozaba de una mejor posición social. Es significativo que estos índices disminuyen a medida que nos alejamos de este espacio principal alcanzándose los niveles mínimos en las tumbas exteriores al edificio (PÉREZ-PÉREZ, LALUEZA, 1991, p. 85).

La ubicación de estas necrópolis extramuros del área urbana es un dato de interés para la reconstrucción de la topografía del lugar. Entre ambas, la arqueología ha documentado esencialmente una serie de complejos edilicios relacionados con las actividades destinadas a la transformación y salazón de productos marinos, posiblemente el principal recurso económico de *Septem* en la Antigüedad.

Sin embargo, hasta el momento, ninguna vivienda u otras edificaciones han podido ser localizadas en este espacio, aunque existen testimonios indirectos de un santuario dedicado a Isis a finales del siglo II o comienzos del III d.C. o a la promoción como *municipium* de la población a mediados del siglo II d.C. (BERNAL, HOYO, PÉREZ, 1998 ; BERNAL, PÉREZ, 1999, pp. 51-58). Tampoco más allá de esta necrópolis, hacia la Almina y el Hacho en un caso y hacia el Campo Exterior en el otro, se han localizado restos romanos, excepción hecha de los vestigios del acueducto de Arcos Quebrados de incierta cronología. Todo ello parece sugerir un modelo de ocupación centrado en el Istmo, muy diferente al que conocemos en las cercanas tierras de la Bética (BERNAL, 2009, pp. 160-161).

Recientemente Jiménez Vialás ha realizado un intento de caracterización de las necrópolis portuarias del estrecho de Gibraltar constatando ciertos paralelismos en el patrón de ubicación de los cementerios altoimperiales. Tomando como referencia los casos de *Gades, Baelo Claudia, Carteia, Iulia Traducta, Tingi* y *Septem* destaca su situación extramuros, próximas a la costa casi siempre, excavadas en su mayor parte en arena de playa y dunas, y cercanas a estructuras urbanas de diferente naturaleza (caminos o acueductos, alfares o factorías de salazón, *villae* residenciales o termas suburbanas) (JIMÉNEZ, 2015, pp. 76-78).

El cementerio oriental tiene una mayor perduración. Lo tenemos atestiguado ya en el siglo II d.C. aunque los enterramientos de la basílica, si se acepta la datación de Lagóstena, se centra fundamentalmente en el siglo V. No tenemos datos para saber si el occidental fue abandonado o se mantuvo en uso.

La construcción del edificio de planta basilical marca un momento decisivo en el desarrollo de las necrópolis ceutíes.

Indica además la existencia de una comunidad cristiana de importancia y su ubicación inmediata a la factoría salazonera explica que se convirtiese en lugar de enterramiento de quiénes en ella trabajaban. Permite plantear también la pregunta de en qué medida la gestión de este complejo productivo pudo ser controlada o no por la Iglesia.

BIBLIOGRAFÍA

José ALCÁZAR GODOY y Auxiliadora SUÁREZ LÓPEZ. (2000), "Antropología de la población paleocristiana de Ceuta", en FERNÁNDEZ, E., *Basílica y necrópolis paleocristianas de Ceuta*, Ceuta.

Darío BERNAL CASASOLA (1994), "Marcas sobre materiales de construcción de época romana en Ceuta y la problemática de la necrópolis de las Puertas del Campo", *Transfretana*, 6, pp. 61-80.

Darío BERNAL CASASOLA (2009), "Ceuta en la Antigüedad clásica", en F. Villada (coord.), *Historia de Ceuta. De los orígenes al año 2000*, Ceuta, tomo I, pp 133-203.

Darío BERNAL CASASOLA y Javier DEL HOYO CALLEJA (1996), "Tres inscripciones latinas inéditas procedentes de la Basílica Tardorromana de Ceuta (Mauritania Tingitana)", *Mélanges de la Casa de Velázquez*, 32, pp. 71-84

Darío BERNAL CASASOLA, Javier DEL HOYO CALLEJA (1998), "Tres inscripciones latinas inéditas procedentes de la basílica paleocristiana de Ceuta", *Actas del XIII Congreso Internacional de Arqueología Cristiana*, III, Split, pp. 105-114

Darío BERNAL CASASOLA, Javier DEL HOYO CALLEJA y José Manuel PÉREZ RIVERA (1998), "Isis en Mauretania Tingitana: un nuevo testimonio epigráfico de su culto procedente de Septem Fratres (Ceuta", *Atti del Convegno di Studi l´Africa Romana, XII (Olbia, 1996)*, pp. 1.139-1.161

Darío BERNAL CASASOLA y José Manuel PÉREZ RIVERA (1999), *Un viaje diacrónico por la historia de Ceuta. Resultados de las intervenciones arqueológicas en el paseo de las Palmeras*, Ceuta.

Darío BERNAL CASASOLA, José Manuel PÉREZ RIVERA y Silvia NOGUERAS VEGA (1998), *Excavación arqueológica en el Llano de las Damas (Ceuta)*, inédito (original depositado en la Consejería de Educación, Cultura y Mujer de la Ciudad Autónoma de Ceuta).

Darío BERNAL CASASOLA et al. (2015), "Necrópolis tardoantiguas y cristianismo en *Baelo Claudia*", en F. Prados y H. Jiménez (eds.), *La muerte en Baelo Claudia. Necrópolis y ritual en el confín del Imperio romano*, Cádiz-Alicante, pp. 125-138.

Emilio FERNÁNDEZ SOTELO (2000), *Basílica y necrópolis paleocristiana de Ceuta*, Ceuta.

Enrique GOZALBES CRAVIOTO (1977), "Ceuta entre el 429 y el 711. Contribución a su historia", *África*, 422, pp. 38-41

Enrique GOZALBES CRAVIOTO (1986), *Los bizantinos en Ceuta (siglos VI-VII)*, Ceuta.

Helena JIMÉNEZ VIALÁS (2015), "Paisajes de la muerte en las ciudades romanas del Estrecho. Necrópolis y espacios periurbanos altoimperiales", en F. Prados y H. Jiménez (eds.), *La muerte en Baelo Claudia. Necrópolis y ritual en el confín del Imperio romano*, Cádiz-Alicante, pp. 65-80.

José LAGÓSTENA GUTIÉRREZ (2009) *Arqueología y cristianismo en el Fretum Gaditanum de los siglos V al VII. La basílica y necrópolis tardorromana de Ceuta*, Cádiz (tesis doctoral inédita).

Manuel Luis ORTEGA PICHARDO (ed.) (1917), *Guía del norte de África y sur de España*, Madrid.

Manuel PELLICER CATALÁN (2004), "De Laurita a Tavira: una perspectiva sobre el mundo funerario en Occidente", en A. GONZÁLEZ (ed.), *El mundo funerario. Actas del III Seminario Internacional sobre temas fenicios*, Alicante, pp. 13-42.

Alejandro PÉREZ PÉREZ, J. M. y Carlos LALUEZA FOX (1991), "El consumo cárnico como indicador de diferenciación social a través del análisis de oligoelementos en hueso", *Boletín de la Sociedad Española de Antropología y Biología*, 12, pp. 81-91.

Fernando PRADOS MUÑOZ, Iván GARCÍA JIMÉNEZ y Vicente CASTAÑEDA FERNÁNDEZ (2010), "El mundo funerario fenicio-púnico en el Campo de Gibraltar. Los casos de la necrópolis de los Algarbes y la isla de las Palomas (Tarifa, Cádiz)", *Mainake*, XXXII (1), pp. 251-278.

Carlos POSAC MON (1962), *Estudio arqueológico de Ceuta*, Ceuta.

Carlos POSAC MON (1966a), "Una necrópolis romana descubierta en Ceuta", *IX Congreso Nacional de Arqueología (Valladolid, 1965)*, Zaragoza, pp. 331-333.

Carlos POSAC MON (1966b), *Informe arqueológico del año 1966*, original inédito conservado en el Archivo Central de Ceuta.

JOSÉ RAMOS MUÑOZ, DARÍO BERNAL CASASOLA (2009), "Ceuta en la prehistoria", Fernando VILLADA PAREDES (coord.), *Historia de Ceuta. De los orígenes al año 2000*, Ceuta, tomo I, pp. 73-131.

JOSÉ RAMOS MUÑOZ *et al.* (2008), "Carta Arqueológica del Norte de Marruecos (campaña, 2008). Primeros resultados de las ocupaciones de sociedades prehistóricas", en AA.VV., *En la orilla africana del círculo del Estrecho. Historiografía y proyectos actuales. Actas del II Seminario Hispano-Marroquí de especialización en Arqueología*, Cádiz, pp. 265-311.

JOSÉ RAMOS MUÑOZ *et al.* (2011), "Carta Arqueológica del Norte de Marruecos. Resultados de las ocupaciones de sociedades prehistóricas (campañas 2009 y 2010)", en AA.VV., *Arqueología y Turismo en el Círculo del Estrecho. Estrategias para la puerta en valor de los recursos patrimoniales del Norte de Marruecos*, Cádiz, pp. 223-263

JOSÉ RAMOS MUÑOZ *et al.* (2013), *El abrigo y la cueva de Benzú. Memoria de los trabajos arqueológicos de una década en Ceuta (2002-2012)*, Cádiz.

JOSÉ RAMOS MUÑOZ *et al.* (2015), "Valoración. Síntesis ocupaciones. Sociedades prehistóricas", en Baraka RAISSOUNI *et al.*, *Carta arqueológica del norte de Marruecos (2008-2012). Prospección y yacimientos, un primer avance. Vol I*, pp. 453-492.

Antonio ROSAS GONZÁLEZ, Almudena ESTALRRICH ALBO y Markus BASTIR (2013), "Una reevaluación de los restos humanos neolíticos", en JOSÉ RAMOS MUÑOZ et al., *El abrigo y la cueva de Benzú. Memoria de los trabajos arqueológicos de una década en Ceuta (2002-2012)*, pp. 596-606.

Manuel SOTOMAYOR MURO (1995), "Sepulturas *ad Sanctos* y la basílica de Ceuta", en *Actas del II Congreso Internacional "El Estrecho de Gibraltar"* (Ceuta, 1990), pp. 527-533.

Eduardo VIJANDE VILA et al. (2013), "Síntesis de la ocupación de la cueva de Benzú por sociedades tribales", en JOSÉ RAMOS MUÑOZ et al., *El abrigo y la cueva de Benzú. Memoria de los trabajos arqueológicos de una década en Ceuta (2002-2012)*, pp. 691-702.

Fernando VILLADA PAREDES, Joan RAMON TORRES y José SUÁREZ PADILLA (2010), *El asentamiento protohistórico de Ceuta. Indígenas y fenicios en la orilla norteafricana del estrecho de Gibraltar*, Ceuta.

Noé VILLAVERDE VEGA (1988), "Sarcófago romano de Ceuta", *Actas del I Congreso Internacional El Estrecho de Gibraltar, Ceuta, Noviembre de 1987*, pp. 877-905.

Maqābir min Sabta.
Sobre los cementerios musulmanes de Ceuta en la Edad Media[1]

Virgilio Martínez Enamorado
José Suárez Padilla
Fernando Villada Paredes

1. Introducción

En los últimos años, un gran número (más de un centenar entre 1996 y 2005) de intervenciones arqueológicas[2] han sido llevadas a cabo en la ciudad de Ceuta como consecuencia del desarrollo de un instrumento de protección de este patrimonio, el Apéndice de Protección del Patrimonio Arqueológico de la Ordenanza Reguladora de la Disciplina Urbanística (ALCALÁ VELASCO, 1998), más eficaz y por una mayor toma de conciencia de la población y de los responsables políticos de la importancia de la conservación de este legado. Asimismo, estas actuaciones han sido favorecidas por la extensa renovación del parque urbano de viviendas y por la ejecución de nuevas infraestructuras.

Se ha generado así un programa de arqueología urbana, parejo al desarrollado en otras ciudades españolas, que ha permitido obtener datos de interés para la reconstrucción de la historia de la ciudad. No obstante, el

1.- Este texto fue publicado inicialmente en la revista *Debates de Arqueología Medieval*, 2 (2012). Este capítulo es una versión ligeramente corregida de dicho artículo.

2.- Un balance actualizado de las recientes investigaciones arqueológicas en Ceuta puede consultarse en F.VILLADA PAREDES (2006); J.M HITA RUIZ y F.VILLADA PAREDES (2007) y J.M. HITA RUIZ y F. VILLADA PAREDES (2012).

Fig. 1.- Ceuta. Situación geográfica

resultado de este modelo de actuación ha tenido también sus limitaciones, similares a las de otros proyectos semejantes. Sin entrar en profundidad en un asunto objeto ya de amplia reflexión, éstas pueden resumirse en:

- proliferación de intervenciones destinadas no tanto a la investigación sino principalmente a la liberación de las cautelas arqueológicas de solares para su posterior edificación, limitadas por tanto al área afectada por la edificación,
- poca atención al estudio en profundidad de los datos obtenidos más allá de los concisos informes preliminares al uso debido a la falta de recursos para afrontar el estudio de los contextos excavados,
- escasas publicaciones de resultados,
- ritmo de intervenciones marcado en buena medida por el desarrollo de la actividad edificatoria y no tanto por criterios científicos (arqueología involuntaria), etc.

Con todo, como decíamos, se ha obtenido un importante volumen de datos de interés que permiten actualizar y enriquecer las aportaciones realizadas sobre ciertos aspectos de la historia de Ceuta. Una serie de datos que es preciso analizar y estudiar para transformarlos en información útil para generar un conocimiento histórico relevante.

Es ese el propósito del estudio que ahora abordamos, centrando nuestro estudio sobre los cementerios islámicos[3].

Esta cuestión ha sido ya objeto de atención por parte de otros investigadores, entre los que destacan los trabajos de C. Gozalbes que, aunque incluyen las escasas fuentes arqueológicas disponibles, están basados esencialmente en el análisis de las fuentes textuales y especialmente en las informaciones recogidas por al Anṣārī a principios del siglo XV (GOZALBES CRAVIOTO, 1995). También es de reseñar la publicación de V. Martínez Enamorado de algunas estelas funerarias recuperadas por C. Posac hace ya algunas décadas (MARTÍNEZ ENAMORADO, 2000). Pero, como indicábamos, los datos arqueológicos recuperados en los últimos años, inéditos hasta el momento, permiten una puesta al día de esta temática.

Nuestro trabajo comienza realizando una revisión de las fuentes textuales para a continuación ofrecer una sucinta revisión de los nuevos datos arqueológicos y epigráficos disponibles. Terminamos con la exposición de las principales conclusiones obtenidas del estudio. Por último, se incorpora un apéndice dedicado al estudio antropológico de los restos exhumados.

3.- La bibliografía sobre el caso español comienza a ser significativa. Sin ánimo de exhaustividad pueden citarse, entre otros, Leopoldo TORRES BALBÁS (1957); Julio NAVARRO PALAZÓN (1985); Josefa PASCUAL PACHECHO (1989); Carmen PERAL BEJARANO (1994); Magdalena RIERA RIU (1994); Inés FERNÁNDEZ GUIRADO (1995); Julián MARTÍNEZ GARCÍA, Carmen MELLADO SÁEZ y María del Mar MUÑOZ MARTÍN (1995); Ricardo MAR y Joaquín RUIZ DE ARBULO (1999); Pilar MENA MUÑOZ y Emilia NOGUERAS MONTEAGUDO (1999); Carmen FERNÁNDEZ OCHOA y María Ángeles QUEROL FERNÁNDEZ (2000); Antonio MALPICA CUELLO (2000); María Teresa CASAL GARCÍA (2001); Rafael A. BLANCO GUZMÁN (2004); Rosalía-María DURÁN CABELLO y F. Germán RODRÍGUEZ MARTÍN (2004); Ignacio RODRÍGUEZ TERMIÑO (2004); Vicente SALVATIERRA CUENCA (2004); Juan Antonio QUIROS CASTILLO (2005); Arturo del PINO RUIZ (2006); Ignacio RODRÍGUEZ TERMIÑO (2006); Rafael JIMÉNEZ CAMINO (2006); Pedro GURRIARÁN DAZA y Juan Bautista SALADO ESCAÑO (2009), etc. Por lo que respecta a intervenciones en el cercano territorio de Marruecos, el hecho de que muchas de esas necrópolis sigan en uso ha impedido contar con un registro arqueológico relevante sobre esta cuestión.

2. Fuentes textuales

Las referencias a los cementerios ceutíes en las fuentes textuales son relativamente abundantes en comparación con otras medinas del Occidente musulmán. Y no sólo de cementerios en sentido estricto, sino también de tumbas de personajes de prestigio de las que no se conoce el contexto concreto[4], por un lado, o del traslado de gobernantes para ser enterrados en la ciudad del Estrecho, por otro, caso de 'Alī ibn Ḥammūd, asesinado en Córdoba en 408/1018, cuyo cadáver fue trasladado por su hermano Qāsim para ser enterrado en Ceuta[5], aportando Ibn al-Jaṭīb una ubicación más precisa: afirma que sobre el lugar en el que se enterró "se construyó una mezquita que ahora está en el zoco del lino" (*banà 'alay-hi masŷid huwa al-ān bi-sūq al-Kattān*)[6]. La que hubo de ser, sin duda, lápida funeraria del Ḥammūdí fue encontrada en 1777 al abrir los cimientos de una casa en Ceuta, aunque lamentablemente se perdió sin que haya perdurado más que la traducción realizada en esos años finales del siglo XVIII por Casiri. Con ella se ha completado una restitución integral de su formulario original (MARTÍNEZ NÚÑEZ, 2007, pp. 108-109). Otro traslado del cadáver de un gobernante andalusí a Ceuta, donde finalmente se le dio sepultura, fue el que realizó el hijo del último emir de Menorca Sa'īd ibn Ḥakam, de nombre Abū 'Umar Ḥakam ibn Sa'īd, quien llevó los restos mortales de su progenitor a la ciudad del Estrecho para inhumarlo allí en el año 1288, tras unas azarosas peripecias[7].

Existe alguna noticia, demasiada apegada a lo literario, que habla de un solo cementerio (*madfin*, siendo su plural *madāfin*) en Ceuta[8], lo que no se ajusta a la realidad topográfica, como tendremos ocasión de compro-

4.- Por ejemplo, de la tumba (*qabr*) en Ceuta del jeque Abū 'Imrān Mūsà al-Barda'ī, de la gente de Fez, se dice que era conocida por expeler el bien; cfr. al-Sāḥilī, *Bugyat al-sālik*, II, ed. 'A. R. 'Alamī, p. 548, nº 4; ed. R. Mostfà, p. 384. Existe una nómina amplia de personajes andalusíes y magrebíes fallecidos en Ceuta: R. PINILLA MELGUIZO (1988).

5.- Ibn 'Iḏārī, *Bayān al-Mugrib*, III, ed. G. S. Colin y E. Lévi-Provençal, p. 122; trad. castellana F. Maíllo Salgado, p. 110.

6.- Ibn al-Jaṭīb, *Iḥāṭa*, III, ed. 'A.A. 'Iñan, pp. 56-57.

7.- Ibn al-Jaṭīb, *A'māl al-A'lām*, III, ed. E. Lévi-Provençal, p. 277; M. BARCELÓ, 2006.

8.- Ibn al-Jaṭīb, *Mi'yār al-Ijtiyār*, ed K. Chabana, p. 72; trad. española K. Chabana, p. 144. La traducción es un poco libre, como es característico en este investigador: "Su cementerio es amplio y no le agobian las sepulturas" *(al-madfin al-marḥūm gayr al-mazḥūm).*

bar a continuación, tanto desde la perspectiva de la historiografía como de la arqueografía.

Los testimonios escritos más tempranos sobre las distintas *maqābir* ceutíes aparecen recogidos en la obra de al Bakrī quien menciona la existencia de un cementerio sobre la montaña (*ŷabal*) que cae sobre el mar y otro, al norte de ella (*ŷawfī-hi*), que alcanza ("sobre">*'alà*) el "mar del arenal" (*baḥr al-Ramla*)[9].

La ubicación de estos cementerios no queda clara a tenor de la imprecisión con la que se suele manejar al-Bakrī. El cementerio sobre la montaña hace muy probablemente referencia al *Ŷabal al-Minā'*, el actual monte Hacho, donde hay referencias textuales muy escuetas de inhumaciones, como la de Abū Bakr Yaḥyà Wazrŷ al-Zāhid (m. 560/1164-1165), del que simplemente se transmite que cuando murió fue "[enterrado] en el puerto de Ceuta" (*fa-māta bi-hā* [*bi-Sabta*] *raḥima-hu Allāh* [*wa-dufina*] *fī l-Minā'*)[10], en tanto que el situado junto al mar de arena puede hacer alusión a un cementerio situado a occidente de la *madīna*, quizás en la denominada posteriormente playa de la Sangre.

Más adelante, al describir las fortificaciones del frente (*ŷānib* = "lado") occidental de la *madīna*, indica que delante (*amāma-hā*) del puente (*al-qanṭara*) que sirve para salvar el foso (*jandaq*), es decir, a la entrada de la *madīna*, hay un jardín (*bustān*), pozos (*abyār*) y un cementerio (*maqbara*)[11]. Es posible que se trate del citado antes junto al "mar del arenal".

Otra fuente indispensable para el conocimiento de los cementerios ceutíes es la recopilación de sentencias del ceutí Muḥammad ibn 'Iyāḍ, *Maḏāhib al-ḥukkām*, que recoge un capítulo dedicado a los enterramientos (*al-ŷanā'iz)*[12]. Se incluyen en él dos consultas relativas a la licitud de las construcciones sobre tumbas o en cementerios que puedan ocasionar perjuicios a otros.

9.- Al-Bakrī, *al-Masālik al-abṣār*, I, ed. A. P. Van Leeuwen y A. Ferre, p. 780, nº 1307. Se refiere a ese arenal, llamándola "playa del Arenal", CORREA DA FRANCA (1999), p. 115: *Bien informado estaba el rey* [portugués] *por sus esploradores que la parte de los Baños (que es la plaia que ahora llamamos del Arenal)...*

10.- Ibn al-Zayyāt al-Tādilī, *al-Tašawwuf*, ed. A. Tawfīq, p. 119, nº 142; trad. francesa M. de Fenoyl, p. 213, nº 142.

11.- Al-Bakrī, *al-Masālik al-abṣār*, I, ed. A. P. Van Leeuwen y A. Ferre, p. 780, nº 1307.

12.- Muḥammad ibn 'Iyāḍ, *Maḏāhib al-Ḥukkām*, trad. D. Serrano, pp. 486-489

La mayoría de las opiniones expresan la necesidad de demoler las citadas construcciones. Aunque sin referencias topográficas precisas a la ubicación de ningún cementerio ilustran la presión que sobre los espacios funerarios islámicos ejercen las construcciones que van realizándose, mostrando cómo estos cementerios aparecen plenamente insertos en la trama urbana. De otra parte, indican la existencia de construcciones sobre las tumbas a pesar del rechazo de dicha práctica por la ortodoxia islámica.

Nuestra principal fuente de información sobre los cementerios, como en general sobre la Ceuta árabo-medieval, es indiscutiblemente el *Ijtiṣār al-ajbār'ammā kāna fī ṯagr Sabta min sannī al-āṯār* ("Resumen de noticias sobre los monumentos ilustres de Ceuta"), obra de Muḥammad ibn al-Qāsim al-Anṣārī, escrita en 1422, a partir de cuya traducción distintos estudiosos se han acercado, con distinta fortuna, a la topografía de la ciudad medieval de Ceuta. No entraremos a analizar los personajes de las 82 tumbas, pues se saldría de los propósitos de un trabajo de estas características, labor, por otro lado, que está acometiendo uno de nosotros. Nos limitaremos, por consiguiente, a realizar una interpretación lo más arqueológica posible de la dispersa y relativamente abundante información sobre los cementerios ceutíes contenida en las diversas fuentes árabo-musulmanas de época medieval.

Al-Anṣārī hace referencia a las necrópolis en dos ocasiones. La primera[13] en el capítulo dedicado a las tumbas de hombres ilustres sepultados en las *maqbarat ṯagr Sabta*. Menciona que en el *Kitāb al-Kawākib al-waqqāda al-ŷāmi' li-mà fī ṯagr Sabta min tarāŷim al-sāda wa-qubūr al- a'imma al-qāda*, una obra perdida cuyo autor era un tal Muḥammad al-Ḥaḍramī[14], se reseñan 82 tumbas de imames, aunque reconoce que otros muchos no han podido ser identificadas, lo que revela un conocimiento libresco, adquirido desde antiguo generación tras generación, en torno a la idea de la santidad de los probos hombres de ciencia que ya pertenecían, por estar enterrados allí, a *madīnat Sabta*[15]. Indica además que algunos "mausoleos" (*mazārāt*), entendiendo por

13.- Al-Anṣārī, *Ijtiṣār al-ajbār*, ed. 'A. W. ben Manṣūr, pp. 12-27; trad. castellana, J. Vallvé Bermejo, pp. 402-413. J. Vallvé Bermejo, 1962, traduce por "Cementerios de la zona de Ceuta" (*Maqbarāt ṯagr Sabta*) cuando en realidad lo que en el epígrafe consta es la expresión "los notables enterrados en Ceuta" (*al-a'yān al-madfūnūn bi-Sabta*).

14.- Sobre este personaje, E. LÉVI-PROVENÇAL (1922), p. 222; C. BROCKELMANN, (1937), S/III, p. 338; J. VALLVÉ BERMEJO (1962), p. 402, nota 2.

15.- Un buen número de argumentos para entender lo que esto significa, aplicándose en concreto a Fez, puede encontrarse en F. SKALI (2007).

tal concepto sin duda las *qubba*-s, contienen numerosas tumbas que no están comprendidas en este número.

Señala un total de dieciséis cementerios (fig. 2), doce en Ceuta, dos en la vecina población de *Bazbaŷ*, de la cual es originario, y dos más en Benyunes.

	Denominación	Situación
1	al-Tūta	En la al-Minā', en la parte oriental de la ciudad
2	al-Kubrà	Al pie del Ŷabal al-Minā'
3	al-Manāra	
4	al- Ḥāfa	Las tumbas más célebres son las de los "mártires", objeto de una célebre peregrinación
5	Mezquita al-Maḥalla	Visitada por Ṭāriq b. Ziyād
6	Zaklū	
7	al-Rabaḍ al-Asfal	
8	al-Šarī'a	al-Rabaḍ al-Awsaṭ
9	Maḍrib al-Šabka (1)	al-Rabaḍ al-Barrānī. En el interior de las Murallas del Mar (sūr al baḥr), en el lugar llamado Maḍrib al-Šabka
10	Maḍrib al-Šabka (2)	Exterior de Bāb al-Aḥmar
11	Aḥŷār al-Sūdān (1)	
12	Aḥŷār al-Sūdān (2)	
13	al-Walŷa	Bazbaŷ
14	al-Ẓuhr	Sobre las Aceñas (al-Sawānī), al lado de la Fuente de 'Alī ('Ayn 'Alī), en Bazbaŷ
15	'Unṣur al-Lawz	Benyunes
16	al-Ŷantal	Benyunes

Fig. 2.- Cementerios citados por al Anṣārī en los que están enterrados "hombres ilustres" *(al-a'yān al-madfūnūn bi-Sabta).*

Dedica un nuevo apartado a los cementerios (fig. 3) más adelante al indicar que son trece[16], precisando que se encuentran al exterior e interior de la medina.

16.- Al-Anṣārī, *Ijtiṣār al-ajbār*, ed. 'A. W. ben Manṣūr, p. 50; trad. castellana J. Vallvé Bermejo, pp. 435-436, bajo el epígrafe *al-Maqbarāt*, "los Cementerios".

Denominación	Comentarios
Maqbarat al-Tūta	Al este de al-Minā', en la ladera de la montaña
Maqbarat al-Manāra	Un conjunto de seis cementerios, el primero de los cuales es Maqbarat Ẓahr al-Ma'lab y el último Maqbarat Bi'r al-Nuqṭa*.
Maqbarat ibn al-Rāmī	
Maqbarat al-Jawā'im	
Maqbarat Zaklū	
Maqbarat Masŷid al-Maḥalla	
Maqbarat al-Balad al-Qadīm	Trazado por Sabt
Maqbarat al-Šarī'a	al-Rabaḍ al-Awsaṭ
Maqbarat al-Ḥāra	
Maqbarat Maḍrib al-Šabka	
Maqbarat Maḍrib al-Šabka, (2)	
Maqbarat Aḥŷār al-Sūdān (1)	
Maqbarat Aḥŷār al-Sūdān (2)	

* Otros de esos sectores de Maqbarat al-Manāra hubieron de ser *Rabwat Abīl-Faḍl* y *ŷabbānat al-Jarrūba.*

Fig. 3.- Cementerios de Ceuta *(Maqbarāt tagr Sabta)*, según al Anṣārī.

Llama inicialmente la atención la significación dada por el historiógrafo ceutí a los cementerios, ya que se le dedican dos apartados del *Ijtiṣār*. Igualmente, hemos de suponer que todos ellos eran espacios vivos, en uso, en los años iniciales del siglo XV antes de la conquista portuguesa, pues el vívido testimonio de al-Anṣārī así parece mostrarlo.

Por otro lado, la comparación entre ambos listados (fig. 4) permite comprobar a primera vista disparidades tanto en el número de cementerios de la medina de Ceuta reseñados (doce en un caso, trece en otro) como en su denominación.

En ocho casos el nombre coincide en ambas relaciones. Respecto a los restantes, Gozalbes indica que *maqbarat al-Balad al-Qadīm* ("cementerio de la Ciudad Antigua") puede corresponder al *maqbarat al-Kubrà* pues al-Anṣārī menciona que en el primero se halla enterrado Sabt, el mítico fundador de Ceuta, mientras que en el segundo cita que la ciudad antigua, *al-Balad al-*

<table>
<tr><th>Cementerios</th><th>Tumbas "hombres ilustres"</th></tr>
<tr><td colspan="2">Maqbarat al-Tūta</td></tr>
<tr><td colspan="2">Maqbarat al-Manāra</td></tr>
<tr><td>Maqbarat ibn al-Rāmī
Maqbarat al-Jawā'im</td><td>Maqbarat al-Ḥāfa
Maqbarat al-Rabaḍ al-Asfal</td></tr>
<tr><td colspan="2">Maqbarat Zaklū</td></tr>
<tr><td colspan="2">Maqbarat Masŷid al-Maḥalla</td></tr>
<tr><td>Maqbarat al-Balad al-Qadīm</td><td>Maqbarat al-Kubrà</td></tr>
<tr><td colspan="2">Maqbarat al-Šarī'a</td></tr>
<tr><td>Maqbarat al-Hāra</td><td>¿?</td></tr>
<tr><td colspan="2">Maqbarat Maḍrib al-Šabka (1)</td></tr>
<tr><td colspan="2">Maqbarat Maḍrib al-Šabka, (2)</td></tr>
<tr><td colspan="2">Maqbarat Aḥŷār al-Sūdān (1)</td></tr>
<tr><td colspan="2">Maqbarat Aḥŷār al-Sūdān (2)</td></tr>
</table>

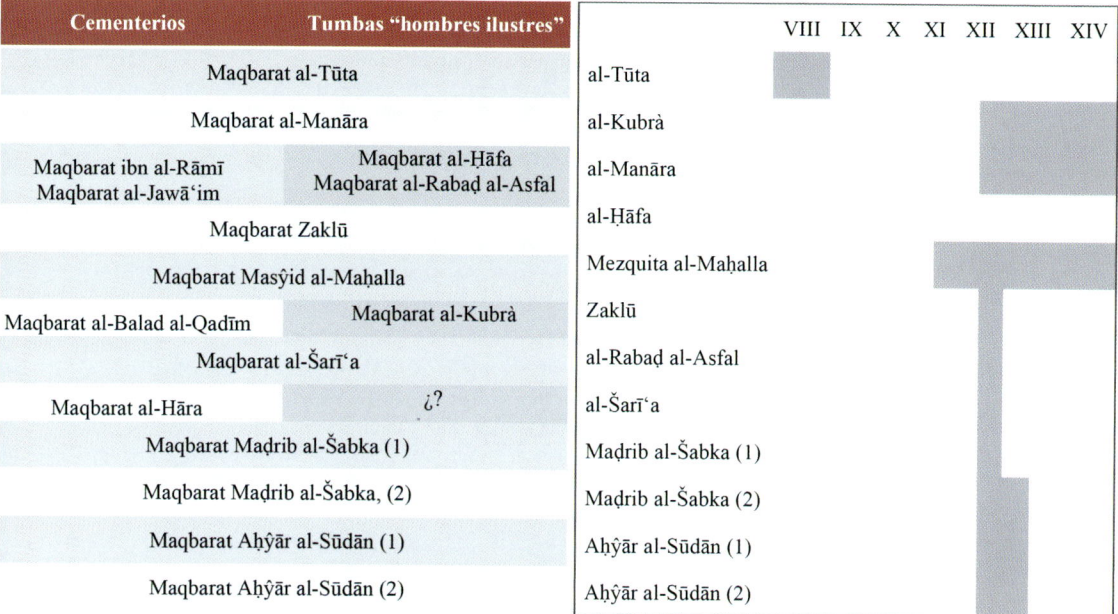

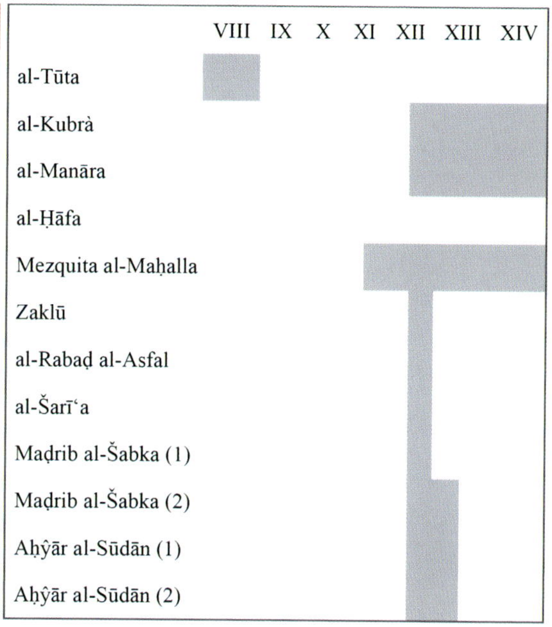

Fig. 4.- A la izquierda, correlación de los dos listados de cementerios recogidos por al Anṣārī. A la derecha, su cronología (ambos según GOZALBES CRAVIOTO: 1995).

Qadīm, fue fundada por este mismo personaje (GOZALBES CRAVIOTO, 1995, pp. 57-58). Añade que *maqbarat ibn al-Rāmī* y *maqbarat al-Jawā'im* corresponderían a *maqbarat al-Ḥāfa* y *maqbarat al-Rabaḍ al-Asfal*, sin que pueda precisarse la exacta correspondencia entre ambos. Por último, señala que *maqbarat al-Ḥāra* es alusión al cementerio judío[17], en el barrio del mismo nombre, lo que explicaría su ausencia en el listado de cementerios que mencionan tumbas de hombres piadosos e imames musulmanes (GOZALBES CRAVIOTO, 1995, pp. 59-60).

Precisar la ubicación de estos cementerios no es, en muchos casos, tarea sencilla. Debemos señalar en primer lugar que la impresión que se deduce de la lectura del texto de al-Anṣārī es que la descripción que hace de los cementerios se realiza *grosso modo* en sentido este-oeste.

Así *al-Tūta*, *al-Kubrà* y *al-Manāra* pueden localizarse en el monte Hacho (*Ŷabal al-Minā'*), como se encargan de aclarar distintos autores. Algunos de

17.- Contrariamente a lo que dice este autor, *ḥāra* no es siempre alusión a "barrio judío" ni tiene, por supuesto, un sentido despectivo, lo que nos lleva a poner en cuarentena esta hipótesis. Sobre el valor de *ḥāra* en al-Andalus, V. MARTÍNEZ ENAMORADO (2003), pp. 323-328; V. MARTÍNEZ ENAMORADO (2006), pp. 29-34.

ellos llegan a confundir uno de esos cementerios con el propio monte, caso de las evidencias de la inhumación de Abū Muḥammad 'Abd Allāh ibn 'Ubayd Allāh, fallecido en 591/1195, que unos sitúan en el monte Almina[18] y otros en el cementerio de *al-Manāra*[19], lo que redunda en la situación del cementerio en el contexto del accidente orográfico. En efecto, en el caso de los dos primeros así lo explicita al-Anṣārī[20] y en el tercero puede deducirse de su denominación al-Manāra ("el Faro"), donde se ubicaba la Rábita de Abī Jalīl, dentro de la ciudad de Ceuta (*dājil Sabta*), a tenor del testimonio de Abū 'Abd Allāh al-Marrākušī[21].

Para C. Gozalbes el cementerio de *al-Tūta*, nombre que derivaría de la rábita primigenia así llamada ("Rábita de las Moras") y que tal vez fuese la misma más arriba mencionada (GOZALBES CRAVIOTO, 1995, pp. 54-55), estaría al este del Hacho, en el actual barranco del Desnarigado, aunque indica a continuación, siguiendo a J. Vallvé[22], que es posible que el actual morabito de Sidi Bel Abbas Sabti (Sīdī Abū l-'Abbās al-Sabtī) sea lo único que reste hoy de dicho cementerio (VALLVÉ BERMEJO, 1962, p. 433, nota 101b).

El cementerio de *al-Manāra* lo sitúa aquel estudioso (GOZALBES CRAVIOTO, 1995, p. 56) en las actuales colinas de San Antonio, siendo allí donde debía de ubicarse la tumba, repleta de *baraka*, de Rayḥān al-Aswad, según el testimonio de al-Anṣārī[23] o de otros autores[24], quienes lo apuntan

18.- Ibn al-Abbār, *Takmila*, II, pp. 278-281, nº 809.

19.- Como, entre otros, Ibn al-Qāḍī al-Miknāsī, *Ŷadwat al-Iqtibās*, II, ed. Dār al-Manṣūra, p. 428, nº 454: "[...] y fue enterrado en el lugar conocido por *al-Manāra*, en su interior [de Ceuta]" (*wa-dufina bi-l-mawḍi' al-ma'rūf bi-l-Manāra dājili-hā*). No lo cita explícitamente como cementerio.

20.- Y para *al-Tūta*, también al-Qaštālī, *Tuḥfat al-mugtarib*, ed. F. de la Granja, p. 120; trad. castellana B. Boloix Gallardo, p. 213: *rābiṭat al-Tūta min al-Bīna* [*sic*, por *al-Mīna*].

21.- Abū 'Abd Allāh al-Marrākušī, *Ḏayl*, VI, p. 327, nº 1135, biografía de Muhammad ibn 'Āmir ibn Hāšim ibn 'Abd Allāh al-Azdī, fallecido en 746/1345-1346, "enterrado [...] en *al-Manāra* en el cementerio de la Rābiṭa Abī al-Jalīl en el interior de Ceuta" (*bi-l-Manāra bi-maqbarat Rābiṭa Abī al-Jalīl dājil Sabta*).

22.- Es bastante extraño, en todo caso, que al-Anṣārī no se haga eco de la existencia de esta rábita.

23.- Al-Anṣārī, *al-Ijtiṣār al-ajbār*, ed. 'A. W. ben Manṣūr, p. 19; trad castellana, p. 406. No lo refiere así Ibn al-Zayyāt al-Tādilī, *al-Tašawwuf*, p. 158, nº 43; trad. francesa, p. 123, nº 43, quien afirma que era "del Puerto de la ciudad de Ceuta" (*kāna bi-Minā' madīnat Sabta*) para a continuación centrarse en la *baraka* que proporcionaba siempre este sufí. Sobre ello, también, Z. BENRAMDANE (2003, p. 167).

24.- Ibn al-Jaṭīb, *Iḥāṭa*, III, ed. A. A. 'Inān, p. 251; Ibn al-Qāḍī, *Durrat al-Ḥiŷŷāl*, II, p. 60.

indirectamente al emplazar la tumba de Muḥammad ibn Isḥāq al-Balafīqī (m. 694/1295) en ese cementerio, en las proximidades del mausoleo del susodicho Rayḥān; en realidad, el camposanto aparece en la inhumación de al-Balafīqī con la denominación de *al-Jarrūba* ("el Algarrobo") en la *Manāra* (*wa dufina*[...] *bi-ŷabbānat al-Jarrūba min Manārati-hā bi-maqriba min qabr Rayḥān al-Aswad* [...]" = "[...] y fue enterrado en el cementerio de *al-Jarrūba* de su *al-Manāra* [de Ceuta] en las cercanías de la tumba de Rayḥān al-Aswad [...]"), lo que significa que ese sector (*ŷabbānat al-Jarrūba*) era uno de los seis constitutivos de la necrópolis de *al-Manāra*, de la que conocemos ese número concreto y los nombres de otros tres merced a las palabras de al-Anṣārī. Además de al-Jarrūba, son: *Maqbarat Ẓahr al-Ma'lab* y *Maqbarat Bi'r al-Nuqṭa*[25], por un lado, y *las colinas de Abū l-Faḍl (Rabwat Abī l-Faḍl)*[26], por otro. En fin, otro de esos sectores de *al-Manāra* hubo de ser el acondicionado por un ancestro del cadí 'Iyāḍ en el siglo XI (m. 397/1006-1007), instalado en tiempos de Almanzor en Ceuta, quien se encargó, tras comprar un terreno (*arḍ*), de la construcción de una casa (*dār*) y una mezquita (*masŷid*), a la que dio un uso cementerial como terrenos que formaban parte de los bienes habices (*wa-Ḥabasa bāqī al-arḍ li-l-dufn*)[27].

Finalmente, *al-Kubrà* lo ubica Gozalbes en la falda oeste del monte Hacho (GOZALBES CRAVIOTO, 1995, p. 58).

Al-Ḥāfa es un cementerio en el que se disponen un gran número de tumbas pues está situado en un lugar espacioso. Es punto de peregrinaje célebre dado que en él se encuentran las "tumbas de los mártires" (*qubūr al-šuhadā'*), seguramente un conjunto de *qubbāt* (*mizār*). Allí crecen abundantes los azufaifos cuyas espinas protegen este lugar. Se trata de un hecho excepcional provocado por la baraka de algún santo: esta planta no crece en Ceuta.

Cita a continuación el cementerio de la mezquita de *al-Maḥalla*[28], mencionada también por al-Bādisī[29], dónde Ṭāriq b. Ziyād estuvo cuando se

25.- Al-Anṣārī, *al-Ijtiṣār al-ajbār*, ed. 'A. W. ben Manṣūr, p. 50; trad. castellana J. Vallvé Bermejo, p. 436.

26.- Al-Anṣārī, *al-Ijtiṣār al-ajbār*, ed. 'A. W. ben Manṣūr, p. 47; trad. castellana J. Vallvé Bermejo, p. 433.

27.- Al-Maqqarī, *Azhār al-riyāḍ*, I, ed. S. A. A'rāb, M. Tāwīt y otros, p. 28.

28.- Al-Anṣārī, *al-Ijtiṣār al-ajbār*, ed. 'A. W. ben Manṣūr, p. 21; trad. castellana J. Vallvé Bermejo, p. 408.

29.- Al-Bādīsī, *al-Maqṣad*, ed. S. A. A'rāb, p. 68; trad. francesa G. S. Colin, p. 46: "El jeque Abū 'Abd produjo la conquista de al Andalus. Menciona aquí también al-Anṣārī las "tumbas de los mártires" y la de Umm al-Maŷd Maryâm, hija del fundador de la primera m*adrasa* ceutí, Abū l-Ḥasan al-Gāfiqī al-Šārrī, en el terreno constituido como bienes habices para dar sepultura a los estudiantes de la citada *madrasa*[30]. Todas estas indicaciones y algunas otras referencias contenidas en el mismo texto de al-Anṣārī llevan a C. Gozalbes a precisar el emplazamiento de este cementerio y del de *al-Ḥāfa* sobre la bahía sur, a occidente de la medina ceutí, identificándolo con el citado por al-Bakrī frente al foso que limitaba la medina y por Zurara tras la conquista portuguesa bajo la denominación de *as covas* (GOZALBES CRAVIOTO, 1995, p. 48).

Los cementerios del arrabal inferior (*al-Rabaḍ al-Asfal*) y el de *al-Šarī'a,* en el arrabal intermedio (*al-Rabaḍ al-Awsaṭ*),[31] debieron ser de una extensión limitada. Su ubicación viene determinada por la de los arrabales en que se sitúan en torno a la cual hay interpretaciones diversas.

Indica al-Anṣārī que los arrabales eran seis[32]:

- Tres bien poblados, ligados inmediatamente a la medina.
- *Al-Rabaḍ al-Barrānī,* el arrabal exterior, en el que se encuentran *al-Ḥāra* y *al-Kassābūn,* cuyos muros fueron derribados por el sultán Abū Sa'īd desde *Ḥāfat al-Guddār* hasta *Maḍrib al-Šabka.*
- El *Afrag,* la ciudad continua al precedente, en el que se sitúa el palacio real que los sultanes mariníes destinaron a su residencia
- *Al-Minā',* en la parte oriental con un perímetro de seis millas.

Allāh al-Dabbāg estudiaba sufismo en la ciudad de Ceuta". Sospechamos que pueda ser la misma que aparece en esta misma obra bajo otra denominación, *al-Maḥmil,* y con unas pistas para su ubicación muy concretas: "[Abū Ša'bān] se estableció en Ceuta donde se casó, y no cesó en su función de almuédano en la Mezquita de los Molineros (*Masŷid al-Qarrāqīn*) y en la Mezquita Miḥmal (*Masŷid Miḥmal*) que está en [el Barrio de] los Zapateros en la parte baja de la Calle del Sultán (*al-Miḥmal alladī fī al-Daqāqīn bi-asfal Zuqāq al-Sulṭān*)". Cfr. al-Bādīsī, *al-Maqṣad,* p. 137 y trad. francesa, p. 145. Obsérvense las diferentes versiones en la traducción y edición: en la edición, en los dos casos *daqāqīn*; en la traducción francesa, *qarrāqīn* y *daqāqīn.* Hemos elegido la versión aportada por el traductor G. S. Colin.

30.- Sobre la *Madrasa* de al-Šārrī y la posterior *al-Ŷadīda* construida por los meriníes, V. MARTÍNEZ ENAMORADO (1998); V. MARTÍNEZ ENAMORADO (2002).

31.- Al-Anṣārī, *al-Ijtiṣār al-ajbār,* p. 22; trad. castellana, pp. 409-410.

32.- Los arrabales en Al-Anṣārī, *al-Ijtiṣār al-ajbār,* pp. 43-44; trad. castellana, pp. 429-430.

Alude también al-Anṣārī[33] a la existencia de cuatro fosos (*al-Ḥafā'ir*) que sirven de límite a estos arrabales:

- *Al-Hafīr al-Akbar* ("el Foso más Grande"), que rodea *al-Rabaḍ al-Barrānī*
- El foso que separa este arrabal de los otros tres que se extiende desde *al-Šaṭṭābīn* hasta *Maḍrib al-Šabka*
- "El Foso Imponente, conocido como *Sihāŷ*" (*al-Ḥafīr al-Hā'il, al-ma'rūf bi l-Sihāŷ*), según dice al-Bakrī, que separa la medina de los arrabales y que es atravesado por dos puentes, *Qanṭarat Bab al-Maššāṭīn* y *Qanṭarat Bāb al-Faraŷ*
- El foso que separa *Ŷannat al-Ŷānastī*, situado en la *al-Minā'*, del resto del territorio, a partir de *al-'Arqūb* hasta *Bāb al-Ḥalāwiyyīn*

El *Afrag*, del que se conservan parcialmente los restos de su cerca, y *al-Minā'*, identificado con el monte Hacho, no plantean dudas en cuanto a su situación. Tampoco el arrabal exterior, a occidente, aunque su extensión sí. Los tres arrabales bien poblados, que deben corresponder a los denominados como *al-Awsaṭ*, *al-Asfal* y a otro más cuyo nombre no se explicita (¿*Zaklu*?), han sido objeto de mayor controversia.

Para Joaquín Vallvé (VALLVÉ BERMEJO, 1962, pp. 432-433) y Gozalbes (GOZALBES CRAVIOTO, 1995) estarían situados a oriente de la medina. Así, *al-Ḥafīr al-Akbar* que marca el límite occidental de *al-Rabaḍ al-Barrānī* correspondería aproximadamente a la actual Avenida de San Juan de Dios siendo su límite oriental *al-Sihāŷ*, el actual foso navegable, que lo separa de la medina. Esta vendría a situarse básicamente en el emplazamiento de la posterior Ciudad portuguesa (el Istmo). A partir de la actual plaza de la Constitución comenzaría el arrabal intermedio hasta la altura aproximada de las calles Alfau y plaza de Azcárate situándose el "foso que separa los tres arrabales" en una línea que coincide con las calles Alfau, Canalejas y Ramón y Cajal. Más al este aún, se sitúan los arrabales de Abajo, al norte, y *Zaqlū*, al Sur, separados de *al-Minā'* por otro foso ubicado a la altura de la actual Cortadura del Valle.

Otros autores, como Cherif (CHERIF, 1996, p. 90) o Benrandame (BENRAMDANE, 2003, pp. 130-134), interpretan que estos "tres arrabales bien poblados" estaban situados entre el arrabal exterior (*al-rabaḍ al-Barrānī*) y la medina como parece desprenderse de la interpretación realizada por

33.- Al-Anṣārī, *al-Ijtiṣār al-ajbār*, ed. 'A. W. ben Manṣūr, p. 46; trad. castellana J. Vallvé Bermejo, p. 432.

Turki cuando señala que *al-Rabaḍ al-Barrānī* y estos tres arrabales están separados por un foso que va desde *al-Šaṭṭābīn* hasta *Maḍrib al-Halāwiyyīn*[34].

Zaklū responde con toda seguridad a un topónimo de incierta etimología pero de diáfano origen beréber. Obsérvese, por lo demás, la oscilación gráfica entre los fonemas /k/ y /q/ en este caso, lo que nos hace sospechar que se pronunciaría como /g/[35], ajustándose a la perfección a esa posible etimología tamazigue.

Zaklū/Zaqlū/Zaglū posiblemente sea uno de los cementerios más conocidos entre los ceutíes[36], emplazándose en el interior de la ciudad (*dājil al-madīna*). Se dispone, en efecto, junto a la mezquita del mismo nombre, como confirma igualmente Abū 'Abd Allāh al-Marrākušī[37]. Este oratorio de barrio, según indica al-Anṣāri[38], era el segundo en importancia tras la Mezquita Mayor, y constaba de siete naves y dos patios, siendo destacable su alminar construido por Abū l-Qāsim al 'Azafī. Esta mezquita disponía también de una biblioteca. Su ubicación es confirmada por el propio al-Anṣārī en otro momento cuando señala que el zoco (*sūq Maqbarat Zaqlū*) está en el lado oriental de la ciudad. Un texto del cadí 'Iyāḍ es sumamente explícito por el destacado número de hitos topográficos que proporciona en la relación de habices de un tal Ḥammād ibn Jalaf ibn Abī Muslim al-Ṣadafī[39] para el

34.- 'A. M. TURKI, (1982-1983), p. 147: "Le fossé qui sépare ce faubourg des trois autres, à partir d'al-*Šaṭṭābīn* jusqu'à *Maḍrib al-Halāwiyyīn*".

35.- Igualmente hay forma gráfica *Zaŷlū*; cfr. Ibn al-Jaṭīb, *Iḥāṭa*, V, ed. 'A. S. Šaqūr, p. 45, nº 36: [Lubb ibn Muḥammad ibn Faraḥ (¿) al-Anṣārī] murió en Ceuta en el año 638/1240-1241 y fue enterrado en el cementerio de *Zaŷlu*" (*dufina bi-maqbara Zaŷlū*), confirmación de que las oscilaciones gráficas responden a una vacilante dicción popular, por un lado, y a un posible origen beréber del étimo, por otro. La noticia sobre el enterramiento de este personaje, con otra cadena genealógica, se presenta de manera más confusa en Abū 'Abd Allāh al-Marrākušī, *al-Ḏayl*, V (2), ed. I. 'Abbās, p. 578-579, nº 1133, quien en nota 3 señala en la biografía de Lubb ibn 'Alī al-Salamī que un tal Lubb ibn 'Umar ibn Ŷirāḥ al-Anṣārī, sin duda el anterior, falleció en Ceuta en ese mismo año de 638, siendo enterrado en el cementerio *M.r.n.ŷ.lū*, segura corrupción de *Maqbarat Zaŷlū*, en el interior de la ciudad (*dājil al-madīna*) al margen.

36.- Al-Anṣārī, *Ijtiṣār al-ajbār*, ed. 'A. W. ben Manṣūr, pp. 20-21; trad. castellana J. Vallvé, pp. 409-410.

37.- Abū 'Abd Allāh al-Marrākušī, *Ḏayl*, VIII (2), ed. M. ben Šarīfa, p. 520; *Ibn al-Zubayr, Ṣila*, III, ed. 'A. S. al-Harrār y S. al A'rāb, p. 41, nº 32. En esa mezquita (*bi-masŷid Maqbarat Zaklū min Sabta*), Muḥammad ibn Abī l-Hasan ibn 'Umar al-Fihrī ejercía su labor, ubicándose en el mismo cementerio de *Zaqlū*.

38.- Al-Anṣārī, *Ijtiṣār al-ajbār*, ed. 'A. W. ben Manṣūr, p. 29; trad. castellana J. Vallvé Bermejo, p. 417.

39.- Además de la traducción de D. Serrano, contamos con la anterior de H. FERHAT (1993), pp. 158-160.

correcto emplazamiento de esta *maqbara*. Lástima que no podamos situar la mayor parte de ellos, si bien es posible hacerse una idea de este espacio santo rodeado de casas, tiendas y mezquitas, esto es, un ambiente plenamente urbano, cercado por diferentes estructuras arquitectónicas: "la casa que está al lado del cementerio de al-Zaqlū (*maqbarat al-Zaqlū*), junto a las dos tiendas (*al-ḥānūtayn*) contiguas a ella. El límite de estos edificios por el sureste es el callejón (*al-zuqāq*) que baja desde ellos hasta la mezquita de Ibn al-Janšiyya; por el norte, la casa de Idrīs ibn 'Aṭṭāf al-Qarrār y por el oeste el callejón que desde ella sube hasta la mezquita del mencionado cementerio"[40].

Se refiere a este mismo cementerio más abajo, cuando describe que entre los bienes habices donados por aquel personaje se encuentra el horno (*furn*) de la mezquita de Yūsuf ibn Abī Muslim, al que se llega por "un callejón que baja desde el [horno] y que sale el cementerio del mercado (*maqbarat al-Sūq* [*al-Zaklū*]), callejón al que dan sus puertas".

Y también entre esos bienes habices se encuentra una "tienda que está en el zoco de los alfagemes (*Suq al-Ḥaŷŷāmīn*), cerca de la mezquita del cementerio [de al-*Zaklū*] mencionado"[41].

C. Gozalbes sitúa esta mezquita en la actual Iglesia de Ntra. Señora del Valle y el cementerio en sus inmediaciones (GOZALBES CRAVIOTO, 1995, p. 46). La excavación arqueológica llevada a cabo en el interior de este templo (HITA, PÉREZ y VILLADA, inédito) no permitió la documentación de niveles islámicos aunque ha de reseñarse la presencia de inhumaciones siguiendo el ritual musulmán en el solar contiguo (*vide infra*).

Tampoco parece haber dudas, ya que así lo menciona al-Anṣārī, sobre la situación de los dos cementerios de *Maḏrib al-Šabka*[42] en el arrabal de Afuera. El primero al interior de *sūr al-Baḥr* (muralla del Mar) y el segundo al exterior de *Bāb al-Aḥmar*. En este último se hallaban el conjunto de tumbas más famosas del mismo, las de los *Šurafā'* (chorfas) ḥusayníes, muchas (*wa-hum 'adad kaṯīr*), agrupadas en torno a un solo panteón (*rawḍa wāḥida*)[43].

40.- Muḥammad ibn 'Iyāḍ, *Maḏāhib al-Ḥukkām*, trad. D. Serrano, p. 347.

41.- Muḥammad ibn 'Iyāḍ, *Maḏāhib al-Ḥukkām*, trad. D. Serrano, pp. 347-348.

42.- Al-Anṣārī, *Ijtiṣār al-ajbār*, ed. 'A. W. ben Manṣūr, p. 24; trad. castellana J. Vallvé Bermejo, pp. 411-412.

43.- Al-Anṣārī, *Ijtiṣār al-ajbār*, ed. 'A. W. ben Manṣūr, p. 24; trad. castellana J. Vallvé Bermejo, p. 411.

Por al-Maqqarī, sabemos de su número aproximado (eran alrededor de 30 tumbas) y de su emplazamiento, en el lado oriental de la Rābiṭa llamada al-Fisāl[44].Gozalbes (GOZALBES CRAVIOTO, 1995, pp. 51-52) identifica uno de estos cementerios con el citado por al Bakrī junto a *baḥr al-Ramla* y explica la existencia de estos dos espacios, uno en el interior del *Rabaḍ al-Barrānī* y el otro al exterior porque el primero quedaría al interior del muro que rodeaba el arrabal, construido en el siglo XIII, lo que obligó a continuar las inhumaciones en un nuevo cementerio fuera de la cerca.

También los dos cementerios de *Ḥaŷar al-Sūdān* se sitúan fuera de *al-Rabaḍ al-Barrānī* según transmite al-Anṣārī[45], dato confirmado por al-Bādisī que localiza la rábita de este nombre y su cementerio fuera de las murallas de la ciudad. El testimonio de Aḥmad al-Qaštālī en relación con la tumba del santón a quien dedica su obra, Abū Marwān al-Yuḥānisī, es aún más explícito, al afirmar que la rábita y cementerio de *Ḥiŷār al-Sudān* se emplazaban "en las afueras de Ceuta"[46]. Asimismo, en esa misma necrópolis de *Aḥŷār al-Sūdān* fue enterrado Abū l-Ḥaŷŷāŷ al-Munṣafī en torno al año 605/1208-1209[47]. Y más al oeste aún los dos cementerios de *Bazbaŷ* (*Walŷa* y *al-Ẓuhr*[48]) y los dos de Benyunes (*'Unṣur al-Lawz* y *Ŷantal*[49]).

Tras estudiar la nómina de personajes que al-Anṣārī indica que están enterrados en los distintos cementerios, C. Gozalbes propone una datación para ellos. Salvo *Maqbarat al-Tūta*, que considera exclusivamente del siglo VIII, y *Maqbarat Masŷid al-Maḥalla*, que atestigua al menos desde mediados

44.- Al-Maqqarī, *Azhār al-riyāḏ*, I, ed. S. A. A'rāb, M. Tāwīt y otros p. 42: "[...] en la ciudad de Ceuta, alrededor de 30 tumbas, en su panteón que se les atribuye [a los chorfas], en el lado oriental de la Rábita de al-Fiṣāl" (= *bi-madīnat Sabta naḥw al-ṯalāṯīn qabran, fī rawḍati-him al-mansūba ilay-him bi-l-ŷānib al-šarqī min Rābiṭat al-Fiṣāl*).

45.- Al-Anṣārī, *Ijtiṣār al-ajbār*, ed. 'A. W. ben Manṣūr, p. 50; trad. castellana J. Vallvé Bermejo, p. 436.

46.- Al-Qaštālī, *Tuḥfat al-mugtarib*, ed. F. de la Granja, p. 43; trad. p. 112: *bi-Rābiṭat bi-Ḥiŷār* [*sic*] *al-Sūdān min jāriŷ Sabta*; p. 46; trad. castellana B. Boloix Gallardo, p. 116: *bi-qiblī rābiṭat Ḥiŷār al-Sūdān, min jāriŷ Sabta*; p. 47 y trad. 117: *bi-qiblī Ḥiŷār al-Sūdān, min jāriŷ Sabta*. Igualmente, Al-Bādīsī, *al-Maqṣad*, ed. S. A. A'rāb, p. 101; trad. francesa G. S. Colin, p. 91: *bi-rābiṭat Ḥiŷāra* [*sic, al-Ḥiŷār*] *al-Sūdān jāriŷ al-balda* [*Sabta*]. C. GOZALBES CRAVIOTO (1995) pp. 109-110, siguiendo esta última noticia, le da la consideración de mezquita cuando el texto en árabe únicamente hace alusión a una rábita.

47.- Al-Anṣārī, *Ijtiṣār al-ajbār*, p. 26; trad. castellana, p. 412; V. C. Navarro Oltra, 2009, p. 564, nº 1563.

48.- Al-Anṣārī, *Ijtiṣār al-ajbār*, ed. 'A. W. ben Manṣūr, p. 26; trad. castellana J. Vallvé Bermejo, pp. 412-413.

49.- Al-Anṣārī, *Ijtiṣār al-ajbār*, ed. 'A. W. ben Manṣūr, pp. 26-27; trad. castellana J. Vallvé Bermejo, p. 413.

del siglo XI, todos los demás cementerios tienen comienzo a mediados del siglo XII, prolongándose en solo tres casos hasta el momento de la conquista lusa (fig. 4) (GOZALBES CRAVIOTO, pp. 1995, 72)

La mayor concentración de cementerios a partir de la segunda mitad del siglo XII es explicada por el considerable aumento de la población de la ciudad a partir de esos momentos. Se presentan, sin embargo, dudas sobre la ausencia de referencias escritas a inhumaciones entre los siglos IX y XI, dato que Ceuta comparte con otras ciudades del Occidente musulmán[50], lo que ha de relacionarse con la naturaleza de la historiografía de esas centurias.

Junto a estos cementerios indica al-Anṣārī la existencia en Ceuta de un total de cuarenta y siete rábitas y *zāwiya*-s situadas tanto sobre las costas norte y sur como en el interior de la ciudad[51]. Se constata que a partir de estas instituciones se generan espacios multifuncionales entre cuyas actividades se incluyen las puramente cementeriales, pues al ser fundaciones de probos y piadosos musulmanes rezumarían *baraka* y, por y para ello, son destinadas a *maqābir*. La anécdota de la fundación de una *zāwiya* por parte de una mujer que dispensa a su marido, 'Abd al-Ḥaqq al-Saba'īn, el dinero para la construcción de esa institución "en su misma casa" (*fī dājil dāri-hā*), pone de relieve la facilidad con la que se creaban estos centros intelectuales[52] y, por ende, su elevado número.

Según al-Anṣārī[53], la rábita más monumental era la denominada *al-Sīd* ("la Rábita de la Pesca", nombre de enigmático significado que pueda tener que ver tal vez con su ubicación cerca de las almadrabas), de la que existe alguna que otra referencia escrita sin descripción concreta[54]. La describe como de forma cuadrada y sostenida por doce columnas. Ocho eran de mármol, siete blancas y una negra que rezumaba humedad. Las otras cuatro eran de ladrillo y estaban situadas bajo el lugar donde se juntaban

50.- El caso de una ciudad como Málaga, en muchos asuntos parecido al de Ceuta, se ha analizado con exhaustividad; cfr. Mª I. CALERO SECALL y V. MARTÍNEZ ENAMORADO (1995) pp. 409-436.

51.- Al-Anṣārī, *Ijtiṣār al-ajbār*, ed. 'A. W. ben Manṣūr, p. 30; trad. castellana J. Vallvé Bermejo, p. 417.

52.- Al-Bādīsī, *al-Maqṣad*, ed. S. A. A'rāb, p. 69; trad. francesa G. S. Colin, p. 47.

53.- Al-Anṣārī, *Ijtiṣār al-ajbār*, ed. 'A. W. ben Manṣūr, p. 31; trad. castellana J. Vallvé Bermejo, p. 418.

54.- Al-Bādīsī, *al-Maqṣad*, ed. S. A. A'rāb, p. 65; trad. francesa G. S. Colin, p. 40.

las nervaduras de la cúpula. De cada columna partían cinco nervaduras rodeando dieciocho ventanas que iluminaban las cuatro naves y daban sobre los dos lados del mar. La puerta de la rábita era de piedra porosa pulida y junto a ella se encontraba la casa que habitaba el servidor de la rábita.

Otra muy parecida a la anterior en su estructura alberga en su interior la tumba de Ḥīda (*Qabr Ḥīda*)[55], una esclava que pertenecía a los príncipes almohades. Esta tumba aparece rematada con una estela de mármol blanco, seguramente una gran estela prismática o *mqābriyya*, de una longitud de doce palmos y una altura de cinco aproximadamente. En los cuatro lados de la rábita había una escalera de cinco peldaños pulidos y de construcción cuidada.

3- Evidencias arqueológicas

De todas estas necrópolis el paso del tiempo fue haciendo perder la memoria hasta tal punto que muchas de ellas nunca volvieron a ser localizadas. No obstante, algún dato recogido en fuentes más tardías confirma que no de todas ellas el recuerdo se perdió. Así, el barón Jorge de Ehingen (GOZALBES, 1995, 48), que estuvo en Ceuta en 1418, señala que

> "conviene saber que Ceuta es una gran ciudad cuyas tres partes estaban cercadas de tierra y la cuarta de mar (sic), y a mi parecer es mayor que Colonia; hacia la parte de tierra hay hoyos que son sepulcros abandonados... vimos a los moros dirigirse a una montaña situada delante de la ciudad cubriéndola en toda su extensión. Disparamosles piedras con nuestras máquinas con bastante acierto. Se retiraron entonces hacia los sepulcros... Así pasamos el día y murieron muchos moros, si bien nosotros sufrimos bastante daño, porque los moros se acercaban, guareciéndose de los sepulcros cuanto podían... Mucho se trabajó y se sufrió entonces por ambas partes y aunque innumerables moros fueron rechazados y muertos ocupaban las cercanías de la ciudad en los sepulcros y alrededor de las murallas...".

Quizás sea este mismo lugar al que Zurara hace mención como *as covas* (ZURARA, 1792, p. 90; p. 104; p. 119; p. 132).

55.- Al-Anṣārī, *Ijtiṣār al-ajbār*, ed. 'A. W. ben Manṣūr, p. 31; trad. castellana J. Vallvé Bermejo, p. 418.

Cabe suponer, a tenor de esta descripción, que se trata de una necrópolis al exterior y relativamente cercana al frente occidental amurallado. Además, de la descripción se colige que los "sepulcros" han de ser ciertamente monumentales para que tras ellos se guarecieran con cierta facilidad los asediadores musulmanes.

Siglos después recoge Correa da Franca un curioso episodio en la disputa entre portugueses y fronterizos ocurrida en Ceuta. Un crucificado venerado en la ermita de la Veracruz fue robado en un audaz golpe de mano de dos tetuaníes. Este es el relato que reseña Correa: desembarcaron en 1638 "Cazimi cherife y Chandi, moros de Tetuán, mui prácticos hasta de los más escondidos rincones de Ceuta con motibo del comercio que en ella frecuentaban" con su embarcación en Fuente Caballos y robaron la imagen del Cristo volviendo sin ser descubiertos a Tetuán. Los ceutíes tratan por todos los medios de recuperarla pero los tetuaníes no consienten acuerdo alguno. Uno de los almocádanes, Diego Salado, converso tetuaní, idea una estratagema y para ello desenterró unos huesos del cementerio de Fuente Caballos, "entierro en Ceuta de los moros". Partió en una embarcación junto con otro almocadán, Pedro González a un morabito que se hallaba en el exterior de Ceuta. Removieron un tanto las tierras haciendo ver que habían desenterrado algunos huesos y volviendo a Ceuta hicieron creer que los huesos sacados de Fuente Caballos procedían del morabito. Estos huesos fueron junto a un rescate en plata cambiados por la imagen del Cristo que de este modo volvió a ser venerado en la ermita (CORREA, 1999, pp. 229-230).

Lo importante para nuestro propósito es, de una parte, que se conserva memoria aún en 1638 de la existencia de un cementerio musulmán en Fuente Caballos[56]. El morabito al exterior de la ciudad podría ser el de Sidi Embarek (*vide infra*).

Ramos Espinosa de los Monteros se hace eco a principios del siglo XX de la aparición de varias tumbas en la batería del Pintor que consideró fenicias (RAMOS, 1989, p. 107)

> "El trazado del distrito de la Almina es de época árabe [...] Algunas excavaciones practicadas en esa zona han descubierto muros y habitaciones con columnas, baños árabes, paredes con mosaicos y dibujos añilados sobre el yeso del revestimiento, monedas y

56.- C. GOZALBES CRAVIOTO (1995) p. 65, considera debió tratarse quizás de unos enterramientos asociados a una zawiya y no de ninguno de las necrópolis mencionadas por al Anṣārī.

> objetos de cerámica basta. En la parte alta, que fue establecimiento de un núcleo de la población fenicia, se hallaron restos humanos al fabricar la batería del Pintor, dando señales de otro cerco de mampostería que seguía el declive del terreno en dirección a occidente sobre el acantilado del Recinto [...]"

Esta datación es bastante improbable siéndolo más que se tratase de inhumaciones islámicas dada su cercanía a otras necrópolis de esta cronología localizadas en sus inmediaciones (*vide infra*).

Desde 1985 son dieciséis las intervenciones arqueológicas cuyos resultados indican la aparición de enterramientos islámicos medievales o al menos elementos (estelas) que pueden ser relacionadas con almacabras (fig. 5).

Con anterioridad, cabe reseñar la recuperación por parte de C. Posac de cuatro epígrafes funerarios (*vide infra*) y un cierto número de noticias publicadas en la prensa local que dan cuenta de la aparición de diversas inhumaciones aunque en ningún caso aportan datos concluyentes en cuanto a su cronología, debido a tratarse de hallazgos en obras en los que, si bien a veces se menciona la aparición de cerámicas islámicas, desconocemos su posible relación con los restos óseos.

Efectivamente, según queda reseñado en la Carta Arqueológica Terrestre (BERNAL, inédito), en las páginas del diario local "El Faro de Ceuta" se reseña la aparición de restos humanos en diversos solares.

Así, por ejemplo, se señala la aparición en la calle Espino 8 de un posible osario contemporáneo (24 de mayo de 1959). También se indica la localización de restos humanos en la calle Fernández y la Legión (5 de agosto de 1968). En esta ocasión los huesos no se recuperan pero sí diversa "cerámica talaverana" (s. XVIII) y "post-talaverana" (XVIII-XIX), algunas monedas (una del siglo XVII y el resto del XIX) y también cerámicas islámicas (un brocal de pozo y cerámicas mariníes). La foto que acompaña la información muestra cerámicas de esta cronología (mariní y moderna) así como un candil de piquera. Más restos humanos son reseñados en la Gran Vía (29 de septiembre de 1976), en el Recinto sur (5 de marzo de 1981), etc.

Informaciones orales señalan también la aparición de huesos en diversas obras sin que, a pesar de que algunas localizaciones coinciden con probables ubicaciones de cementerios islámicos, pueda afirmarse con rotundidad su adscripción cronológica a tal etapa[57].

57.- Si la ubicación de cementerios en momentos más recientes es relativamente bien conocida, no debe olvidarse que durante las diferentes epidemias que asolaron Ceuta, especialmente en el siglo

	Situación	Dirección	Año	Nº	Ritual	Cronología	Otros
1	Urbanización Monte Hacho	E. Fernández Sotelo	89	¿3?	Habitual (conchas)	¿XII-XIV?	Noticia aparición jarro (¿ajuar?)
2	Torres del Hacho	S. Nogueras	02	6	Habitual	¿XII-XIV?	Noticias de otro enterramiento arrasado.
3	Cuartel de las Heras	J. Suárez y S. Ayala	09	1	Habitual	¿XIII-XIV?	Intervención preventiva por realizar
4	Cuartel del Brull	J. Suárez y S. Ayala	10	5	Habitual (conchas)	Medieval	Muy arrasado
5	Real 72 con Canalejas y Pje. Diamante	F. Villada, A. Palomo y J. Suárez	08	3	Habitual (conchas)		Enterramientos afectados por posteriores inhumaciones
6	Tte. Pacheco 8	A. M. Martín y J. Suárez	07	1	Habitual	Siglo XIV	Muy arrasado
7	Tte. Arrabal	A. Palomo y D. Godoy	06	¿?	Habitual	Medieval	Muy arrasado
8	Fructuoso Miaja 7, 11	F. Villada	05	16	Habitual	¿XII-XIV?	Agrupación de huesos movidos por posteriores inhumaciones
9	Fructuoso Miaja 14	J. M. Tomassetti, C. Fernández y J. Suárez	11	¿?	-	XIII-XIV	Estela anepigráfica en un contexto secundario
10	Real 40-44	F. Villada y J. M. Hita	00-04	30	Habitual (conchas)	¿XI?I-XIV	Cubiertas tejas y refuerzos laterales
11	Echegaray (ampliación Instituto Camoens)	J. M. Pérez Rivera y S. Nogueras	01-02	8	Ritual no islámico	¿XI-XIII?	Interpretado como un posible cementerio judío
12	Velarde 16-18-20	J. Suárez y S. Ayala	08	2	Habitual	XIV	Sobre estructuras anteriores
13	Pje. Fernández	F. Villada, J. Suárez et al.	08-09	8	Habitual	XIV	Al exterior de un oratorio. Estela epigráfica en contexto secundario. Sobre estructuras anteriores
14	Plaza Catedral	F. Villada y J. Suárez	05	4	Habitual	Medieval	¿Fosa con dos inhumaciones?
15	Avda. España	F. Villada y J. Suárez	00-03	9	Habitual	XII-XIV	Cubierta de lajas y base de una inhumación de material constructivo (ladrillos)
16	Puerta de Fez	F. Villada	07-08	-	-	¿XIV?	Estela anepigráfica en un contexto secundario
	TOTAL DE INHUMACONES DOCUMENTADAS:			**96**			

Fig. 5.- Resumen de intervenciones arqueológicas en las que se han documentado almacabras (tumbas o estelas).

Antes de describir los datos arqueológicos debe ser anotada también la presencia de tres morabitos con distintos enterramientos sin que pueda asegurarse su antigüedad.

El de sidi Bel Abbas (Sīdī Abū l-'Abbās al-Sabtī) se encuentra situado en la falda sur del monte Hacho. La identificación del personaje del que deriva el antropónimo no es clara[58] aunque su antigüedad queda confirmada por Mascarenhas en el siglo XVII cuando indica que

> "en una playa de la Almina permanecen unas piedras, donde en tiempo de los moros un Morabito, q´ entre ellos estava en reputación de Santo, llamado Cid Belabes Ceitil, hazia la Salá. Son tan venerados de aquellos barbaros q´ todos los navíos de Moros q´ pasan el estrecho encienden luminarias, i ofreccen azeite luego q´ descubren este sitio" (MASCARENHAS, 1995, p. 25).

La pervivencia del culto queda atestiguada en diversa documentación[59] y se mantiene hoy en día[60].

Tampoco es segura la antigüedad del de sidi Embarek (Sīdī Mubārak), situado en el Campo Exterior y en cuyas inmediaciones se encuentra el actual cementerio musulmán de Ceuta, aunque Gozalbes haya propuesto su identificación con alguna de las mezquitas citada por al Anṣārī. Su cronología original es posible medieval (GÓMEZ BARCELÓ, 2008, pp. 330-336).

El tercero, sidi Brahim (Sīdī Ibrāhīm), en las cercanías de la actual línea fronteriza con Marruecos, parece tener un origen bastante más reciente (GÓMEZ BARCELÓ, 2008, pp. 336-342).

XVIII, el riesgo de contagio motivó enterramientos apresurados en lugares en principio no concebidos para tal fin, conocidos como "carneros". Sobre las epidemias de peste véase E. JARQUE ROS, (1989).

58.- C. MOSQUERA MERINO (1994), pp. 233-234, se decanta por Abū l-'Abbās Aḥmad al-Sabtī (Ceuta, 1145-Marraquech, 1204/5) en tanto que C. GOZALBES CRAVIOTO (1995), 161-165 apunta varias posibles identificaciones (Abū l-'Abbās al-Daqqāq, Abū l-'Abbās ibn Abū l-Jayr al-Anṣārī o Abū l-'Abbās Aḥmad ibn Nāhiḍ al-Sabtī)

59.- La prohibición de la realización de romerías a la tumba del santo son reiteradas desde finales del siglo XVI y a lo largo del XVII; J. L. GÓMEZ BARCELÓ (2008), p. 329.

60.- El control de los movimientos de tierras realizado por José Suárez Padilla durante la remodelación del denominado Camino de Ronda permitió la recuperación de diverso material cerámico bajomedieval en el perfil resultante del corte del vial al norte del morabito. Este indicio, aunque indica la frecuentación del lugar en ese momento, no puede ser relacionado directamente con el momento de su construcción.

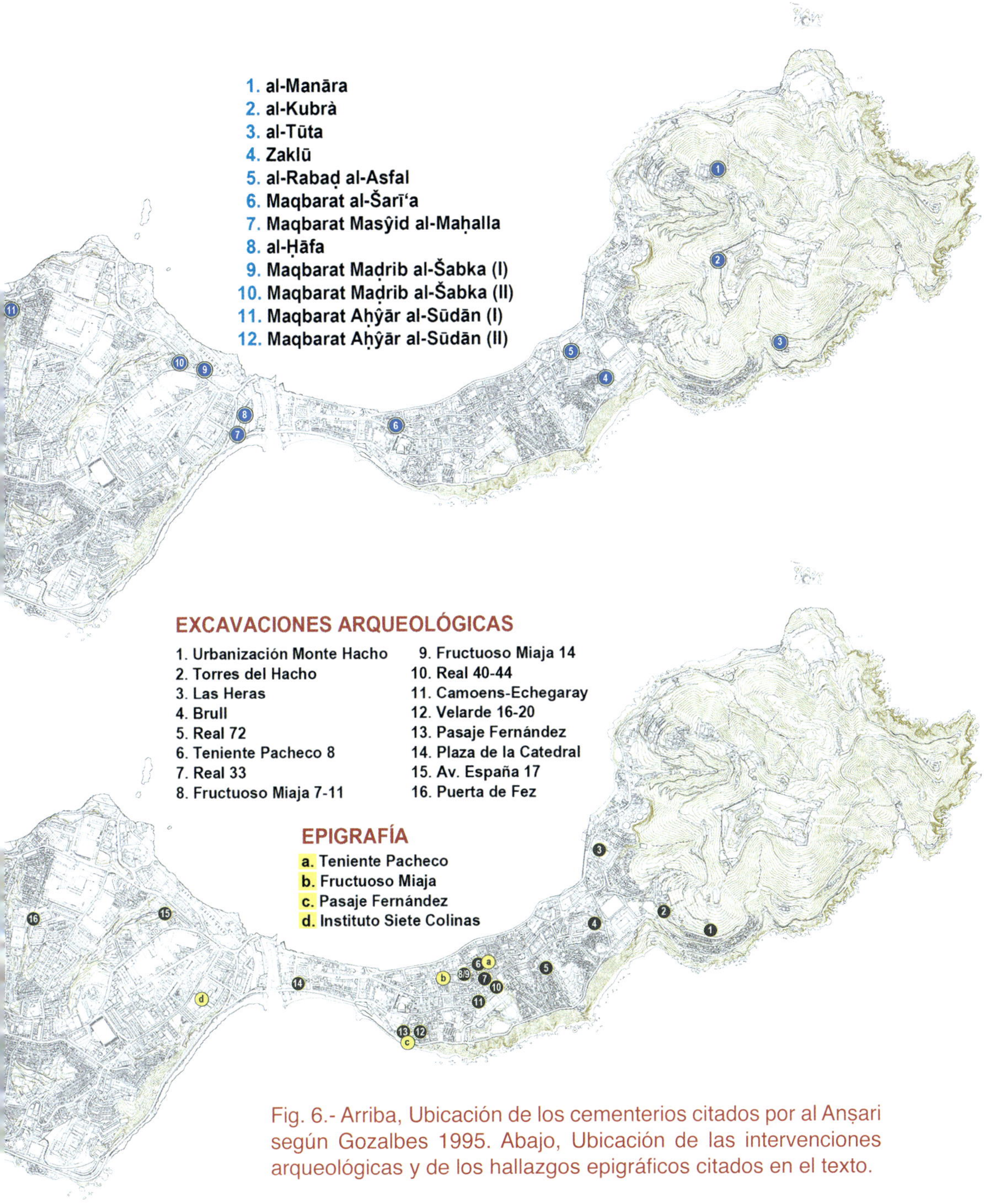

Fig. 6.- Arriba, Ubicación de los cementerios citados por al Anṣari según Gozalbes 1995. Abajo, Ubicación de las intervenciones arqueológicas y de los hallazgos epigráficos citados en el texto.

Las intervenciones arqueológicas (fig. 6) propiamente dichas que han aportado resultados en cuanto a la aparición de posibles enterramientos islámicos o de elementos con ellos relacionados son las siguientes:

1. *Urbanización Monte Hacho*

Una información periodística ("El Faro de Ceuta", 6.09.1989) daba cuenta de la aparición de restos humanos un mes antes durante la construcción de un muro de contención en la urbanización Monte Hacho que, indica el redactor, pudieran corresponder a fusilados durante la represión posterior a la Guerra Civil. Cuatro días más tarde el mismo rotativo ampliaba la información señalando que junto a estos restos, pertenecientes a varios individuos, fueron recuperadas diversas cerámicas sin que se pudiese determinar la relación entre ambos hallazgos. Las noticias se suceden paulatinamente a partir de entonces (4.10.1989, 11.01.1989, 27.01.1990) no sin cierta confusión pues, aunque el periódico informa de que pudieran tratarse de restos medievales y señala la intervención del arqueólogo Emilio Fernández Sotelo, su cronología no queda clara. El asunto es tratado en una reunión de la Comisión de Patrimonio Histórico del día 5 de febrero de 1990 en la que Fernández Sotelo explica que la cata llevada a cabo es demasiado limitada como para llegar a conclusiones claras, indicando que se ocupará de hacer un estudio de la misma cuando le sea posible, pues en esos momentos se encuentra inmerso en la excavación de la Basílica Tardo-romana. En una información del día 6 de febrero de 1990, que cubre la rueda de prensa tras la celebración de esta Comisión de Patrimonio, Fernández Sotelo señala que no existen razones concluyentes para pensar que los restos fuesen de "época medieval" aunque indica que prepara un informe sobre los mismos. Concreta que no se trata de un "en-

Fig. 7.- Inhumaciones Urbanización monte Hacho (fot. Darío Bernal). Arriba: Dos de las sepulturas en el momento de su excavación. Abajo: Detalle del perfil en el que puede distinguirse un cráneo puesto al descubierto fortuitamente durante la construcción del muro de contención. Sobre el cráneo puede apreciarse la presencia de conchas de bivalvos fragmentadas.

terramiento masivo" concretando que se han recuperado restos de tres cadáveres y de dos vasijas para concluir reiterando que considera prematuro que puedan ser considerados medievales.

No ha sido posible localizar el informe a que se hace referencia pero sí sabemos gracias a las informaciones facilitadas por alguno de los participantes en dicha excavación[61]que al menos parte de las cerámicas recuperadas eran medievales (concretamente un jarro con asa pitorro), hace lo que, unido a la conocida existencia de necrópolis en el Hacho (*vide supra*), hace posible pensar que se trata de un cementerio de tal cronología aunque este último extremo no puede aseverarse con rotundidad. Se sabe también que en la tierra que cubría las inhumaciones fueron recuperadas gran cantidad de conchas de bivalvos intencionadamente allí depositadas (Fig. 7), circunstancia documentada en otras necrópolis islámicas (*vide infra*).

2. Torres del Hacho

En julio de 2002 fue dirigida una excavación arqueológica preventiva en un solar situado en las inmediaciones del anterior por la arqueóloga Silvia Nogueras. Según expone en su informe (NOGUERAS, inédito) en la prospección de superficie previa al inicio de la intervención se recuperaron cerámicas de cronología medieval y moderna así como huesos humanos en posición secundaria. Recoge también la noticia de la previa aparición de un enterramiento infantil en el acceso a una de las casas derruidas en el solar.

La intervención tuvo dos fases. En la primera se realizaron un total de catorce sondeos mecánicos, de diversa extensión, que en general detectaron la existencia del sustrato geológico prácticamente en superficie o bajo bolsadas de escombros contemporáneos. A los efectos que nos ocupan los sondeos de mayor interés fueron los designados como 10, en el que documentaron estructuras de una entidad considerable, 11, dónde se localizaron abundantes restos humanos en posición secundaria, y 12, en el que fueron identificadas varias inhumaciones.

En una segunda fase se procedió a la realización de sondeos manuales en el lugar en el que se habían emplazado los sondeos 10 y 12.

Las estructuras documentadas en el sondeo 10 corresponden a los restos de un aljibe de planta rectangular, de 4 por 2,80 m, orientado este-oeste, re-

61.- D. Bernal, comunicación personal

cubierto en su interior con un mortero hidráulico enlucido en rojo. Tenía una moldura de media caña en la unión entre sus paredes posiblemente para facilitar las labores de limpieza. Asociados a este aljibe se descubren otra serie de retazos de muro de diferente entidad. Aún sin poder ser relacionadas con las inhumaciones localizadas, estas estructuras son incluidas por Nogueras en la fase medieval del lugar.

Fig. 8.- Torres del Hacho. Vista general de la necrópolis en la que puede apreciarse la proximidad de las inhumaciones, todas en mal estado de conservación (fotografía tomada del informe inédito de la excavación redactado por Silvia Nogueras).

En el lugar donde se ubicó el sondeo 12 se realiza también un sondeo manual de 9 por 3 (fig. 8) metros aproximadamente en el que fueron identificados y documentados un total de seis inhumaciones alineadas, parcialmente conservadas, dispuestas en decúbito lateral derecho y orientadas en dirección este-oeste con la cabeza a occidente (*sic*), aunque al describir la SP 105 indica que la cara miraba al este. Destaca la directora de la excavación que los individuos se encuentran alineados y equidistantes entre sí, separados aproximadamente 50/60 centímetros, salvo en el caso de las sepulturas SP 104 y 105 distanciadas el doble lo que le hace pensar en la posible pérdida de una inhumación intermedia.

Como indicamos los restos se conservaban parcialmente ya que habían sido afectados por los trabajos de acondicionamiento del terreno que previamente tuvieron lugar.

Los cuerpos se situaban directamente sobre el fondo de la fosa alcanzando en ocasiones el nivel geológico y fueron cubiertos con la propia matriz geológica. Se trata de enterramientos de edad infantil y juvenil salvo en un caso que parece corresponder a un adulto.

Destaca la aparición de gran cantidad de clavos de hierro, indicios para ella de los desaparecidos ataúdes, y la inexistencia de ningún tipo de cubierta de piedras, lápidas o tejas que bien pudieran haber desaparecido previamente.

No se documentan restos de posibles ajuares, salvo quizás un pieza de hueso de forma rectangular con pequeños orificios circulares que interpreta como un posible objeto de tocador.

Describe también el informe pormenorizadamente cada una de las inhumaciones estudiadas señalando las diferentes partes conservadas de cada una de ellas.

La filiación islámica de las tumbas parece fuera de duda tanto por las propias características de las inhumaciones como por el material cerámico recuperado (bícroma, melada, a mano, etc.) proponiendo su posible identificación con el cementerio *al Kubrà* descrito por al Anṣārī. Indica una cronología de uso entre los siglos XII y XIV

3. Antiguo cuartel de las Heras

En el solar de este antiguo cuartel, en el entorno del Hacho, se llevó a cabo una intervención arqueológica consistente en un diagnóstico con medios mecánicos. Los trabajos fueron dirigidos por J. Suárez y S. Ayala (Arqueotectura, S.L), y se desarrollaron en enero del 2009 (SUÁREZ PADILLA y AYALA LOZANO, inédito).

Se llevaron a cabo 19 sondeos, con dimensiones variables, entre 10 y 20 m de largo, con anchura aproximada de 1'5 m, y profundidad variable entre 0'50 m y 2 m, lo que supone aproximadamente más de 400 m^3 de sedimento exhumado e investigado.

La estratigrafía documentaba tres periodos: el sustrato geológico, un momento medieval islámico y restos contemporáneos superpuestos, asociados al propio Cuartel de las Heras. Sólo tres de las catas presentaban todos los niveles descritos, las denominados Z1, Z14 y Z19.

El nivel medieval contenía fragmentos cerámicos de ataifores de borde quebrado y vedrío melado así como de redomas con decoración en azul cobalto sobre blanco y fragmentos de cerámica de cocina vidriada al interior que corresponden al último horizonte de ocupación islámica de las laderas y perímetro del Hacho (siglos XIV primer cuarto del siglo XV).

Se pudo comprobar que este estrato cubría una fosa que contenía la inhumación de un individuo semiflexionado dispuesto en decúbito lateral derecho, con orientación sur-norte y cara mirando al E. La postura del cadáver y el contexto estratigráfico permiten proponer una cronología medieval islámica (siglos XIII-XIV) para la tumba.

Una vez documentado parcialmente este enterramiento, se procedió a proponer una zona de cautela expuesta a la necesidad de realizar una excavación arqueológica con metodología manual, con carácter previo al desarrollo urbanístico del sector, que aún no ha tenido lugar.

4. *Antiguo cuartel del Brull*

Tras la demolición del Cuartel Brull se realizó una intervención arqueológica de diagnóstico encaminada a valorar la potencial existencia de restos arqueológicos contenidos en el subsuelo. Los trabajos fueron dirigidos por F. Villada Paredes, contando con la dirección técnica de S. Ayala y J. Suárez (Arqueotectura, S.L.), el mes de abril del 2010 (VILLADA PAREDES, AYALA LOZANO y SUÁREZ PADILLA, inédito; VILLADA PAREDES *et alii*, inédito).

La secuencia documentada incluía una potente fase medieval (siglos XII-XIV) sobre la que se disponían niveles contemporáneos correspondientes al cuartel demolido que en muchos casos afectaban las estructuras precedentes.

En tres de los sondeos realizados, los denominados S. 19, 22 y 24, se excavó un relleno que además de contener fragmentos de cerámica bajomedieval presentaba inclusiones frecuentes de conchas y algunos restos de huesos humanos. Corresponden a la UE 7 del sondeo 19, la unidad 8 en el sondeo 20, y finalmente la UE 9 para el sondeo 24.

En una segunda fase se procedió a excavar de forma manual (Corte D). Bajo los rellenos descritos se encontraba directamente el sustrato geológico, pero se pudo confirmar la presencia de restos óseos correspondientes al menos a cinco enterramientos, de los que sólo uno (CF 5/ UE D11) presentaba un estado de conservación aceptable. Se trata de una inhumación alojada en una estrecha fosa, que contiene restos de un individuo en decúbito lateral derecho, con piernas y brazos extendidos a lo largo del cuerpo. La orientación de cabeza a pies es SO-NE, con el rostro mirando al SE.

El ritual empleado, la amortización del enterramiento con un relleno con matriz rica en fragmentos de conchas marinas, así como cerámica de clara adscripción bajomedieval, confirma que nos encontramos en el ámbito de una almacabra bajomedieval.

Es de destacar que este sector del solar identificado como necrópolis parece haber conocido exclusivamente ese uso pues no se han constatado indicios de ocupación por otro tipo de estructuras previas o posteriores. Contrasta este hecho con la existencia de restos de viviendas, calles, etc., localizados algo más al sur de esta misma parcela en una terraza que debió estar situada a una cota algo más elevada.

5. *C/ Real 72 con C/ Canalejas y Pasaje Diamante*

Se trata de una intervención realizada en una zona ajardinada situada en la trasera del Mercado de Real 90, concretamente entre los números de Real 72, Calle Canalejas y Pasaje Diamante. Los trabajos fueron dirigidos por F. Villada Paredes, contando con el apoyo técnico de A. Palomo Laburu y J. Suárez Padilla (Arqueotectura, S.L.). Tuvieron lugar el mes de noviembre del 2008.

En un perfil que limitaba con una abrupta pendiente en sentido S-N, se habían localizado restos humanos, aparentemente "in situ"[62]. Esta circunstancia dio lugar a una pequeña intervención arqueológica, que pretendía conocer la naturaleza de los restos localizados ante la previsible remodelación de la zona ajardinada por la propia Ciudad Autónoma.

Se excavaron tres sondeos de reducidas dimensiones. La estratigrafía documentada permitió identificar dos fases claramente diferenciadas. La primera consistía en una serie de estructuras y potentes niveles de época contemporánea, que contenían algunos materiales medievales islámicos residuales, procedentes de la erosión de la ladera. Estos niveles cubrían una serie de fosas (fase 2) excavadas en el sustrato geológico, que albergaban inhumaciones.

Centrándonos en esta última fase debe indicarse que en una de las catas se localizaron tres complejos funerarios con huesos humanos asociados, CF-1, CF-2 y CF-3. El resto se corresponde con fragmentos dispersos de extremidades superiores e inferiores sin significación antropológica pero que denotan la existencia de otras inhumaciones previamente afectadas por las distintas remociones del terreno realizadas en este lugar.

Las estructuras funerarias se hallan excavadas en la roca, próximas entre sí y a cotas semejantes. En el CF-1 se han documentado restos de cuatro individuos. Una primera inhumación, que conservaba únicamente la mitad inferior del esqueleto, debió verse afectada por una remoción posterior. La zona que no fue alterada conservaba bajo los restos óseos de este primer individuo una cama de gravilla que le servía de sustento. En las tierras que la cubrían en el momento de su excavación fue identificada una agrupación de huesos pertenecientes tanto a esta primera inhumación como al menos a otros dos individuos distintos. Encima de todos estos restos se vertió ma-

---

62.- La noticia de la aparición de estos restos fue comunicada por el arqueólogo José M. Pérez Rivera.

terial de relleno, UE 16, formado por restos triturados de conchas de bivalvos bastante rodadas. Éste paquete viene a servir de base a una posterior inhumación.

El CF-2 se encuentra dispuesta prácticamente en paralelo a la anterior, a 30-35 cm. de distancia de ella y a una cota ligeramente inferior, presentando el fondo plano por posible acción antrópica de excavación sobre la roca. Entre una y otra tumba existe un pequeño escarpe tallado en la roca de unos 10-12 cm. Ésta última se hallaba desprotegida en parte de la cobertura de tierra del talud, dejando al descubierto parcialmente un esqueleto, por lo que los materiales dispuestos sobre la tumba no responderían a los originales, viéndose alterados en su composición, además, por el deslizamiento de tierra de la fuerte pendiente.

El CF-3 se halla incompleto, en la vertical de la UE18 y a unos 80 cm del CF-2 hacia el W. Muy afectada por un muro y por el borde del talud, el área conservada es muy exigua al igual que los restos óseos que han permanecido *in situ*. Los complejos funerarios CF-1 y CF-2 se encuentran orientados hacia el SE en consonancia con el ritual islámico, sin poder definirse la orientación del individuo inhumado en CF-3 debido a la destrucción producida al ser amortizado por parte de la UE-18 y a causa de las obras recientes de acondicionamiento de la calle.

La cronología de estas inhumaciones es difícil de establecer dadas las condiciones en que se encontraban. No obstante, cabe suponer un momento tardío islámico para las mismas en razón de la presencia de restos de conchas y de algunos materiales cerámicos recuperados.

6. *C/ Teniente Pacheco 8*

Se trata de una intervención en un solar de reducidas dimensiones, dirigido por A. M. Martín y J. Suárez (Arqueotectura, S.L.). Se llevó a cabo en octubre del 2007 (MARTÍN ESCARCENA y SUÁREZ PADILLA, inédito).

Se realizó un sondeo mecánico de 9 m^2, rebajado a una cota general de -2.00 m. En una franja de 1.5 m se profundizó hasta los -3.50 m desde superficie. En este tramo más profundo se constató la existencia de estratigrafía islámica y evidencias de un enterramiento. Estos restos estaban a una cota inferior de la profundidad de afección del proyecto arquitectónico previsto, por lo que no se pudo ampliar la investigación del solar.

Aunque los restos humanos hallados apenas han podido ser documentados, el paquete estratigráfico que los envuelve presenta una matriz que recuerda al nivel geológico de base. Es interesante destacar como los restos están cubiertos por un nivel con cerámicas fechables entre los siglos XIV e inicios del XV, lo que permite proponer una fecha *"ante quem"* para el uso de esta necrópolis.

7. *C/ Real 33 (solar contiguo a la Iglesia de los Remedios)*

Intervención dirigida por A. Palomo Laburu en 2007, contando como técnicos arqueólogos con D. Godoy y J. Suárez (PALOMO LABURU, GODOY LÓPEZ y SUÁREZ PADILLA, inédito). El solar se sitúa en el lateral W de la Iglesia de los Remedios, entre las Calles Real e Isabel Cabral.

En una primera fase se llevó a cabo un diagnóstico con medios mecánicos, excavándose cinco catas, que permitieron comprobar que la mitad N. del solar había sido rebajada en época contemporánea hasta alcanzar el sustrato geológico, con el objetivo de construir un edificio de viviendas.

En la mitad S se observaron también importantes remociones modernas y contemporáneas que afectaban al subsuelo, pero se pudo constatar que en uno de los sondeos la existencia de un estrato dispuesto sobre el geológico cuya matriz, de naturaleza arenosa, contenía restos de conchas de bivalvos erosionadas junto a algunos restos óseos humanos.

Como consecuencia de esto, se procedió a realizar una segunda fase de excavación arqueológica con metodología manual, ampliando el área de excavación en el perímetro del Sondeo D, el único que presentaba las evidencias comentadas. El área excavada confirmó la presencia de este nivel medieval y la presencia de restos de enterramientos, pero ninguno de ellos *in situ*, como resultado de la afección generalizada sobre estos niveles por las substrucciones de época moderna excavadas en esta finca, que en su día formó parte del perímetro de la vecina Iglesia.

8. *Fructuoso Miaja 7 y 11*

En 2005 en el curso de unas obras llevadas a cabo para la renovación del abastecimiento de agua potable aparecieron varios restos humanos en la calle Fructuoso Miaja. Puesto en conocimiento de las autoridades fueron inspeccionadas las obras constatándose la presencia en la zanja abierta de restos óseos humanos junto a cerámicas de muy variada cronología. Ello motivó la realización de una intervención de emergencia en el área en que se concentraban los hallazgos dirigida por el arqueólogo Fernando Villada (VILLADA PAREDES, inédito).

La intervención tuvo una duración total de una semana excavándose un sondeo de 9 m^2 que permitió documentar una secuencia de aproximadamente un metro de potencia en el que han sido definidas cuatro fases.

La primera corresponde a los pavimentos y acerados contemporáneos y a diversas canalizaciones de idéntica cronología. Bajo ella, se sitúa la segunda fase, un paquete de tierras de colores grisáceos, homogéneos y relativamente compactos que deben ser fechados en un momento posterior al siglo XVIII. La tercera fase corresponde a una necrópolis islámica sobre la que volveremos más adelante. La cuarta y última fase corresponde a una fosa colmatada con materiales que grosso modo pueden ser fechados en momentos previos a la conquista omeya de Ceuta (931)[63].

Centrándonos en la tercera fase puede indicarse que fueron documentadas un total de catorce inhumaciones en fosa simple que en ocasiones horada el sustrato geológico. Presentan una progresiva caída en dirección norte siguiendo el buzamiento natural del terreno. Además fueron recuperados otra serie de restos humanos en posición secundaria correspondientes a otros enterramientos afectados por la construcción de la zanja que dio origen al hallazgo.

Los cuerpos, correspondientes al menos a 16 individuos, se encontraban dispuestos en decúbito lateral derecho, con orientación aproximada de 150 grados y los rostros en dirección S-SE. Como norma habitual, los brazos aparecen extendidos a lo largo del cuerpo con las manos cruzadas sobre la pelvis. En dos de los individuos pudieron documentarse alteraciones postmortem en la disposición descrita. Así, uno de ellos mostraba una evidente torsión en la columna vertebral y la pelvis posiblemente a causa del proceso de putrefacción del cadáver. Otro mostraba los hombros ligeramente movidos, con adelantamiento del brazo y hombro izquierdo posiblemente debido a idénticas razones. Una de las inhumaciones acomodaba su cráneo sobre una piedra plana posiblemente para asegurar la correcta orientación del rostro.

63.- Los materiales arqueológicos correspondientes a este momento pre-califal han sido publicados en J.M. HITA RUIZ, J. SUÁREZ PADILLA y F. VILLADA PAREDES, 2008.

La ocupación de esta necrópolis fue intensa disponiéndose los cuerpos a escasa distancia uno de otros. Posiblemente debido a esta circunstancia algunas tumbas previas debieron ser afectadas por inhumaciones posteriores. Quizás a ello responda la acumulación de huesos en pequeños fosas documentadas donde se habían enterrado fundamentalmente huesos largos y algunos cráneos sin conexión anatómica (fig. 9).

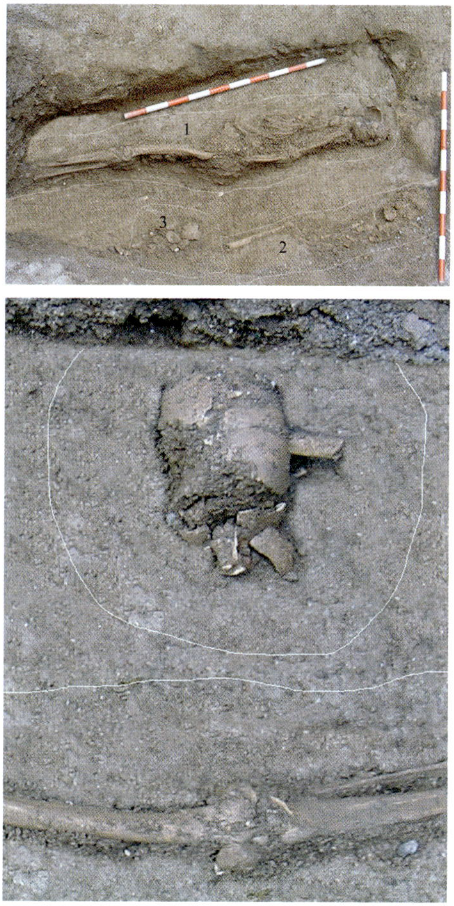

Fig. 9.- Fructuoso Miaja 7-11. Arriba, vista parcial de uno de los niveles de inhumaciones. La fosa 1 se conservaba completa. La fosa 2, en la que cadáver había girado en su mitad inferior, había sido cortada a la altura de las rodillas del cadáver por una fosa (3) en la que habían sido depositados un cráneo y varios huesos largos en posición secundaria. Abajo un detalle de la fosa 3, muy cercana a la fosa 1, cuando aún no habían sido retirados el cráneo y los huesos allí depositados.

Los enterramientos se realizaron en un nivel en el que es frecuente la aparición de fragmentos de conchas muy rodadas. Carecían de ajuares pero en las tierras utilizadas en las sepulturas fueron recuperados algunos fragmentos de cerámica islámica (ataifores con cubiertas vidriadas, tinajas estampadas, jarritas y alcadafe) así como numerosos clavos, de pequeño tamaño, posiblemente relacionados con las parihuelas, cajas en las que fue realizada la inhumación o con la posible cubierta de madera que cubriría los cadáveres.

En ocasiones, los cuerpos aparecen rodeados de forma discontinua por piedras de mediano tamaño extraídas del sustrato geológico.

En la zona en que se había abierto la zanja afloraba el sustrato geológico en casi toda su extensión pero pudieron documentarse tanto los restos de una canalización destinadas al suministro de agua potable de época contemporánea como los restos de una estructura de forma circular, de un metro y veinte centímetros de diámetro y una profundidad de apenas veinte centímetros, colmatada por un relleno de tierras de color verdoso formada por gravas de mediano tamaño, muy sueltas en la que se recuperó un destacado conjunto de restos faunísticos y cerámicos.

Esta estructura había sido alterada previamente por la construcción de la zanja para la instalación de la conducción de aguas.

Como suele ser habitual en las necrópolis ceutíes la datación de este conjunto de inhumaciones es compleja. Al cubrir la fosa en la que se recuperaron materiales precalifales puede establecerse esta datación como un momento post-quem para estas inhumaciones siendo difícil ser más precisos, aunque la aparición de cerámicas tardoislámicas aboga por la continuidad de su uso hasta momentos bastante tardíos.

9. *Fructuoso Miaja 14*

Se trata de una intervención realizada el año 2011 en un solar de poco más de 200 m^2, situado con su lado Norte orientado a la calle Fructuoso Miaja y con fachada al Oeste al Pasaje Mina. La intervención fue dirigida por José Mª. Tomassetti Guerra, con un equipo técnico formado por los arqueólogos Cibeles Fernández Gallego y José Suárez Padilla, de Arqueotectura, S.L (TOMASSETTI GUERRA, FERNÁNDEZ GALLEGO y SÚAREZ PADILLA, inédito).

Bajo una capa de rellenos contemporáneos se localizó rápidamente el sustrato geológico, consistente en compactos gneiss kinzigíticos. Excavado en este estrato, se identificó un silo, con sección de tendencia bicónica, un diámetro máximo de 4 m, y una profundidad de 5'45 m.

La amortización de la estructura parece haberse realizado a inicios de la etapa portuguesa, recurriendo para ello a un relleno homogéneo, de matriz arenosa, en el que se incluía material diverso, entre los que se incluyen pequeños trozos de conchas marinas fragmentadas, restos constructivos (ladrillos, mampuestos, restos de argamasa, tejas), algo de cerámica, básicamente cuerpos de formas cerradas bizcochadas, junto a algunos restos óseos humanos y algo de fauna.

Entre el material cerámico destaca el hallazgo de una estela discoidal fragmentada (fig. 10). Presenta el cuerpo dividido en dos tramos: el inferior es prismático rectangular con un entalle a partir del cual se adosa un segundo cuerpo circular. La pieza está realizada a molde, con cocción oxidante

Fig. 10.- Fructuoso Miaja. Estela anepigráfica recuperada en el interior de un silo.

y cubierta parcial de vedrío, de color verde-turquesa en todo el cuerpo superior y alcanzando la mitad del inferior (ya que a partir de ese punto iría clavada en la tierra).

Tiene 14'75 cm de ancho máximo, por 29'4 cm de alto conservados (en origen debieron ser 30) y un grosor aproximado de 2'5 cm. El diámetro del círculo es a su vez de 14'3 cm. No se puede descartar que el disco superior, algo deteriorado en su extremo, hubiese presentado dos "orejetas", habituales, aunque no imprescindibles, en este tipo de señalizaciones funerarias.

Las estelas de este formato y dimensiones se localizan formando parte de la señalización exterior de enterramientos nazaríes localizados en la ciudad de Málaga, entre la segunda mitad del siglo XIII y el siglo XIV (ACIÉN ALMANSA y MARTÍNEZ NÚÑEZ, 2003). Son frecuentes en las tumbas "tipo A" de la clasificación de Fernández (FERNÁNDEZ GUIRADO, 1995, fig. 3) en las que se disponen tanto en la cabecera como en los pies de una caja de ladrillos o bastidor que delimita el enterramiento en superficie. Es normal la presencia de más de una estela en el mismo complejo funerario, pudiendo ser tanto de orejetas (las más frecuentes) como discoidales. Se diferencian -tanto por su tamaño y forma como por estilo decorativo- de las mariníes coetáneas, documentadas tanto en Algeciras (TORREMOCHA SILVA y MARTÍNEZ ENAMORADO, 2002; TOMASSETTI GUERRA *et alii*, 2006) como en Ronda (MARTÍNEZ ENAMORADO, 2009).

El contexto documentado permite proponer una posible cronología para este cementerio, que correspondería a uno de los arrabales de la medina islámica, entre los siglos XIII y XIV. Ahora bien, la presencia del silo plantea la hipótesis de la posible integración de este espacio en el tejido urbano del último momento de la medina islámica abandonándose su primitivo uso, circunstancia constatada en otras poblaciones cercanas de la otra orilla del Estrecho, como *Isṭibūna* (actual Estepona).

10. Real 40-44

El derribo de unas edificaciones en calle Real 40-44 en 2000 y la consiguiente remoción del terreno puso al descubierto restos óseos humanos cuya aparición fue denunciada a las autoridades competentes. Se realizó una primera intervención dirigida por José M. Hita y Fernando Villada (HITA RUIZ y VILLADA PAREDES, inédito) a fin de valorar la posible existencia de restos in situ así como su cronología. Fue continuada años más tarde (2003) en una segunda fase.

En la primera fase se efectuaron un total de cuatro sondeos y la limpieza del perfil dejado al descubierto por las demoliciones efectuadas. En la segunda fase se procedió a realizar una excavación en extensión del área central del solar allí donde se concentraban los enterramientos.

Fig. 11.- Real 40-44. Las dos imágenes superiores muestran la excavación de una de las tumbas con abundantes conchas asociadas a la inhumación. Abajo, la tumba una vez excavada.

Bajo los restos de la demolición mezclados con numerosos fragmentos óseos y cerámicas se localiza el nivel correspondiente a la necrópolis dispuesta directamente sobre el sustrato geológico.

El número mínimo de individuos documentados en las dos fases de esta excavación es de treinta. Aparecen dispuestos en dos niveles llegando a afectar la apertura de fosas del nivel superior a los enterramientos del inferior. Los enterramientos se produjeron muy próximos unos a otros, apenas 30-40 centímetros de distancia entre fosas y siguen un ritual ya conocido: la fosa es estrecha y con longitud suficiente para disponer al finado en decúbito lateral derecho, con una orientación bastante constante de 120 grados norte y la cara vuelta hacia oriente.

Un aspecto esencial en esta intervención fue la documentación de un ingente número de fragmentos de conchas de bivalvos, incorporadas intencionadamente y mezclada con la tierra que servía para cubrir los enterramientos (fig. 11).

Las fosas son siempre individuales, muy estrechas y próximas entre sí viéndose en algún caso reforzadas en sus paredes laterales con tejas dispuestas en vertical, así como con piedras. Las tejas son también usadas en algunas ocasiones para cubrir las inhumaciones (fig. 12).

La datación de estos enterramientos es problemática debido a la escasez del material arqueológico, salvo los propios restos, recuperado pero sus características apuntan a que estuvo en uso al menos durante el siglo XIV.

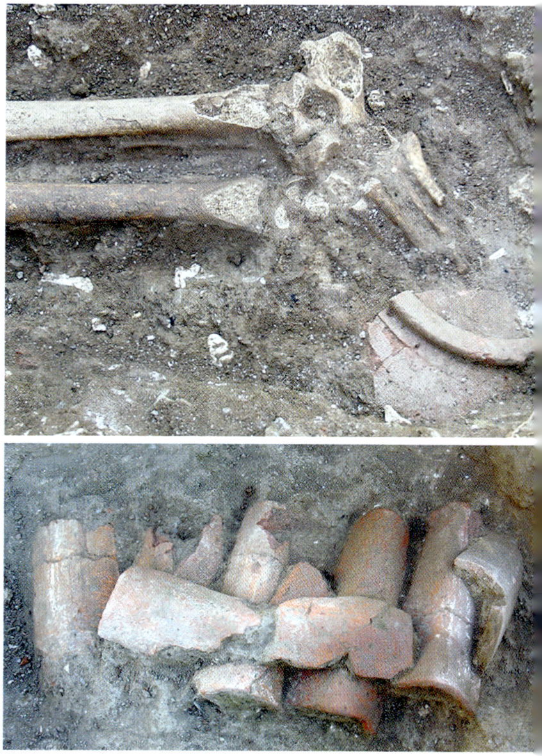

Fig. 12.- Real 40-44. Arriba, fragmento de ataifor junto a los pies de una de las sepulturas. Abajo, cubierta de tejas.

11. *Ampliación Instituto Camoens-Echegaray*

En una parcela aledaña a la calle Echegaray fueron descubiertas en 2000 dos tinajas de gran tamaño lo que motivó la realización de una excavación arqueológica dirigida por los arqueólogos José M. Pérez Rivera y Silvia Nogueras Vega, llevada a cabo en dos fases en 2001 y 2002 (NOGUERAS y PÉREZ, inédito).

Durante la primera fue documentada una bodega de finales del siglo XVIII o principios de la centuria siguiente, formada por once grandes tinajas alineadas en doble hilera.

Bajo estas tinajas fueron exhumados en la primera fase de la intervención siete enterramientos, que aunque medievales, presentan una datación algo confusa. Así en un primer momento fueron fechados como altomedievales aunque posteriormente, tras ampliar el estudio, se consideraron datados en los siglos XI y XII.

La segunda fase permitió la completa documentación de estos restos.

En total fueron excavadas ocho inhumaciones (fig. 13) de características semejantes según indican los directores de la intervención:

> "En cuanto a su orientación todos ellos se encuentran dispuestos en dirección este-oeste, con la cabeza hacia occidente. La disposición anatómica es de decúbito supino, la cabeza en posición frontal, miembros superiores extendidos hasta la altura de la pelvis y extremidades inferiores igualmente extendidas".

No conservan ajuar bien porque careciesen de él o bien por haber sido profanados (la SP-107 presenta una manipulación post-morten en la posición del cráneo). Quizás el único elemento relacionable con un posible objeto de ajuar sea un broche rectangular con bordes dentados, cuatro perforaciones circulares en sus lados mayores y decorado en sus lados menores con un pequeño apéndice floral y tres incisiones ovalas en la parte central. Su cara posterior tiene un pequeño asidero para su fijación a una

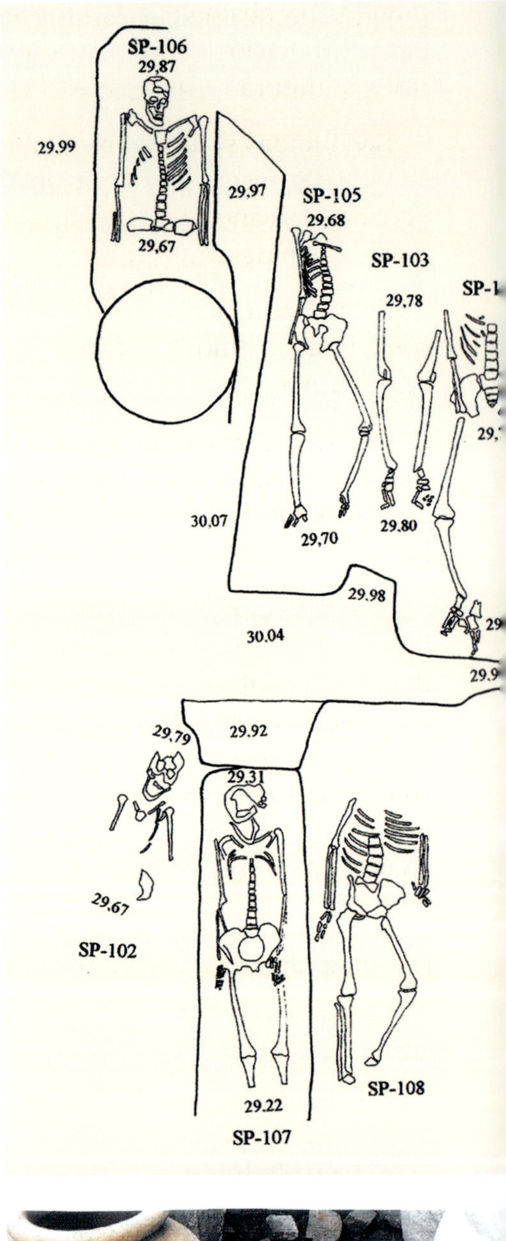

Fig. 13.- Ampliación del Instituto Camoens-Echegaray. Arriba, dibujo de las inhumaciones documentadas. Abajo, SP-103, SP-104, SP 105 y SP-106 (Dibujo y fotografía tomadas del informe inédito de esta excavación redactado por Silvia Nogueras Vega y José Manuel Pérez Rivera)

prenda. No obstante, este broche de bronce apareció en un nivel afectado por la instalación de una de las tinajas por lo que su relación con la mencionada sepultura no es segura

Las tumbas se realizaron en fosas, excavadas en el subsuelo que luego sin que se conservase cubrición alguna. La aparición de diversos clavos de pequeño tamaño denuncia la existencia de ataúdes o cubiertas de madera que habrían desaparecido con el paso del tiempo.

En cuanto a las edades de los finados indican que la mayoría pueden ser considerados niños o jóvenes siendo únicamente dos los que alcanzaron la edad adulta.

Las sepulturas aparecen agrupadas en dos terrazas (con cuatro enterramientos en cada una) delimitadas por un relicto del propio sustrato geológico. Se documentan también unos "pilares" de 30 por 20-40 cm a ambos lados de la delimitación entre ambas zonas.

Abordan también los directores de la excavación la posible filiación religiosa de los finados señalando la imposibilidad de que puedan ser considerados musulmanes debido a la falta de orientación canónica ya que los cráneos aparecen mirando hacia el sur o bien hacia arriba y los cuerpos en posición de decúbito supino. Indican pues que pudieran pertenecer a una comunidad cristiana o, con mayores posibilidades, judía, si bien señalan que el escaso número de enterramientos excavados impide ser categóricos en esa asignación religiosa.

Subrayan también que los niveles superiores de la necrópolis indican un cierto periodo de abandono previo a la conquista portuguesa de 1415.

La proximidad de los solares descritos (Teniente Pacheco, 8, Fructuoso Miaja, Real 40-44 y ampliación del I.E.S. Camoens) permite barajar la hipótesis de que todos ellos formasen parte de una extensa necrópolis (*vide infra*).

12. *Velarde 16, 18 y 20 esquina con Espino 4*

Excavación preventiva llevada a cabo en julio del 2008, dirigida por J. Suárez y S. Ayala (Arqueotectura, S.L.) (SUÁREZ PADILLA y AYALA LOZANO, inédito).

Se realizaron varias catas mecánicas preliminares, que permitieron constatar la existencia de una secuencia arqueológica de época medieval islámica, con varias fases. Los primeros niveles correspondían a restos de época omeya, identificándose concretamente un silo. En la vecina calle Espino había aparecido con anterioridad otra estructura similar, colmatada en el siglo XI.

A un segundo momento constructivo se asocian pozos y aljibes, correspondientes a viviendas que debieron alcanzar posiblemente el siglo XIV, amortizándose en un momento indeterminado de esta centuria. Aún a una cota superior a dichas construcciones aparecen restos de dos inhumaciones medievales, que hay que poner en relación con la vecina almacabra hallada en Pasaje Fernández, en el perímetro de un oratorio.

Efectivamente, en el denominado Sondeo 1, sobre los restos de un antiguo aljibe, se localizan restos correspondientes a dos inhumaciones realizadas en fosa simple, en muy mal estado de conservación, alteradas por fosas de época posterior. Los cuerpos fueron depositados en decúbito lateral derecho, con los brazos extendidos a lo largo del cuerpo, y las piernas flexionadas. Se orientan mirando al sureste (fig. 14).

Dado lo fragmentado de los restos, a pesar de haber sido sometidos a un diagnóstico preliminar por un antropólogo, no se puede determinar más información que la ya manifestada.

Las tumbas se excavaron sobre un relleno, que debió ser aportado intencionadamente. Dicho sedimento incluye fragmentos de conchas de moluscos muy rodadas.

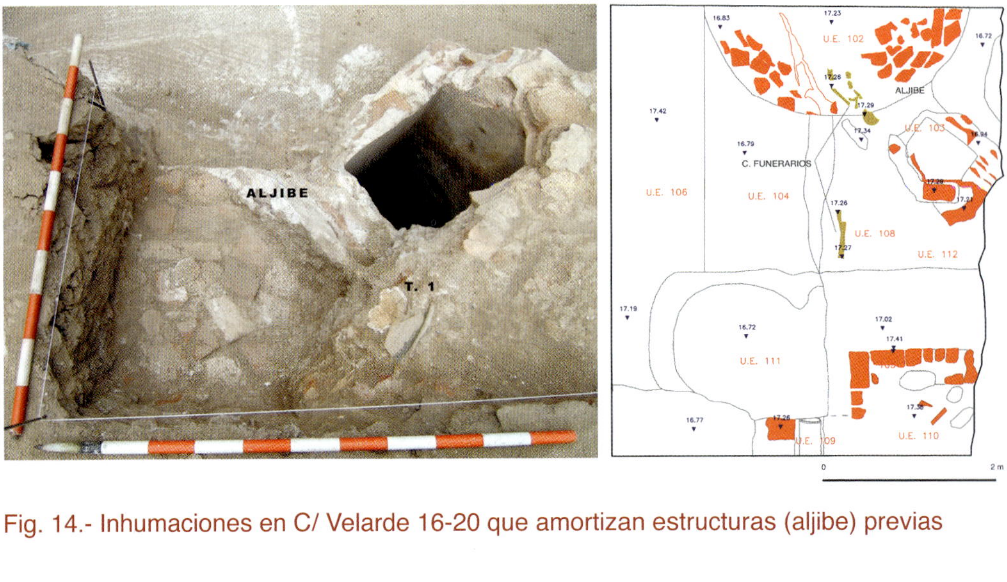

Fig. 14.- Inhumaciones en C/ Velarde 16-20 que amortizan estructuras (aljibe) previas

13. *Pasaje Fernández*

En el solar del denominado pasaje Fernández, muy próximo al anterior, han sido desarrolladas sucesivas intervenciones arqueológicas que han permitido documentar un completo y bien conservado fragmento de la Ceuta islámica medieval, con una extensión aproximada de 700 metros cuadrados.

Fig. 15.- Pasaje Fernández. Arriba: las tres inhumaciones localizadas en la primera campaña. Abajo: la inhumación situada más al sur en la cara externa del muro de alqibla del oratorio.

Los momentos más recientes de la secuencia estratigráfica corresponden a los restos de las viviendas de planta baja recientemente demolidas que se situaban en el lado más occidental de la parcela sobre un cementerio del siglo XVIII. Notables rellenos de sedimentos, que en casos superan los seis metros de potencia, colmataron la primitiva vaguada que en sentido norte-sur vertía aguas en la playa de Fuente Caballos. Bajo estos niveles, a ambos lados de la vaguada, se dispusieron en terrazas diversas edificaciones en época islámica. Aunque se ha detectado una fase inicial datada en el siglo X, el grueso de la secuencia medieval parece situarse entre los siglos XIII y XIV hasta el momento en que el lugar fue abandonado durante siglos, lo que explicaría los grandes depósitos que han preservado los restos, tras la conquista lusa (1415).

Restos de varias viviendas, un oratorio y otros edificios de más dudosa interpretación se encontraban articulados en torno a calles de distinta importancia que contaban con un cuidado sistema subterráneo de evacuación de aguas.

En el exterior de este oratorio aunque fuera del mismo, próximos a su esquina nororiental, han sido documentadas nueve inhumaciones, en general bien conservadas, que responden a las características habituales: fosas individuales de escasa profundidad (en torno a los 50 cm) excavadas en el subsuelo, en el que el difunto es colocado en decúbito lateral derecho, con las piernas ligeramente flexionadas, los brazos extendidos apoyados sobre la pelvis y con el rostro vuelto al SE (fig. 15). El análisis tafonómico revela que el enterramiento se realizó en vacío (*vide infra*), cubiertos con una tablazón o en un ataúd del que apenas quedarían algunos pequeños clavos. El espacio disponible ha sido aprovechado al máximo por lo que las fosas están próximas unas a otras aunque no se han documentado signos de remoción de ninguna de ellas .

La SP-1 corresponde a un individuo grácil y joven enterrado en una fosa estrecha que rompía uno de los muros que se adosan a la trasera del muro de alquibla del oratorio.

SP-2 y SP-3 fueron excavados en la campaña siguiente, desarrollada en 2009 (VILLADA PAREDES, AYALA LOZANO y SUÁREZ PADILLA, inédito), dirigida por F. Villada en la que participaron como equipo técnico S. Ayala y J. Suárez, y corresponden respectivamente a un varón y una mujer. Aparecen enterrados en un nivel fechado en el siglo XIV (UE 4.112) lo que confirma su cronología tardo-islámica.

Otras seis sepulturas fueron localizadas en la campaña del año posterior, que contó con el mismo director y como equipo técnico con M. Lara y J. Vargas (VILLADA PAREDES, LARA MEDINA y VARGAS GIRÓN, inédito). Responden a características en general semejantes a las descritas por lo que únicamente anotaremos aquellos rasgos peculiares identificados.

SP-4 corresponde a un individuo posiblemente infantil (algo menos de un metro de longitud) a cuyos pies se situó perpendicularmente un ladrillo posiblemente para mantener la posición del finado. Entre las tierras que lo cubrían fue recuperado el borde de un ataifor vidriado.

SP-5 contenía los restos de un individuo adulto que parece haberse volcado ligeramente durante el proceso de descomposición. Algún ladrillo y una piedra situadas junto a las extremidades inferiores pudieron ser dispuestas intencionadamente para impedir el movimiento del cuerpo. En las tierras que lo cubrían, al margen de los habituales clavos se encontraron otros elementos metálicos así como algunas cerámicas vidriadas.

La apertura de SP-6 rompió, como en el caso de SP-1, estructuras adosadas a la pared trasera del oratorio. En esta ocasión, el cráneo del difunto aparecía bocabajo posiblemente movido durante el proceso de descomposición del cadáver. En relación con el resto de las inhumaciones el estado de conservación de los restos es peor. Entre el material recuperado en las tierras que lo cubrían cabe destacar algunos fragmentos cerámicos uno de ellos un borde identificado como una producción con cubierta verde y decorada con trazos de óxido de manganeso posiblemente de origen nasrí.

La excavación de la fosa correspondiente a SP-7 rompe también estructuras previas. Presenta una orientación ligeramente distinta a las anteriores aunque sin ser excesivamente significativa. A la altura de la rodilla una piedra parece haber sido utilizada para acuñar el cuerpo en tanto que algunas dispuestas a su alrededor pudieran denotar un intento de marcar el perímetro.

SP-8 también destruye estructuras anteriores y alberga el individuo, posiblemente un varón adulto, mejor conservado del conjunto. Como nota distintiva debemos indicar que las piernas aparecen completamente extendidas forzadas a esta posición por un ladrillo dispuesto intencionadamente a la altura de las rodillas y por una piedra situada delante de tibias y peronés. Comparte orientación con SP-7.

SP-9 corresponde a un enterramiento de una mujer, situada al norte de SP-7 y SP-8. En este caso la apertura de la fosa no rompe estructuras anteriores sino que los restos aparecen apoyados sobre un muro precedente.

Lo más destacado de la documentación de esta inhumación ha sido la constatación de objetos de adorno. Efectivamente, han sido recuperados dos objetos en bronce, posiblemente zarcillos, de medianas dimensiones que aparecieron junto al cráneo, sobre el que dejaron manchas de corrosión lo que pone fuera de toda duda la relación entre estos objetos y el cadáver. Las argollas que forman los zarcillos presentan como adorno dos cuentas desiguales de pasta vítrea.

Como apuntamos tanto estas sepulturas de Pasaje Fernández como las de calle Velarde debieron pertenecer a un único cementerio, dispuesto en una pronunciada ladera, y muy próximo al mar. Destaca también su cercanía con un oratorio, la concentración de restos y la documentación de objetos de adorno personal asociados a una de las inhumaciones.

14. *Plaza de la Catedral*

Se trata de una actividad arqueológica preventiva llevada a cabo entre finales del 2004 y los primeros meses del 2005. Fue dirigida por F. Villada, contando con J. Suárez como técnico arqueólogo.

Los hallazgos son resultado de la excavación con medios manuales de la práctica totalidad de la superficie de la antigua plaza localizada al oeste de la fachada de la Catedral de Ceuta (algo más de 200 m^2), dentro del ámbito de afección de un proyecto público que contemplaba la adecuación del acceso al inmueble para discapacitados, que suponía un cambio de la solería existente y eliminación de la zona de ajardinamiento, junto a la ejecución de una rampa que salvase el desnivel existente entre la cota de calle y acceso al templo.

Nada más levantar la solería de la Plaza se pudo acceder a una interesante secuencia arqueológica, que arrancaba directamente de niveles de época fenicia arcaica (fechables entre momentos iniciales del siglo VI hasta finales del VIII a.C.) (VILLADA PAREDES, RAMÓN TORRES y SUÁREZ PADILLA, 2010) y apoyaba sobre el sustrato geológico. Esta estratigrafía se presentaba interrumpida por numerosas fosas de los periodos romano, medieval, moderno y contemporáneo (VILLADA PAREDES, RAMÓN TORRES y SUÁREZ PADILLA, 2011).

Correspondientes al momento medieval islámico diferenciamos distintos tipos de intrusiones; por un lado, para la fase altomedieval (siglos IX-X) contamos con restos de fosas que contenían material cerámico y faunístico (HITA RUIZ, SUÁREZ PADILLA y VILLADA PAREDES, 2008), mientras que los restos que se pueden adscribir a la segunda fase vendrían condicionados por la construcción en este perímetro de la mezquita aljama de la ciudad. Se trata de una serie de fosas destinadas a enterramientos (que formarían parte posiblemente de una rauda relacionada con el edificio religioso) y un aljibe de considerables dimensiones, vinculado posiblemente al servicio del templo.

Se han podido diferenciar cuatro enterramientos correspondientes a este último momento en muy desigual estado de conservación (*vide infra*). Presentan naturaleza semejante, estando tres de ellos muy afectados por las remociones realizadas para la construcción de la Plaza. El mejor conservado, CF 1, es inhumado en una fosa excavada en los rellenos de época fenicia, que albergaba una inhumación dispuesta con la cabeza localizada al SW y los pies al NE, con el rostro orientado al E. El cuerpo se había dispuesto en decúbito lateral, con los pies extendidos y los brazos flexionados, apoyando las manos a la altura de la pelvis. Se trata de un individuo adulto, de sexo femenino. En paralelo al enterramiento se habían dispuesto algunas piedras, con el posible objetivo de fijar el cadáver y evitar su desplazamiento dentro de la fosa. El sedimento que colmató la tumba estaba bastante limpia, localizándose exclusivamente algo de material cerámico de época fenicia y un trozo de cuerpo de un vaso de TSG, todo ello residual y resultante de la remoción realizada para la excavación de la propia fosa (fig. 16).

Fig. 16.- Plaza de la Catedral. Arriba: CF1. Abajo: CF3. Dos inhumaciones mal conservadas que, por su proximidad, quizás correspondan a una única fosa.

El resto de los enterramientos, CF 2, son en principio semejantes al anteriormente descrito, pero sólo conservaban, en mal estado, algunos huesos correspondientes a la mitad inferior de los individuos. En este caso no aparecen piedras como las que se dispusieron en CF 1 en paralelo al enterramiento.

15. *Avda. España 17*

Actividad dirigida por F. Villada, y J. Suárez como director técnico (Arqueotectura, S.L.) (VILLADA PAREDES y SUÁREZ PADILLA, inédito). Se trata de una actividad de urgencia, resultado del hallazgo de restos humanos en unos movimientos de tierras superficiales llevados a cabo en el Colegio de San Daniel.

El área donde se han realizado los hallazgos arqueológicos corresponde a un espacio geográfico de media ladera, con pendiente en sentido E-O y S-N, ubicada en la margen derecha del Arroyo Paneque. Las cotas máximas de dicha superficie se sitúan a partir de los 24 m.s.n.m., desarrollando una pendiente que concluye a aproximadamente a los 8 m.s.n.m., altura a la que se ubica el cauce del Arroyo.

Los restos localizados se centran en la cota de los 15 metros sobre el nivel del mar, y previsiblemente ocuparían este espacio de falda de un suave altozano que se desarrolla en dirección Este, hacia las Puertas del Campo.

Este espacio está ocupado hoy día por viviendas, que limitan con el lugar usado como zona de aparcamiento dispuesto a la entrada del Colegio de San Daniel.

Al acceder al solar se observaba la emergencia del sustrato geológico en el sector, conservándose algo de estratigrafía en una estrecha franja perimetral. Allí se podían observar rellenos contemporáneos dispuestos directamente sobre el nivel natural de base, en el que se habían excavado fosas destinadas a contener enterramientos.

Se han planteado cuatro sondeos, denominados respectivamente A, B, C y D (fig. 17). Los sondeos A, C y D se ubican en la estrecha franja que conserva algo de estratigrafía. El sondeo A presenta unas dimensiones de 3 por 1,80 m; el sondeo C, más irregular, también se ubica en el testigo perimetral comentado, y el D tiene dimensiones de 3.60 m por un ancho máximo de 50 cm. El sondeo B se llevó a cabo directamente en el sustrato geológico, allí donde se observaban indicios superficiales de las fosas de dos inhumaciones. Sus dimensiones fueron de 2,20 m por 2 m.

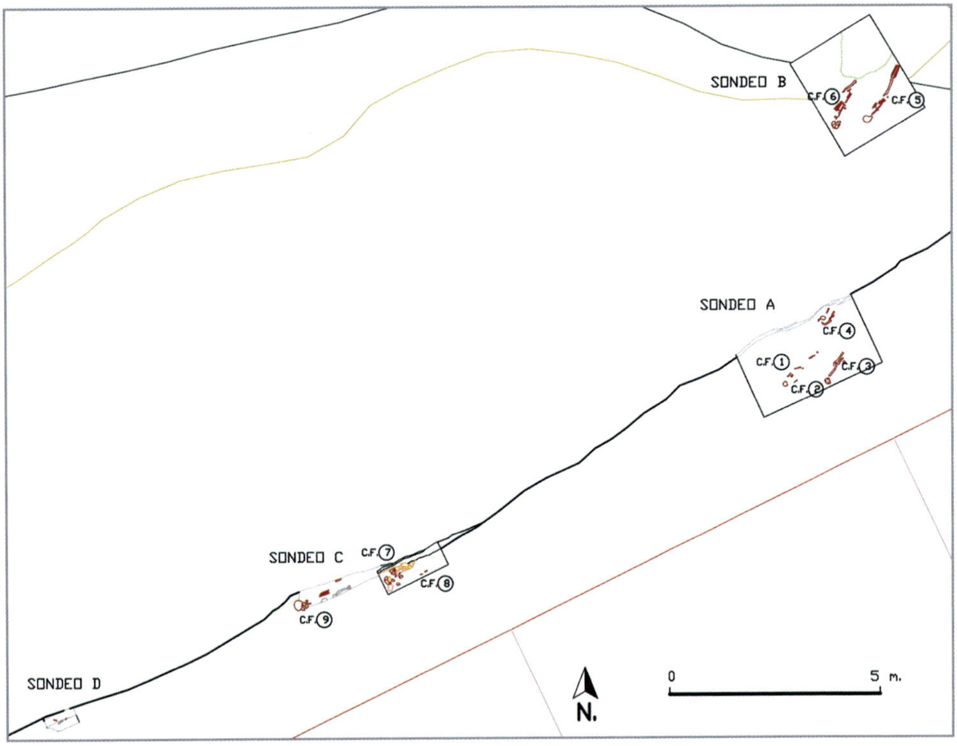

Fig. 17.- Avenida de España, 17. Planta general de la excavación arqueológica.

Los cuatro sondeos realizados han arrojado resultado positivo, pudiéndose confirmar la presencia de una necrópolis medieval islámica en la parcela, cuyas tumbas se insertan en el sustrato geológico de base.

Se identificaron un total de 9 enterramientos, todos ellos en fosa. Sólo uno de ellos conservaba parte de la cubierta, consistente en lajas de roca local:

CF 1. Se trata de una inhumación en fosa (apenas perceptible) de un individuo en mal estado de conservación. No se observan restos de posible cubierta. Se han documentado restos de fragmentos del cráneo, húmero y cúbito izquierdo, húmero derecho y cúbito izquierdo y algunas costillas.

Se intuye una posición de enterramiento en decúbito lateral derecho, con orientación general en sentido SE-NO, sin poder precisarse la disposición del rostro.

A falta de estudio antropológico, se podría plantear que se trata de un individuo de edad infantil-juvenil.

CF 2. Inhumación en fosa de un individuo adulto. No se observan restos de cubierta. Sólo se ha podido documentar el enterramiento a partir de la cadera, estando su mitad superior destruida aparentemente por la construcción del perímetro de la parcela.

Sólo se conservan restos de la cadera y de ambas piernas. Se observa una posición de enterramiento decúbito lateral derecho, con orientación general en sentido SE-NO.

CF 3. Se asocia a un fragmento de un individuo infantil. Se localiza junto al enterramiento 2 y estaba en muy mal estado de conservación.

CF 4. Inhumación en fosa de un individuo adulto. No se observan restos de cubierta. Sólo se ha podido documentar el enterramiento desde el cráneo hasta los húmeros, habiendo sido destruido el resto por los trabajos de remoción mecánica.

Se observa una posición de enterramiento decúbito lateral derecho, con orientación general en sentido SE-NO., y el rostro orientado hacia el SE.

CF 5. Se trata de una inhumación en fosa estrecha, en mal estado de conservación. No se observan restos de posible cubierta, que de haber existido habrían desaparecido con el rebaje previo. Se han documentado fragmentos del cráneo, húmero y cúbito de ambos brazos y algunas costillas.

La disposición y orientación del cadáver es semejante a la de la tumba anterior. A falta de estudio antropológico, se podría plantear que se trata de un individuo de edad juvenil, no conservándose los elementos que podrían discriminar su sexo.

CF 6. Situado en paralelo al anterior, una fosa contemporánea ha destruido la mitad de las extremidades inferiores.

Destaca el hallazgo de un fragmento de cerámica en la fosa de relleno de una de las inhumaciones, correspondiente al borde de una pequeña redoma, con cubierta de vedrío verde.

Este tipo de piezas, con perfil completo piriforme, se generalizan a partir del siglo XII, lo que permite plantear un término post-quem para la construcción de este sepulcro, que creemos debe interpretarse como coetáneo al resto de las tumbas. La presencia de algunos fragmentos mínimos de material de construcción, correspondiente a trozos de tapial con enfoscado de cal y algún indicio de pintura también podrían, desde un punto de vista cronológico, ponerse en relación con las viviendas bajomedievales documentadas en la ciudad medieval.

Fig. 18.- Avda. de España, 17. Arriba: T9 escavada sobre el difunto. Se aprecian una serie de lajas de piedra que pudieron constituir la cubierta de la fosa. Abajo: T7. Bajo los restos óseos una serie de ladrillos formaban la base sobre la que fue depositado el cadáver.

CF 7. Se trata de parte de un cráneo, mandíbula inferior y parte de un húmero, parcialmente destruidos, como ya avanzábamos, por una fosa contemporánea. Además, los restos se ubican inmediatos al perfil, lo que ha supuesto la pérdida de la mitad inferior del individuo. Este enterramiento apoya en una pequeña estructura realizada a base de tejas dispuestas unas a continuación de otras. Bajo las mismas no existen restos óseos, por lo que cabe la posibilidad de que se instalaran como preparación previa sobre la que disponer el cadáver (fig. 18).

CF- 8. Se trata de una fosa excavada en el geológico, con forma de elipse alargada, en la que se conservan esquirlas de huesos correspondientes a un enterramiento infantil. La fosa presenta la orientación común al resto de los enterramientos.

CF- 9. Corresponde a un enterramiento de un individuo adulto, del que se conserva el cráneo así como fragmentos de los respectivos cúbitos y radios, gracias a cuya posición podemos saber que los brazos se localizaban extendidos en paralelo al cuerpo. Del resto del individuo apenas queda un trozo de fémur, desplazado de su ubicación original. Resulta difícil conocer la posición del enterramiento, aunque es previsible que fuese semejante al resto. El rostro si presenta orientación S-E. De este enterramiento destaca su probable vinculación con una serie de lajas que se le superponen parcialmente en el perfil, y que deben corresponder a la cubierta del complejo funerario (fig. 18).

Nos encontramos pues ante parte de una necrópolis de ritual islámico, dispuesta sobre la ladera derecha del Arroyo Paneque, con enterramientos consistentes en inhumaciones orientadas en sentido SE-NO, y los rostros orientados al S.E. Destaca el porcentaje de individuos infantiles o juveniles con respecto a los adultos, que conviven en el cementerio, no observándose zonas aparentemente destinadas a usos específicos por la edad de las personas enterradas.

Las tumbas se construyen a base de fosas simples previsiblemente cubiertas, al menos en un caso, por lajas de pizarra. Uno de los enterramientos presentaba la base de la fosa acondicionada con ladrillos.

Los escasísimos hallazgos de cerámica realizados en la excavación, permiten, no obstante, proponer una datación para la misma con un *terminus post quem* al siglo XII.

El espacio investigado correspondía dentro de la Ceuta medieval a un ámbito situado al exterior de uno de los barrios exteriores de la medina, concretamente a uno de sus ámbitos más periféricos. Este barrio viene siendo identificado con el Arrabal de Afuera citado por las fuentes.

16. *Puerta de Fez*

Durante los años 2007 y 2008 fueron desarrolladas sendas campañas de excavación arqueológica en el entorno de la puerta de Fez del recinto fortificado del Afrag mariní. Fueron dirigidas por Fernando Villada Paredes con la participación en el equipo técnico de la intervención de los arqueólogos José Suárez Padilla y David Godoy Ruiz (VILLADA, GODOY y SUÁREZ, inédito; VILLADA y SUÁREZ, inédito). El objetivo de estas intervenciones de apoyo a la restauración era el documentar restos de posibles estructuras contemporáneas de la puerta que permitieran definir su configuración original.

La secuencia estudiada presentaba una fase inicial contemporánea de la construcción de la puerta que permitió certificar que se trataba de un acceso en recodo y no de ingreso directo como hasta el momento se había mantenido, que había sufrido remodelaciones importantes poco después. En un segundo momento, datado en época moderna, diversas construcciones de poca entidad fueron construidas sobre los lienzos, abriéndose vanos en algunos tapiales que reflejan la falta de valor defensivo en este momento de las primitivas estructuras. Por último, una tercera fase constituida por desechos contemporáneos cegaba parcialmente los vestigios históricos.

Entre el material recuperado correspondiente a la fase inicial, escaso y mal conservado en general, ha sido identificada una estela anepigráfica (fig. 19) bastante semejante a la encontrada en la calle Fructuoso Miaja. Cabe suponer que la pieza debe proceder de una almacabra situada en las inmediaciones aunque no existen referencias textuales[64] ni arqueológicas sobre ella.

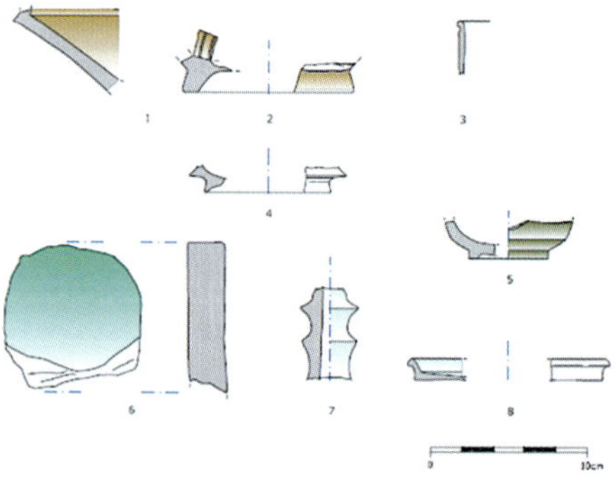

Fig. 19.- Puerta de Fez. Arriba: estela recuperada en la excavación de la puerta de Fez. Reconstrucción hipotética tomando como referencia la localizada en fructuoso Miaja (fig. 10). Abajo: Selección de materiales recuperados en el mismo contexto (UR 403).

64.- Gómez Barceló recoge la noticia oral de la existencia de un cementerio judío en las inmediaciones que pudo confirmar en la noticia recogida por Emilio Lafuente en 1862 de la existencia en este zona de un "sepulcro de un judío cubierto con una losa de mármol que contiene una inscripción en caracteres hebreos incisos, pintados en negro y como de dos pulgadas de largo, de la cual consta que se llamaba Moisés. Es de época moderna"; J. L. GÓMEZ BARCELÓ (2011) y J. L. GÓMEZ BARCELÓ (en esta misma obra). Ni la cronología atribuida a este epígrafe ni su filiación religiosa permite relacionarla con el hallazgo reseñado.

4- Epigrafía

Aunque Ceuta ha conservado milagrosamente uno de los mejores conjuntos epigráficos medievales del Norte de África, los materiales pertenecientes a la *Madrasa al-Ŷadīda* (MARTÍNEZ ENAMORADO, 1998a), los ejemplos de epigrafía en general son escasos: el caso del brocal de pozo llama la atención por diversas circunstancia, pero ha de ser considerado excepcional en el conjunto ceutí (ROSSELLÓ BORDOY, 2000). En relación con la epigrafía funeraria árabe, los restos localizados son escasos y no pueden considerarse representativos de lo que hubo de ser sin duda una producción significativa[65]. La pobreza de restos conservados pudo tener que ver con las duras condiciones de la conquista portuguesa de 1415[66]; la ciudad sufrió un desmantelamiento en la práctica completo de cuanto se relacionara con los usos y costumbres musulmanes, como los propios cronistas portugueses se encargan de describir incluso con regocijo[67]. Alejandro Correa de Franca se refiere al expolio ocasionado por el conde de Barcelos quien "no quiso para si otra cosa más que seiscientas columnas de mármol y alabastro, que hizo con cuidado sacar del Palacio de Zalabenzala, que estaba en la Alcazaba" (CORREA, 1999, 118), por lo que es de imaginar que una buena parte de las inscripciones árabes sobre mármol de los cementerios ceutíes hubieron de correr una suerte similar.

En las fuentes árabes apenas si hay referencias a inscripciones en general[68]y tampoco contamos con alusiones a lápidas funerarias, salvo algún caso como el de la concubina (*ŷāriya*) de uno de los emires almohade, consistente en una estela de mármol blanco (*min rujām abyaḍ*) de doce codos de largo y cinco de alto[69]. Con todo, la relación tan exhaustiva de ilustres

65.- Un ejemplo que sirve para esta explicación puede ser el hallazgo de la lápida sepulcral del califa Ḥammūdí ʻAlī al-Nāṣir li-Dīn Allāh del año 408/1018; cfr. Mª A. MARTÍNEZ NÚÑEZ (I. RODRÍGUEZ y A. CANTO CASANOVA) (2007), pp. 108-109, nº 30.

66.- Así lo anunciamos en su momento; cfr. V. MARTÍNEZ ENAMORADO (2000), p. 397.

67.- Léanse con detenimiento, por ejemplo, las palabras del cronista portugués Gomes Eanes de Zurara, particularmente aquellas relativas a la gran mortandad de la conquista entre la población local, corroboradas más tarde, entre otros, por Alejandro Correa de Franca.

68.- Al-Anṣārī, *Ijtiṣār al-ajbār*, ed. ʻA. W. ben Manṣūr, pp. 52-53; trad. castellana J. Vallvé Bermejo, p. 438 se refiere a una lápida de la mezquita del viernes en la alquería de Benyunes donde figuraba la fecha de construcción, que lamentablemente no proporciona (= *wa-ta'rīj binā'-hu manqūš fī lawḥ min al-rujām al-abyaḍ bi-izā' bābi-hi al-šarqī*); nada sabemos de esa inscripción.

69.- Al-Anṣārī, *Ijtiṣār al-ajbār*, ed. ʻA. W. ben Manṣūr, p. 31; trad. castellana, p. 418. El nombre de la concubina, una tal Ḥīda, no consta en la ed. de Ben Manṣūr, apareciendo, sin embargo, en la de Tāwīt.

hombres de ciencia ceutí que proporciona al-Anṣārī es toda una declaración indirecta sobre la existencia, en buena parte de esas sepulturas, de elementos indicativos, seguramente lápidas de las llamadas *šāhidāt*.

Poco es lo que se ha hecho en relación con esta producción epigráfica. Gozalbes incluyó, sin proceder a su lectura, todas las inscripciones funerarias de las que se tenía constancia en la primera mitad de los años 90 de la pasada centuria (GOZALBES CRAVIOTO, 1995, pp. 62-70). Eran cuatro en total aunque dudamos que una de ellas tenga carácter funerario (GOZALBES CRAVIOTO, 1995, p. 63, nº 2). No es especialmente consistente lo que se ha podido hacer desde entonces, sabida la ausencia de hallazgos relevantes.

Contamos por consiguiente, después de descartar que una de las inscripciones de las estudiadas sea funeraria, con tres lápidas epigrafiadas: la placa que estudiamos en su momento con dos líneas de cúfico simple, cuya cronología situamos en torno al siglo XII (MARTÍNEZ ENAMORADO, 2000); la *mqābriyya* cuya lectura se nos resiste y que, por tanto, sigue siendo inédita, con un tipo de escritura cúfica propia de los años finales del siglo XII o iniciales de la siguiente centuria; y una tercera, cuyo descubrimiento ha sido muy reciente, sobre la que centraremos nuestra atención. Una cuarta se encontró en el Instituto de Enseñanza Media, pero en la actualidad se encuentra en paradero desconocido (POSAC MON, 1964, p, 377; MARTÍNEZ ENAMORADO, 2000, p. 397).

La pieza (fig. 20) en cuestión es un fragmento reducido de estela funeraria. Ha sido recientemente descubierta en las excavaciones llevadas a cabo en el Pasaje Fernández (*vide supra*), próxima a la mezquita aunque en posición secundaria, en un nivel (UE 11006) con abundante cerámica de cronología fundamentalmente tardoislámica.

Fig. 20.- Epígrafe localizado en el Pasaje Fernández.

Está facturada en mármol blanco de buena calidad. Se trata de la típica estela funeraria de arco de herradura o "arco simbólico", con las siguientes medidas: 106 mm de anchura conservada, 128 mm de altura conservada y 36 mm de grosor.

Del arco, se conserva su moldura y arranque, insinuándose la representación del capitel. El tipo de escritura que se emplea es un cúfico simple de cuidada factura, bastante austero y con tendencia a la geometrización. La línea de base es bastante rígida, salvo en el caso de la única palabra de la orla, donde exhibe acusado nexo curvo, bastante llamativo, entre las dos figs. 10m. Llama poderosamente la atención la fig. 9 de la segunda línea del campo epigráfico central: se conforma a la manera de una copa, con un perfil netamente dibujado.

Como hemos adelantado, en la orla aparece una sola palabra de difícil interpretación. Si es coránico (como sería lo lógico) no es de las fórmulas habituales en estas estelas funerarias. Se puede leer tal vez يقفز siempre y cuando que se acepte que delante de la primera de las dos figuras 10m consecutivas no se encuentre otra fig 2i/14i/17i. Tampoco tenemos todas con nosotros en la figura final que pudiera tratarse no de una 5f sino tal vez de una 12f, con lo cual la palabra pudiera ser يقفل .

Por lo que respecta al campo epigráfico central, conserva una palabra por línea (incompletas en todos lo casos), al final del renglón. La superior parece ser رحما [*sic*] como eulogia de relación. Pero extraña que termine en una fig. 1f y no en la 15f. En el renglón por debajo, aún de manera incompleta, no hay duda en la palabra que encontramos: el numeral سبعة La disposición de los pequeños vástagos nos lleva a proponer سبعة en lugar de تسعة . Finalmente, en la última línea leemos la parte inferior de la centena (مائة).

Por consiguiente, tendríamos el siguiente texto:

En la orla

ٮڡڡر؟

En el campo epigráfico central:

[...] رحما؟

[...] سبعة

[...] مائة

Lo que se conserva es tan fragmentario que poco se puede decir. Lamentablemente aparece la fecha del día o, más probablemente, del año (*sab'a*= nueve), la indicación de la centena en la última línea (*mi'a*) pero ni la centena en concreto ni, por supuesto, el año en cuestión. Entendemos que la cronología de la pieza nos lleva a la época almorávide (primera mitad del siglo XII).

5- Conclusiones

El estudio de los cementerios islámicos ha sido objeto de atención por parte de numerosos investigadores que han generado un amplísimo elenco de publicaciones en las que se aborda esta cuestión desde muy distintos puntos de vista (RIBERA Y TARRAGÓ, 1928; TORRES BALBÁS, 1957; TORRES BALBÁS, 1981; OCAÑA JIMÉNEZ, 1968; ROSELLÓ BORDOY, 1989; TORRES PALOMO y ACIÉN ALMANSA, 1995; BAZZANA, 1992; CASAL GARCÍA, 2001; etc.).

Uno de los puntos de interés desde el principio fue el de la ubicación de estos cementerios que, según opinión generalizada, continuaban la tradición clásica al situarse extramuros de las ciudades frente a sus puertas. Al interior tan sólo algunas *rawḍa*-s, pequeños cementerios privados de personajes ilustres, tenían cabida. No obstante, el progresivo crecimiento de las ciudades con la consabida edificación de arrabales acabaría integrando en la estructura urbana estos espacios funerarios. Aceptando esta premisa, la documentación de un cementerio intramuros reflejaría uno de esos momentos expansivos de la trama urbana lo que los convertía en un útil instrumento para su datación.

Esta visión ha sido matizada en la actualidad de tal modo que la presencia de cementerios intramuros concebidos desde un principio como tales es hoy aceptada y cuenta con testimonios arqueológicos que lo confirman (NAVARRO PALAZÓN y JIMÉNEZ CASTILLO, 2007, pp. 83-87).

En el caso de Ceuta, el crecimiento de la ciudad islámica se vio condicionado por su configuración peninsular y así sabemos que, a partir del núcleo original de la medina del siglo X, se produjo un progresivo crecimiento del ámbito urbano tanto hacia el este como hacia el oeste. El modo de ocupación de la península en los siglos previos a la conquista omeya es peor conocido (HITA RUZ, SUÁREZ PADILLA y VILLADA PAREDES, 2008).

Sea consecuencia de un diseño inicial así planificado o de la progresiva absorción de cementerios en el ámbito urbano, el análisis textual y la investigación arqueológica evidencia la plena integración de algunos de muchos espacios funerarios en contextos plenamente urbanizados.

Efectivamente, más arriba, mencionábamos la descripción conservada por ejemplo del cementerio de *Zaqlū*, asociado a la mezquita del mismo nombre y rodeada por casas, tiendas y un zoco. También esta impresión queda confirmada por la arqueología cuando observamos la proximidad de las necrópolis excavadas en Real 40-44 por ejemplo con el complejo urbanizado de Huerta Rufino (HITA RUIZ y VILLADA PAREDES, 2000), la vecindad de la necrópolis asociada al oratorio descubierto en Pasaje Fernández a las viviendas que forma parte de esa misma manzana o la cercanía de las tumbas excavadas en plaza de la Catedral a la mezquita aljama en plena medina ceutí, por poner únicamente algunos ejemplos.

En el balance que sobre los cementerios islámicos llevó a cabo Peral (PERAL BEJARANO, 1995, pp. 17-19), subraya al analizar su ubicación, la frecuencia con que las almacabras se sitúan a orillas del mar –en la playa- en las ciudades costeras, ofreciendo ejemplos en Málaga, Rincón de la Victoria y Almería[70], mientras que en el interior se multiplican las necrópolis en ladera. Señala también que es habitual la presencia en su cercanía de arroyos o lagunas que penetran incluso en los cementerios y los inundan periódicamente.

La configuración peninsular de Ceuta hace, como no podría ser de otra manera, que la mayoría de los cementerios conocidos se encuentren relativamente próximos a la línea de costa pero quizás sea conveniente recordar, por su paralelismo con lo descrito por Peral, la mención recogida por al-Bakrī al cementerio occidental situado sobre la playa de arena.

También en el caso ceutí son muy frecuentes los cementerios "en ladera" consecuencia de la agreste topografía de este territorio. Es el caso, entre otros, del excavado en Real 72.

La asociación cementerio-mezquita o cementerio-puerta, con múltiples ejemplos andalusíes y magrebíes, es también constatada en Ceuta tanto textualmente[71] como desde el punto de vista arqueológico.

70.- El cementerio de la Marina (Málaga) tiene una cronología centrada en el periodo emiral en tanto que el de Bezmiliana (Rincón de la Victoria) es amortizado por construcciones fechadas en el siglo X-XI. También la *maqbarat al-Ḥawḍ* en Almería estaba situada sobre la playa al menos desde el s. XI. *Ibid.* p. 18

71.- Podemos recordar el caso ya comentado de las mezquitas *Zaqlū*, al-*Maḥalla*, o *al-Manāra*, con sus espacios funerarios inmediatos citados por diversas fuentes o la construida sobre el lugar donde fue enterrado en 408/1018 ʻAlī ibn Ḥammūd. Las intervenciones arqueológicas han permitido también

Algunos de estos cementerios son fundaciones pías en régimen de bienes hábices como es el caso del terreno cedido por Abū l-Ḥasan al-Gāfiqī al-Šārrī para el enterramiento de los estudiantes de la madrasa al-Šārrī.

Las fuentes textuales que se ocupan de los cementerios ceutíes no son demasiado explícitas en cuanto a noticias sobre el ritual de enterramiento que, por otra parte, no debió ser muy distinto al descrito para al Andalus y el norte de África en cronologías semejantes (FIERRO, 2000; PONCE GARCÍA, 2002; KLUENDER, 2004; CHÁVET LOZOYA, SÁNCHEZ GALLEGO y PADIAL PÉREZ, 2006) y cuyas características fundamentales fueron forjadas en los primeros siglos del Islam.

De otra parte, desde el punto de vista arqueológico, gran parte de los procesos previos a la inhumación propiamente dicha no dejan rastro, debiéndonos limitar en buena medida a los datos obtenidos de las propias inhumaciones, que no debemos olvidar constituyen únicamente la última fase de una secuencia ritual.

En general, las tumbas excavadas en Ceuta se caracterizan por su estrechez, que apenas deja espacio para la colocación del finado sobre su costado, y escasa profundidad[72], sin que hayan podido discriminarse las relativamente extensas variantes presentes en otras necrópolis[73].

En Ceuta, las tumbas corresponden mayoritariamente al tipo de fosa simple, directamente excavada en el subsuelo, en algún caso (Real 40-44), con tejas y piedras que refuerzan las paredes laterales. En dos casos (Fructuoso Miaja 7-11 y plaza de la Catedral), un conjunto de piedras dispuesto alrededor de la tumba parece marcar el contorno de ésta.

---

localizar un conjunto de enterramientos próximos al oratorio del Pasaje Fernández. Cementerios situados frente a las puertas son también conocidos. Es el caso de los dos llamados *Maḍrib al-Šabka* y *Bāb al-Aḥmar*. Frente a la puerta de Fez del recinto del Afrag debió ubicarse otro cementerio del que posiblemente procede la estela allí recuperada.

72.- M. FIERRO (2000), pp. 177-178 señala que la jurisprudencia de la escuela maliki, mayoritaria en Ceuta y al Andalus, indica la conveniencia de excavar tumbas poco profundas "lo suficiente para que las bestias carroñeras no alcancen el cadáver, ya que, en función de determinadas tradiciones, consideran que la parte superficial de la tierra es mejor que la profunda", señalando constatación arqueológica de tumbas entre 40 y 60 cm de profundidad, rango en el que se incluyen la mayoría de las inhumaciones excavadas en Ceuta. Además de las propias evidencias aportadas por las distintas excavaciones, el estudio antropológico de los restos localizados constata el denominado "efecto pared" en algunas sepulturas, consecuencia de esta estrechez de las fosas (*vide infra*).

73.- Así por ejemplo, en la necrópolis de Gibralfaro (*ŷabal Fāruh*) se han identificado hasta trece variantes, I. FERNÁNDEZ GUIRADO (1995); en Lorca, diez tipos, J. PONCE GARCÍA (2002), pp. 129-132; también en Córdoba (CASAL GARCÍA, 2001), en Algeciras (TOMASSETTI *et al.*, 2006) se han discriminado múltiples variantes.

La posición del cadáver, esencial en el ritual islámico, es sistemáticamente respetada (salvo en el caso de las tumbas excavadas en la ampliación del Instituto Camoens, sobre el que volveremos más adelante). El difunto se dispone en decúbito lateral derecho, con los brazos extendidos a lo largo del cuerpo y las manos cruzadas sobre la pelvis, con la cara vuelta hacia el SE[74]. La importancia de mantener la posición queda de manifiesto por la utilización de piedras y ladrillos que fuerzan al finado a mantener la posición (documentado en Fructuoso Miaja 7-11, Pasaje Fernández, etc.). No obstante, diversos procesos tafonómicos pueden alterar esta posición inicial con rotaciones de los cuerpos hasta alcanzar una posición en decúbito supino que indica indirectamente el enterramiento en vacío de los cuerpos.

Otros aspectos de interés son la utilización de una cama de gravilla (Fructuoso Miaja 7-11 y Real 72) bajo el difunto, atestiguada en otros cementerios andalusíes[75], o el aporte intencionado de conchas de bivalvos trituradas, presentes en algunos cementerios de Ceuta (Hacho, Brull, Real 33, Real 40-44, Real 72). Este aporte de conchas tiene paralelos también en la fase II (fechada a partir de la segunda mitad del siglo XII) del cementerio del Fuerte de Santiago de Algeciras (TOMASSETTI GUERRA *et alii*, 2006, pp. 150-151) y en otro en la sierra de la Utrera (Málaga) (FERNÁNDEZ RODRÍGUEZ, SALADO ESCAÑO y SUÁREZ PADILLA , 2001)[76]. Su interpretación no es sencilla. No cabe duda que fueron incorporadas a las sepulturas de forma intencionada. Se han relacionado con la necesidad de "refrescar" las tumbas[77].

74.- Salvo en el caso ya reseñado de las tumbas de la ampliación del Instituto Camoens, las alteraciones de esta posición parecen estar ligadas a los movimientos producidos durante el proceso de descomposición del cadáver.

75.- Así ocurre por ejemplo en el cementerio de Gibralfaro (Málaga); PERAL BEJARANO (1995), p. 19.

76.- La necrópolis datada entre los siglos IX y XIII contaba con un pavimento de conchas (*glycimeris insubrica* y *cordium edule* mayoritariamente). Se trata de un caso semejante en lo que se refiere a la aparición de conchas en un contexto funerario islámico aunque en este caso aparecen dispuestas formando un suelo cuya relación con las tumbas no ha podido ser establecida con rotundidad. Difiere sin embargo de los ejemplos ceutíes y algecireños en que los rellenos de las tumbas no presentaban restos de conchas fragmentadas.

77.- "De acuerdo con la escatología musulmana, poco después de la muerte se produce la ascensión del alma al cielo y su posterior retorno al cuerpo, todo ello entre el lavado del cuerpo y el entierro; una vez sepultado el cadáver, tiene lugar el interrogatorio de la tumba por parte de los ángeles Munkar y Nakir, mediante una serie de preguntas que permiten distinguir entre el creyente, el incrédulo y diversos grados intermedios entre ambos; todos aquellos sufrirán el castigo de la tumba [...] Este castigo hará que las tumbas ardan y despidan calor, razón por la cual es necesario refrescarlas plantando vegetación o vertiendo agua; ese interrogatorio y castigo dura siete días para el creyente [...] y cuarenta días para el incrédulo", M. FIERRO (2000), p. 182. "Tampoco descartamos un significado ritual al procedimiento empleado. Tenemos noticia de que, por ejemplo, en Salé, se practicaba con frecuencia

En el caso de Ceuta está práctica parece relacionada con enterramientos de datación tardía.

Sabemos relativamente poco de los sistemas empleados para cubrir las tumbas pues muchas de ellas aparecen parcialmente arrasadas. Cubiertas de tejas han sido documentadas en el cementerio excavado en calle Real 40-44 y un solo ejemplo de cubierta de lajas es señalado en una de las tumbas en la avenida de España 17. Es también significativa la frecuente aparición de pequeños clavos en las tumbas (por ejemplo, en Torres del Hacho, Fructuoso Miaja 7-11, Pasaje Fernández, ampliación del Instituto Camoens, etc.), habituales también en otras necrópolis andalusíes. Han sido interpretados como los únicos restos que han sobrevivido de tablazones de maderas que cubrían las tumbas o también de parihuelas o ataúdes, generalizados posiblemente a partir del siglo XII (PERAL BEJARANO, 1995)[78].

En cualquier caso, como ya indicamos antes, la información antropológica aportada por los restos estudiados indica el enterramiento en vacío de los cadáveres, quizás para facilitar su incorporación durante el interrogatorio al que es sometido por los ángeles Munkar y Nakir (PONCE GARCÍA, 2002, p. 117).

La señalización de las tumbas con piedras, estelas u otros elementos fue relativamente frecuente, dependiendo de la capacidad económica del difunto la elección. En los cementerios ceutíes debieron utilizarse estos mismos elementos como atestigua la recuperación de dos estelas anepígrafas (Puerta de Fez y Fructuoso Miaja 14), ambas en posición secundaria y diversos epígrafes en mármol. Estos elementos suntuarios se han perdido en gran medida pero han podido ser recuperadas, también en contexto secundario, varias lápidas funerarias de mármol. Contamos con el testimonio de

---

el enterramiento bajo conchas marinas. Nos parece interesante asociarlo a la noción de "refrescar la tumba" con que también se ha relacionado la aparición de jarros entre los escasos depósitos funerarios: según la escatología musulmana, durante los siete días posteriores al entierro (el tiempo del "castigo de la tumba") ésta arderá y despedirá calor; los familiares del finado a veces riegan o siembran plantas en sus alrededores, costumbres a menudo reprobadas por los alfaquíes (ver, por ejemplo, FIERRO (2000), pp. 181-183). No es descartable que la instalación de las tumbas en arena de playa y la inclusión en algunas de los citados "jarros con pitorro" –con las precisiones hechas en la nota 19– tengan sentido en esta línea.", J. M. TOMASSETTI GUERRA *et alii* (2006), p. 167. Hemos podido comprobar la permanencia de esta costumbre de incorporar conchas a las tumbas en algunas sepulturas contemporáneas del cementerio de Salé.

78.- M. FIERRO (2000), pp. 180-181, destaca la controversia en las fuentes jurídicas acerca de la licitud del uso de tales ataúdes aunque aparecen documentados textualmente en Málaga para fines del siglo XII.

al Anṣārī que señala que la concubina (*ŷāriya*) de uno de los emires almohade, consistente en una estela de mármol blanco (*min rujām abyaḍ*) de doce codos de largo y cinco de alto (*vide supra*).

La existencia o no de ajuares es también un tema ampliamente debatido. Como tales han sido interpretados en cementerios andalusíes diversas piezas cerámicas recuperadas (FIERRO, 2000, pp. 181-183; PONCE GARCÍA, 2002, 137-138; PERAL BEJARANO, 1995, pp. 24-25) a las que se ha otorgado un simbolismo especial o se las ha vinculado a las denominadas comidas funerarias (FIERRO, 2000, p. 176). Aunque han sido recuperadas cerámicas fragmentadas en los contextos de necrópolis ceutíes nos inclinamos a pensar que se trata de una presencia no intencionada, relacionada posiblemente con los aportes de tierras realizados, excepción hecha quizás del jarrito recuperado completo del cementerio del monte Hacho.

También se ha señalado la presencia de distintos elementos de adorno personal en tumbas islámicas andalusíes (PERAL BEJARANO, 1995, p. 25). Tenemos un ejemplo de esta práctica en una de las tumbas, concretamente de una mujer enterrada en el cementerio del Pasaje Fernández, en cuya sepultura se recuperó un pendiente[79].

Las tumbas son siempre individuales[80] aunque es frecuente que la intensa ocupación, con superposición en ocasiones de varios niveles de enterramientos, haya hecho que los de niveles superiores hayan afectado a tumbas existentes. Así en una de las inhumaciones en calle Real 72 una sepultura del nivel inferior fue parcialmente destruida, formándose un osario con restos procedentes tanto de esta inhumación como de otras dos, por una nueva inhumación. También en Fructuoso Miaja 7-11 se ha documentado la acumulación de huesos removidos, especialmente de huesos largos y cráneos, en pequeñas fosas situadas entre las posteriores inhumaciones que deben corresponder a enterramientos precedentes.

Desconocemos en buena medida la organización general de los cementerios ceutíes más allá de volver a recordar la proximidad de unas inhumaciones a otras y la habitual presencia de vegetación como señalan las

79.- Con menos certeza pueden también citarse un broche de bronce aparecido en el contexto de una de las tumbas de la ampliación del Instituto Camoens o una pieza en hueso recuperada en la intervención de las Torres del Hacho.

80.- Únicamente los restos de dos inhumaciones de la Plaza de la Catedral prácticamente perdidas lo que obliga a la prudencia permiten plantear la posibilidad de una utilización doble de una tumba.

fuentes. No hemos localizado evidencias de posibles muros de delimitación, aunque pudieron existir, ni de una jerarquización de los espacios. No obstante, sabemos de la existencia de tumbas de "hombres ilustres", objeto de peregrinación para ser impregnados por su *baraka*, que debían constituir espacios privilegiados.

En torno a la controvertida cuestión de la edificación de mausoleos, cuya licitud es ampliamente debatida por la jurisprudencia (FIERRO, 2000, pp. 166-172), acreditan su existencia en los cementerios ceutíes diversas fuentes. Así, podemos recordar como al Anṣārī señala que en uno de los cementerios de *Maḏrib al-Šabka* muchas de las tumbas de los Šurafā' Ḥusayníes estaban agrupadas en un panteón (*rawḍa*) o la cita expresa de que ciertos mausoleos (*mazārāt*) que albergaban numerosas tumbas (*vide supra*).

Otro aspecto de interés lo constituye el hecho de que la mayor parte de los cementerios documentados arqueológicamente ocupan espacios previamente vacíos, alcanzando en varias ocasiones el nivel geológico de base. Únicamente dos intervenciones (Velarde16, 18 y 20 y Pasaje Fernández), posiblemente ambas correspondientes a un único cementerio, amortizan estructuras anteriores, posiblemente viviendas lo que denota un cambio de uso de esos espacios.

Con la dificultad inherente a la datación de los cementerios islámicos cabe señalar no obstante que la mayoría de los documentados arqueológicamente parecen corresponder a los siglos finales del periodo islámico, alcanzando muchos de ellos el momento de la conquista portuguesa, un momento en el que la población ceutí creció significativamente tanto por su pujanza económica como por la instalación en Ceuta de población musulmana andalusí. Las fuentes textuales sí presentan indicios, en algunos casos al menos, de la situación de otras almacabras de mayor antigüedad.

Destaca el gran número de necrópolis constatadas. Si las fuentes escritas mencionan doce/trece la investigación arqueológica permite confirmar su elevado número, máxime teniendo en cuenta las circunstancias de la investigación urbana[81]. Determinar en qué medida las inhumaciones documentadas arqueológicamente en solares relativamente próximos corres-

81.- Es significativo, por ejemplo, que únicamente dos intervenciones en el monte Hacho, tradicional lugar de enterramiento, han constado la presencia de inhumaciones si bien las excavaciones realizadas en este lugar han sido muy escasas por lo que es presumible que el desarrollo de nuevas intervenciones permitirá documentar un mayor número de cementerios.

ponden a un único cementerio es tarea compleja. Como hipótesis de trabajo consideramos que las intervenciones en la urbanización Monte Hacho y en Torres del Hacho, distantes apenas 200 m, podrían constituir un único cementerio. Puede ser el caso también de Teniente Pacheco, 8, Teniente Arrabal, Fructuoso Miaja 7-11, Fructuoso Miaja 14, Real 40-44 y ampliación del Instituto Camoens, parecen configurar una necrópolis relativamente extensa (aproximadamente una hectárea). En esta misma área han sido localizados dos epígrafes funerarios que pueden ser atribuidos a esta misma necrópolis. Muy próximas también, apenas a unos 70 metros, puede ser también el caso de los enterramientos de Velarde 16-18 y 20 y Pasaje Fernández. Resultaría pues que habrían sido documentadas nueve necrópolis lo que se ajusta más al número recogido en las fuentes. Serían las siguientes:

- Hacho sur (Urbanización monte Hacho y Torres del Hacho)
- Hacho norte (Las Heras)
- Brull
- Real 72
- Almina central (Teniente Pacheco 8, Fructuoso Miaja 7-11, Fructuoso Miaja 14 –estela anepigráfica-, Real 33, Real 40-44, ¿Echegaray-ampliación Instituto Camoens?, junto a los epígrafes funerarios de Teniente Pacheco y antigua Casa Sindical)
- Fuente Caballos (Velarde 16-20 y Pasaje Fernández)
- Medina (Plaza de África)
- Av. España 17
- Afrag (Puerta de Fez)

La existencia de minorías religiosas no musulmanas en Ceuta (cristianos y judíos) contrasta con los escasos datos disponibles sobre sus lugares de enterramiento. Los cristianos, relativamente numerosos y de muy diferente condición social (FERHAT, 1993, pp. 392-394; BENRAMDANE, 2003, pp. 248-252), viven en sus *fanādiq* (plural de *funduq*), en los, en los que gozan de libertad para practicar el culto en sus templos asistidos por religiosos y sacerdotes. Un dato indirecto parece constatar la existencia allí de un cementerio. Efectivamente, cuando en 1227 Daniel Fasanella y sus compañeros franciscanos son ejecutados en Ceuta, sus cuerpos son piadosamente recogidos por los cristianos de Ceuta que les dan sepultura en el *funduq* de los marselleses (CARRIÈRE, 1924, p. 136).

También en estos siglos está presente en Ceuta una comunidad judía, fundamentalmente dedicada al comercio a larga distancia (FERHAT, 1993, pp. 388-391; BENRAMDANE, 2003, pp. 246-248). Gozalbes identificó su cementerio como el de *al-Ḥāra*, topónimo que haría alusión al barrio en que habitan, explicando de este modo la discrepancia en el número de cementerios ofrecido por al-Anṣārī, aunque esta propuesta no es aceptada unánimemente (*vide supra*, nota 22).

A esta confesión han sido atribuidos provisionalmente los enterramientos excavados por Pérez y Nogueras en la ampliación del Instituto Camoens basándose en la cronología medieval de los restos y la posición en que fueron enterrados los cadáveres (decúbito supino). Como ha sido señalado recientemente "la identificación de un ritual de enterramiento judío resulta del todo arriesgado, siempre que no contemos con corpus epigráfico o algún tipo de simbología en el contexto del cementerio" (RUIZ TABOADA y MARTÍN EGUIGUREN, 2009). Esta identificación se torna aún más difícil en ausencia de testimonios escritos que señalen el emplazamiento de juderías, sinagogas o cementerios y dada las variantes regionales en los usos funerarios de las diferentes comunidades. En este sentido se ha señalado (AYASO MARTÍNEZ, 2009) que

> "la halajá es compleja y contradictoria, algunas veces demasiado prolija en detalles y en otras ocasiones muy parca, casi muda. Evidentemente debe ser conocida y consultada, pero no es torah mi-Sinay, no tiene la autoridad indiscutible de la Ley de Moisés. Al hablar de las necrópolis judías catalanas, David Romano afirmaba que "le lleis i els costums jueus dicten / recomanen / suggereixen nomes i rites relacionats amb la mort i l´enterrament", pero en esta cuestión no se puede generalizar ni dogmatizar"

Por todo ello, la atribución de esta necrópolis a la comunidad judía medieval de Ceuta no es más que una hipótesis a la espera de ser confirmada.

El panorama trazado sobre las almacabras ceutíes medievales nos ha permitido realizar un nuevo acercamiento a este interesante periodo de la historia de esta localidad y poner de manifiesto las posibilidades que para el avance de la investigación del pasado de la ciudad del Estrecho tiene acometer estudios que, con una perspectiva interdisciplinar, combinen información documental, epigráfica, y arqueológica. La aportación de los estudios analíticos vendrá a aportar información relevante sobre aspectos tales como la dieta, patología, características antropométricas, etc. de la población. El estudio antropológico realizado, a pesar de lo restringido aún de la muestra, muestra las posibilidades que ofrecen este tipo de estudios.

BIBLIOGRAFÍA

FUENTES ÁRABES

Al-Anṣārī, *Kitāb ijtiṣār al-ajbār*, ed. E. Lévi Provençal, "Une description de Ceuta musulmane au XVe siècle. L'Iḫtisār al-Aḫbār de Muḥammad b. al-Ḳāsim ibn 'Abd al-Malik al-Anṣārī. Texte arabe", *Hespéris*, XII (1931), pp. 145-176; ed. 'Abd al-Wahhāb b. Manṣūr, Rabat, 3ª ed., 1983; trad. parcial al español de J. Vallvé Bermejo, "Descripción de Ceuta musulmana en el siglo XV", *Al-Andalus*, XXVII (1962), pp. 398-442; trad. francesa 'A. M. Turki, "La physionomie monumentale de Ceuta: un hommage nostalgique a la ville par un de ses fils, Muḥammad b. al-Qāsim al-Anṣārī (Traduction annotée de son Iḫtiṣār al-aḫbār)", *Hespéris-Tamuda*, XX-XXI (1982-1983), pp. 113-162.

Al-Bādisī, *Al-Maqṣad al-šarīf wa l-manza' al-laṭīf fī l-ta'rīf bi-Ṣulaḥā' al-Rīf*, ed. S. A. A'rāb, Rabat, 1982; trad. francesa a cargo de G. S. Colin, *El-Maqṣad (Vies de Saints du Rif)*, Archives Marocaines, vol. XXVI, 1926.

Al-Bakrī, *Kitāb al-Masālik wa-l-mamālik*, ed. A. P. Leeuwen y A. Ferre, Túnez, 1992.

Ibn al-Abbār, *Kitāb al-Takmila li-kitāb al-ṣila*, ed. F. Codera, BAH, V-VI, Madrid, 1887-1890; [*Apéndice de la Takmila*], ed. M. Alarcón y A. González Palencia, Madrid, 1915, pp. 147-690; ed. M. Bencheneb y A. Bel, Argel, 1920; ed. I. al-'Aṭṭār, 2 vols., El Cairo, 1955.

Ibn 'Abd al-Mālik al-Marrākušī, *al-Ḏayl wa-l-Takmila li-kitābay al-mawṣūl wa-l-Ṣila*, vol. I (2 partes), ed. M. ben Šarīfa, Beirut, 1971; vols. IV (final), V (2 partes) y VI (2 partes), ed. I. 'Abbās, Beirut, 1964, 1965 y 1973, respectivamente; vol. VIII (2 partes), ed. M. ben Šarīfa, Rabat, 1984.

Ibn 'Askar-Ibn Jamīs, *al-Ikmāl wa-l'Ilām f Ṣilat al-i'lām bi-maḥāsin al-a'lām min ahl Mālaqa al-kirām*, ed. 'Abd Allāh al-Murābiṭ al-Targī, *A'lām Mālaqa*, Beirut, 1999; trad. parcial de J. Vallvé Bermejo, "Una fuente importante de la Historia de al-Andalus. La 'Historia de Ibn 'Askar'", *Al-Andalus*, XXXI (1966), 237-265.

Ibn 'Iḏārī, *al-Bayān al-Mugrib fī ajbār al-Andalus wa-l-Magrib*, vol. I y II, ed. E. Lévi-Provençal y G. S. Colin, *Histoire de l'Afrique du Nord et de l'Espagne musulmane intitulée Kitāb al-Bayān al-Mughrib par Ibn 'Idhārī al-Marrākushī et fragments de la chronique de 'Arīb, nouvelle édition publié d'après l'édition de 1848-1851 de R. Dozy et de nouveaux manuscrits*, París, 1948-1951; trad. francesa de E. Fagnan, Histoire de l'Afrique et de l'Espagne intitulée al-Bayano al-Mogrib, 2 vols., Argel, 1901-1904; III, ed. G. S. Colin y E. Lévi-Provençal, *al-Bayān al-Mugrib, tome troisième. Histoire de l'Espagne musulmane au Xème siècle. Texte arabe publié pour la première fois d'après un manuscrit de Fès*, París, 1930; trad. española F. Maíllo Salgado, *La caída del califato de Córdoba y los Reyes de Taifas (al-Bayān al-Mugrib)*, est., trad. y notas, Salamanca, 1993; *Crónica Anónima de los Reyes de Taifas*, trad. española parcial por F. Maíllo Salgado del vol. III del *Bayān*, Madrid, 1991, 289-316.

Ibn ʻIyāḍ, *Maḏāhib al-Ḥukkām fī nawāzil al-aḥkām (La actuación de los jueces en los procesos judiciales)*, trad. y estudio a cargo de D. Serrano, CSIC, Madrid, 1998.

Ibn al-Jaṭīb, *al-Iḥāṭa fī ajbār Garnāṭa*, ed. Muḥammad ʻAbd Allāh ʻInān, 4 vols., El Cairo, 1973-1977 (I: 1973, II: 1974, III: 1975, IV: 1977). V: *Nuṣūṣ ŷadīd (textos nuevos inéditos)*, ed. ʻA. S. Šaqūr, Tetuán, 1988.

Ibn al-Jaṭīb, *Kitāb Aʻmāl al-aʻlām fī-man būyiʻa qabl l-iḥtilām min mulūk al-Islām*, ed. parcial E. Lévi-Provençal, con introd. y notas, *Histoire de l'Espagne musulmane*, Rabat, 1934, reedición Beirut, 1956.

Ibn al-Jaṭīb, *Miʻyār al-Ijtiyār fī ḏikr maʻāhid wa l-diyār*, ed., trad. española y estudio de M. K. Chabana, Rabat, 1977.

Ibn al-Qāḍī, *Durrat al-Ḥiŷŷāl*, ed. M. A. Abū l-Nūr, 3 vols., El Cairo (I: 1970; II: 1971; III; s.d.).

Ibn al-Qāḍī al-Miknāsī, *Ŷadwat al-Iqtibās fī ḏikr man ḥalla man al-aʻlām madīnat Fās*, ed. Dār al-Manṣūra, 2 vols., Rabat, 1973.

Ibn al-Zayyāt al-Tādilī, *al-Tašawwuf ilà riŷāl al-taṢawwuf wa-ajbār Abī l-ʻAbbās al-Sabtī*, ed. A. al-Tawfīq, Rabat, 1997; trad. francesa a cargo de M. de Fenoyl, *Regard sur le temps des soufis. Vie des Saints du Sud marocain des Ve, VIIe siècles de l'Hégire*, Rabat, 1995.

Ibn al-Zubayr, *Ṣilat al-ṣila*, ed. E. Lévi-Provençal, Rabat, 1938; manuscrito de la Liga Árabe, nº 850, Taymur; parte III, ed. ʻAbd al-Salām al-Harrār y Saʻīd al-Aʻrāb, Muḥammadiyya, 1993; parte IV, ed. ʻAbd al-Salām al-Harrār y Saʻīd al-Aʻrāb, Muḥammadiyya, 1994.

Al-Maqqarī, *Azhār al-riyāḍ fī ajbār ʻIyāḍ*, ed. S. A. Aʻrāb, M. Tāwīt y otros, 5 vols., Rabat, 1978-1980.

Al-Qaštālī, *Milagros de Abū Marwān al-Yuḥānisī (Tuḥfat al-mugtarib bi-bilād al-Magrib fī karāmāt al-šayj Abī Marwān)*, ed. con prólogo, notas e índices de F. de la Granja, Madrid, 1974; trad. española a cargo de B. Boloix Gallardo, *Prodigios del maestro sufí Abū Marwān al-Yuḥānisī. Estudio crítico y traducción de la Tuḥfat al-mugtarib de Aḥmad al-Qaštālī*, Madrid, 2010.

Al-Sāḥilī, *Bugyat al-sālik fī ašraf al-masālik*, ed. ʻA. R. al-ʻAlamī, 2 vols., Rabat, 2003; ed. a cargo de R. Mostfà, *Edición y estudio de la Bugya de al-Sāḥilī, sufí malagueño del siglo VIII H. XIV de J. C.*, Tetuán, 2004.

OTRAS FUENTES Y BIBLIOGRAFÍA GENERAL

Manuel ACIÉN ALMANSA y Mª Antonia MARTÍNEZ NÚÑEZ (2003), "Datos arqueológicos sobre la presencia meriní en Málaga", *Mainake* XXV, pp. 403-416.

Luciano Luis ALCALÁ VELASCO (1998), "La protección del patrimonio arqueológico ceutí: Una ordenanza vigente y una asignatura pendiente", en *Homenaje al profesor Carlos Posac Mon*, vol. 3, Ceuta, pp. 359-367.

José Ramón AYASO MARTÍNEZ, "Presentación", en Congreso de Arqueología judía medieval en la península Ibérica. Balance y perspectivas (Murcia, 28-29 febrero 2009), Pre-actas. Consultado en www.lucesdesefarad.com/images/preactas.pdf (15.03.2012).

Miquel BARCELÓ (2006), "Els ossos contorbats de Sa'īd ibn Ḥakam. Nota sobre un text de 7 de febrer de 1288", *I Jornades de Recerca Històrica de Menorca. La Manūrqa de Sa'īd ibn Ḥakam. Un país islàmic a Occidente* (Ciutadella de Menorca, 8-11 octubre 2004), *Publicacions des Borns* (Monogràfic), 15-16, pp. 7-10.

André BAZZANA (1992), "Cimentiers et sepultures", en *Maisons d´al Andalus*, Madrid, I, pp. 245-249.

Zoulikha BENRAMDANE (2003), *Ceuta du XIIIè au XIVè: siècles des lumières d´une ville marocaine*, Mohammedia.

Darío BERNAL CASASOLA (inédito), *Carta arqueológica terrestre de Ceuta*, (consultada en la Sección de Patrimonio Cultural de la Ciudad Autónoma de Ceuta).

Rafael A. BLANCO GUZMÁN (2004), "Arqueología. La arqueología urbana como una nueva forma de aproximación histórica. Sombras y luces", *Arte, Arqueología e Historia*, nº 11, pp.88-93.

Carl BROCKELMANN (1943-1949), *Geschichte der Arabischen Litteratur*, 2 vols., Leiden; *Supplementbänden*, 1937-1942, 3 vols.

Mª Isabel CALERO SECALL y Virgilio MARTÍNEZ ENAMORADO, (1995), *Málaga, ciudad de al-Andalus*, Málaga.

Th. CARRIÈRE (1924), "Les martyrs de Ceuta", *Le Maroc Catholique*, p. 136.

Mª Teresa CASAL GARCÍA, (2001), "Los cementerios islámicos de *Qurṭuba*", en *Anales de Arqueología Cordobesa*, pp. 283-313.

María CHÁVET LOZOYA, Rubén SÁNCHEZ GALLEGO y Jorge PADIAL PÉREZ (2006), "Ensayo de rituales de enterramiento islámicos en al-Andalus", *Anales de Murcia*, 22, pp. 149-161

Mohammed CHERIF, (1996), *Ceuta aux époques almohade et mérinide*, París.

Alejandro CORREA DA FRANCA (1999), *Historia de Ceuta. Edición del original manuscrito del s. XVIII*, ed. María del Carmen del CAMINO, transcripción Mª. D. MORILLO, Ceuta.

Rosalía-María DURÁN CABELLO y F. Germán RODRÍGUEZ MARTÍN (2004), "Veinticinco años de arqueología urbana en Mérida", *CuaPAUAM*, 30, pp. 153-166.

Halima FERHAT (1993), *Sabta des origines au XIVème siècle*, Rabat.

Inés FERNÁNDEZ GUIRADO (1995), "La necrópolis musulmana de Yabal Faruh (Málaga). Nuevas aportaciones", en M. Paz TORRES y Manuel ACIÉN (eds.): *Estudios sobre cementerios islámicos andalusíes*. Málaga, pp. 37-68.

Carmen FERNÁNDEZ OCHOA y María Ángeles QUEROL FERNÁNDEZ (2000), "La arqueología urbana en España", *3º Congresso de Arqueología Peninsular, UTAD, Vila Real, Portugal, setembro de 1999*, ADECAP, vol. 8, pp. 11-20.

Luis Efrén FERNÁNDEZ RODRÍGUEZ, Juan Bautista SALADO ESCAÑO y José SUÁREZ PADILLA (2001), "Una nueva necrópolis hispanomusulmana de ámbito rural en el entorno de la sierra de la Utrera (Málaga)", en *Cilniana*, nº 14, pp. 73-86.

Maribel FIERRO (2000), "El espacio de los muertos: fetuas andalusíes sobre tumbas y cementerios", en Patrice CRESSIER, Maribel FIERRO y Jean-Pierre VAN STAËVEL, *L´Urbanisme dans l´Occident musulman au Moyen Age*, Madrid, pp. 153-189.

José Luis GÓMEZ BARCELÓ (2008), "Los Santuarios Islámicos", en *Cuadernos del Archivo Central*, nº 17, pp. 325-342.

José Luis GÓMEZ BARCELÓ (2011), *De viva voz. Historias de la Ceuta de siempre*, Ceuta.

Carlos GOZALBES CRAVIOTO (1995), *El urbanismo religioso y cultural de Ceuta en la Edad Media*, Ceuta.

Pedro GURRIARÁN DAZA y Juan Bautista SALADO ESCAÑO (2009), "La arqueología urbana en el sur peninsular. Problemática de una actividad incipiente", en M. A. DOMÍNGUEZ (coord..), *Actas del I Congreso de Patrimonio Histórico de Castilla-La Mancha. La gestión del Patrimonio Histórico Regional: homenaje a Victoria Cabrera Valdés*, pp. 43-64.

José Manuel HITA RUIZ, José Manuel PÉREZ RIVERA y Fernando VILLADA PAREDES (inédito), Excavación arqueológica en la Ermita de Nuestra Señora del Valle, 1998 (consultado en la Sección de Patrimonio Cultural de la Ciudad Autónoma de Ceuta).

José Manuel HITA RUIZ y Fernando VILLADA PAREDES (2000), *Un aspecto de la sociedad ceutí en el siglo XIV: los espacios domésticos*, Ceuta.

José Manuel HITA RUIZ y Fernando VILLADA PAREDES (2007), *Un decenio de arqueología en Ceuta 1996-2006*, Ceuta.

José Manuel HITA RUIZ y Fernando VILLADA PAREDES (2012), "Arqueología medieval en Ceuta entre 1987 y 2011", en *Boletín de la Asociación Española de Medievalistas*, nº 16.

José Manuel HITA RUIZ y Fernando VILLADA PAREDES (inédito), *Informe preliminar de la excavación arqueológica en calle Real 40-44* (consultado en la Sección de Patrimonio Cultural de la Ciudad Autónoma de Ceuta).

José Manuel HITA RUIZ, José SUÁREZ PADILLA y Fernando VILLADA PAREDES (2008), "Ceuta, puerta de al-Andalus. Una relectura de la historia de Ceuta desde la conquista árabe hasta la fitna a partir de los datos arqueológicos", en *Cuadernos de Madinat al-Zahra*, 6, pp. 11-52.

Enrique JARQUE ROS (1989), *Historiografía general de la peste. La peste bubónica y Ceuta. Estudios de geografía e historia médica de Ceuta*, Ceuta.

Rafael JIMÉNEZ CAMINO (2006), "La arqueología urbana en Algeciras: primeras reflexiones sobre su modelo de gestión", en *Actas del I Seminario Hispano-marroquí de especialización en arqueología*, pp. 241-258.

R. KLUENDER (2004), "Speaking Stones: Islamic Burial Practices at al-Basra", en N. L. Benco (ed.), *Anatomy of a medieval Islamic town*, pp. 61-68.

Evariste. LÉVI-PROVENÇAL (1922), *Les Historiens des Chorfas: essai sur la littérature historique et biographique au Maroc du XVIè au XIXè siècle*, Paris.

Antonio MALPICA CUELLO (2000), "¿Sirve la arqueología urbana para el conocimiento histórico? El ejemplo de Granada", en Lorenzo CARA BARRIONUEVO (coord..), *Ciudad y territorio en al-Andalus*, pp. 21-59.

Ricardo MAR y Joaquín RUIZ DE ARBULO (1999), "La integración de los restos en la ciudad", *XXV Congreso Nacional de Arqueología*, Valencia, pp. 240-248.

Antonia MARTÍN ESCARCENA y José SUÁREZ PADILLA (inédito), *Resultado de los trabajos de Actuación Arqueológica Preventiva: sondeo estratigráfico en el Solar de Calle Teniente Pacheco, 8. Ceuta-2007* (consultado en la Sección de Patrimonio Cultural de la Ciudad Autónoma de Ceuta).

Virgilio MARTÍNEZ ENAMORADO (1998), *Epigrafía y poder. Inscripciones árabes de la Madrasa al-Ŷadīda de Ceuta*, Serie Maior. Informes y catálogos, Museo de Ceuta, Consejería de Educación y Cultura, Ceuta.

Virgilio MARTÍNEZ ENAMORADO (2000), "Una inscripción funeraria ceutí del siglo XIII", en *Homenaje al profesor Carlos Posac Mon*, vol. 1, Ceuta, pp. 397-406.

Virgilio MARTÍNEZ ENAMORADO (2002), "Las Madrasas de Ceuta en el contexto del Islam occidental", *II Jornadas de Historia de Ceuta. Ceuta en el Medievo: la ciudad en el universo árabe* (mayo de 1999), Ceuta, pp. 39-58.

Virgilio MARTÍNEZ ENAMORADO (2003), *Al-Andalus desde la periferia. La formación de una sociedad musulmana en tierras malagueñas (siglos VIII-X)*, Málaga, pp. 323-328.

Virgilio MARTÍNEZ ENAMORADO (2006), *Torrox. Un sistema de alquerías andalusíes en el siglo XV según su Libro de Repartimiento*, Torrox Mª A. MARTÍNEZ NUÑEZ (con la colaboración de I. RODRÍGUEZ CASANOVA y A. CANTO GARCÍA), (2007): *Epigrafía árabe. Real Academia de la Historia. Catálogo del Gabinete de Antigüedades*, Madrid.

Virgilio MARTÍNEZ ENAMORADO (2009): "Estela de orejas", en María Jesús VIGUERA MOLINS (coord.), *Malaqa entre Malaca y Málaga*. Catálogo de la exposición. Málaga, pp. 181.

Mª Antonia MARTÍNEZ NÚÑEZ (con la colaboración de I. RODRÍGUEZ CASANOVA y A. CANTO GARCÍA) (2007), *Epigrafía árabe*, Real Academia de la Historia. Catálogo del Gabinete de Antigüedades, Madrid.

Julián MARTÍNEZ GARCÍA, Carmen MELLADO SÁEZ y María del Mar MUÑOZ MARTÍN (1995), "Las necrópolis hispanomusulmanas de Almería", en Mª Paz TORRES PALOMO y Manuel ACIÉN ALMANSA (ed.) (1996), *Estudios sobre cementerios islámicos andalusíes*, Málaga, pp. 83-116.

Jerónimo de MASCARENHAS (1995), *Historia de la ciudad de Ceuta*, (ed. fasc.), Ceuta.

Pilar MENA MUÑOZ y Emilia NOGUERAS MONTEAGUDO (1999), "La arqueología urbana en Madrid: su gestión y su protección en el planteamiento urbano", *Boletín de la Asociación Española de Amigos de la Arqueología*, nº 39-40, pp. 327-344.

María del Carmen MOSQUERA MERINO (1994), *La Señoría de Ceuta en el siglo XII (Historia política y económica)*, Ceuta.

Vicente C. NAVARRO OLTRA (2009), "Al-Munṣafī, Abū l-Ḥaŷŷāŷ", en J. Lirola (ed. y dir.), *Biblioteca de al-Andalus*, vol. 6: *de Ibn al-Ŷayyāb a Nubḏat al-'Aṣr*, Almería, pp. 563-565, nº 1563.

Julio NAVARRO PALAZÓN (1985), "El cementerio islámico de San Nicolás de Murcia. Memoria preliminar", I Congreso de Arqueología Medieval Española (Huesca, 1984), vol. IV, Zaragoza, pp. 7-35.

Julio NAVARRO PALAZÓN y Pedro JIMÉNEZ CASTILLO (2007), *Las ciudades de Alandalús. Nuevas perspectivas*, Zaragoza.

Silvia NOGUERAS VEGA (inédito), *Excavación arqueológica de urgencia en el monte Hacho (Ceuta),* (consultado en la Sección de Patrimonio Cultural de la Ciudad Autónoma de Ceuta).

Silvia NOGUERAS VEGA y José Manuel PÉREZ RIVERA (inédito), *Excavación arqueológica P.E.R.I. Recinto Sur (esquina Echegaray) Fases I y II (Ceuta),* (consultado en la Sección de Patrimonio Cultural de la Ciudad Autónoma de Ceuta).

Manuel OCAÑA JIMÉNEZ (1968), *Repertorio de inscripciones árabes de Almería,* Madrid-Granada.

Alfonso PALOMO LABURU, David GODOY LÓPEZ y José SUÁREZ PADILLA (inédito), *Resultados de los trabajos de actuación arqueológica preventiva: sondeos estratigráficos con metodología manual en el solar de calle Real 33* (consultado en la Sección de Patrimonio Cultural de la Ciudad Autónoma de Ceuta).

Josefa PASCUAL PACHECHO (1989), "La necrópolis islámica de l´Almonia (Valencia). Primeros resultados arqueológicos", en III *CAME,* II, Oviedo, pp. 406-41.

Carmen PERAL BEJARANO (1994), "La arqueología urbana en Málaga (1986-1992): una experiencia a debate", en *Arqueología y territorio medieval,* nº 1, pp. 101-118.

Carmen PERAL BEJARANO (1995), "Excavación y estudio de los cementerios urbanos andalusíes. Estado de la cuestión", en Mª Paz TORRES PALOMO, M. P. y Manuel ACIÉN ALMANSA (eds.) (1995), *Estudios sobre cementerios islámicos andalusíes,* Málaga, pp. 11-68.

Rafael PINILLA MELGUIZO (1988), "Aproximación a la onomástica árabe medieval de Ceuta", en *I Congreso Internacional del Estrecho de Gibraltar,* vol. II, Ceuta-Madrid, pp. 151-172.

Arturo del PINO RUIZ (2006), "La crisis de la arqueología urbana en Sevilla: la deconstrucción del proceso histórico y la liberalización del mercado del suelo", en *Revista Atlántica-mediterránea de prehistoria y arqueología social,* nº 8, pp. 199-212.

Juana PONCE GARCÍA (2002), "Los cementerios islámicos de Lorca. Aproximación al ritual funerario", *Alberca: Revista de la Asociación de Amigos del Museo de Lorca,* nº 1, pp. 115-148.

Carlos POSAC MON (1964), "Actividades de la Delegación de Ceuta", *Noticiario Arqueológico Hispánico,* 6, pp. 374-377.

Carlos POSAC MON (1966), "Una necrópolis romana descubierta en Ceuta," en IX *Congreso Nacional de Arqueología* Zaragoza, 1966, pp. 331-333.

Juan Antonio QUIRÓS CASTILLO (2005), "¿Excavar las ciudades o historiar las ciudades?: el debate sobre la Arqueología Urbana a la luz de algunas experiencias europeas", *Arqueología y territorio medieval,* 12, pp. 107-132.

Antonio RAMOS ESPINOSA DE LOS MONTERIOS, (1989), *Ceuta 1900*, edición de A. Baeza, Ceuta.

Julián RIBERA Y TARRAGÓ (1928), "Ceremonias fúnebres de los árabes españoles", *Disertaciones y opúsculos*, II, VIII, Madrid, pp. 248-267.

Magdalena RIERA RIU (1994), "Planeamiento urbanístico, promoción inmobiliaria y arqueología involuntaria", en *Arqueología y Territorio Medieval*, nº 1, pp. 93-100.

Ignacio RODRÍGUEZ TERMIÑO (2004), *Arqueología urbana en España*, Ariel Ignacio RODRÍGUEZ TERMIÑO (2006), Arqueología e investigación del urbanismo islámico en las ciudades andaluzas. Balance de veinte años de gestión", en *Arqueología y territorio medieval*, 13, pp. 157-173.

Guillermo ROSSELLÓ BORDOY, G. (1989), "Almacabras, ritos funerarios y organización social en al-Andalus", en *III Congreso de Arqueología Medieval Española*, pp. 151-168.

Guillermo ROSSELLÓ BORDOY, (2000), "Más sobre el brocal almohade de Ceuta", *Homenaje al Profesor Carlos Posac Mon*. Instituto de Estudios Ceutíes. Ceuta, Vol. I, pp. 359-367.

Arturo RUIZ TABOADA y Beatriz MARTÍN EGUIGUREN, "Identificación de enterramientos judíos en el contexto medieval de Toledo", en Congreso de Arqueología judía medieval en la península Ibérica. Balance y perspectivas (Murcia, 28-29 febrero 2009), Pre-actas. Consultado en www.lucesdesefarad.com/images/preactas.pdf (15.03.2012).

Vicente SALVATIERRA CUENCA (2004), "Arqueología urbana: investigación y profesión", *Anales de arqueología cordobesa*, nº 15, pp. 45-59.

Faouzi SKALI (2007), *Saints et sanctuaries de Fès*, Rabat.

José SUÁREZ PADILLA y Sonia AYALA LOZANO (inétido), *Informe de la actividad arqueológica preventiva en el antiguo cuartel de las Heras (Ceuta),* (consultado en la Sección de Patrimonio Cultural de la Ciudad Autónoma de Ceuta).

José SUÁREZ PADILLA y Sonia AYALA LOZANO (inédito), *Informe de la Actividad Arqueológica Preventiva en calle Velarde 16, 18 y 20, esquina con Espino* (consultada en la Sección de Patrimonio Cultural de la Ciudad Autónoma de Ceuta).

José María TOMASSETTI GUERRA, Cibeles FERNÁNDEZ GALLEGO y José SÚAREZ PADILLA (inédito), *Informe de resultados de la Actuación Arqueológica Preventiva de diagnóstico llevada a cabo en el solar de Calle Fructuoso Miaja 14 con Pasaje Mina. Ceuta. 2011* (consultado en la Sección de Patrimonio Cultural de la Ciudad Autónoma de Ceuta).

José María TOMASSETTI GUERRA *et alii.* (2006), "El cementerio islámico del Fuerte de Santiago (Algeciras, Cádiz). Nuevas excavaciones y síntesis interpretativa". *Almoraima*, 33, pp. 147-170.

Antonio TORREMOCHA SILVA y Virgilio MARTÍNEZ ENAMORADO (2000), "Estelas funerarias de época meriní en Algeciras" en *Actas del VII Congreso Internacional de Estelas Funerarias (Santander, 2002)*, 3 vols., Fundación Marcelino Botín e Institución Cultural de Cantabria, vol. III, pp. 807-838.

Leopoldo TORRES BALBÁS (1957), "Cementerios hispanomusulmanes", en *Al-Andalus*, XXII, pp. 131-191.

Leopoldo TORRES BALBÁS (1981), "Una necrópolis nazarí: la Rauda", *Obra dispersa, II, Archivo Español de Arte y Arqueología, Madrid*, 9, pp. 13-42.

Mª Paz TORRES PALOMO y Manuel ACIÉN ALMANSA (eds.) (1995), *Estudios sobre cementerios islámicos andalusíes*, Málaga.

'Abd al-Maŷid TURKI, (1982-1983), "La physionomie monumentale de Ceuta: un hommage nostalgique a la ville par un de ses fils, MuḤammad b. al-Qāsim al-AnṢārī (Traduction annotée de son Ih̲tiṢār al-ah̲bār)", *Hespéris-Tamuda*, XX-XXI, pp. 113-162.

Joaquín VALLVÉ BERMEJO (1962), "Descripción de Ceuta musulmana en el siglo XV", Al-Andalus, XXVII, pp. 398-442.

Fernando VILLADA PAREDES (2006), "Arqueología urbana en Ceuta (2000-2005)", en Darío BERNAL CASASOLA *et alii* (eds.), *Actas del I Seminario Hispano-Marroquí de especialización en arqueología*, Cádiz, pp. 269-281.

Fernando VILLADA PAREDES (inédito), *Excavación arqueológica en la calle Fructuoso Miaja. Informe Preliminar* (consultado en la Sección de Patrimonio Cultural de la Ciudad Autónoma de Ceuta).

Fernando VILLADA PAREDES *et alii* (inédito), *Diagnóstico Arqueológico con medios manuales en el ámbito de la Subparcela SP 1 de la U.A. "Acuartelamiento* Brull". Ceuta 2010 (consultado en la Sección de Patrimonio Cultural de la Ciudad Autónoma de Ceuta).

Fernando VILLADA PAREDES, Sonia AYALA LOZANO y José SUÁREZ PADILLA (inédito), *Memoria de resultados de la A.A.Pr. en el Acuartelamiento el Brull. Fase I. Diagnóstico: Sondeos Arqueológicos con Medios* Mecánicos. Ceuta 2010 (consultado en la Sección de Patrimonio Cultural de la Ciudad Autónoma de Ceuta).

Fernando VILLADA PAREDES, Sonia AYALA LOZANO y José SUÁREZ PADILLA (inédito), *Informe preliminar de los trabajos llevados a cabo en el Pasaje Fernández (C/ Ingenieros, C/ Santander y C/ Velarde, Ceuta). Periodo medieval. Área 4. Sector Este*, (consultado en la Sección de Patrimonio Cultural de la Ciudad Autónoma de Ceuta).

Fernando VILLADA PAREDES, David GODOY RUIZ y José SUÁREZ PADILLA, (inédito), *Actividad arqueológica de apoyo a la restauración: la intervención en la Puerta de Fez del Afrag merinida de Ceuta. Julio-agosto. 2007. Memoria preliminar*(consultado en la Sección de Patrimonio Cultural de la Ciudad Autónoma de Ceuta).

Fernando VILLADA PAREDES, Macarena LARA MEDINA y José María VARGAS GIRÓN (inédito), *Memoria de la actividad arqueológica preventiva en Pasaje Fernández* (consultado en la Sección de Patrimonio Cultural de la Ciudad Autónoma de Ceuta).

Fernando VILLADA PAREDES, Alfonso PALOMO LABURU y José SUÁREZ PADILLA (inédito), *Intervención Arqueológica de Urgencia en el solar situado entre Calle Real 72, Canalejas y Pasaje Diamante. Ceuta, 2008* (consultado en la Sección de Patrimonio Cultural de la Ciudad Autónoma de Ceuta).

Fernando VILLADA PAREDES y José SUÁREZ PADILLA (inédito), *Actividad arqueológica de apoyo a la restauración: la intervención en la Puerta de Fez del Afrag merinida de Ceuta. II Fase. Julio-agosto. 2008. Memoria preliminar* (consultado en la Sección de Patrimonio Cultural de la Ciudad Autónoma de Ceuta).

Fernando VILLADA PAREDES y José SUÁREZ PADILLA (inédito), *Informe preliminar de la intervención arqueológica en Avda. de España 17* (consultado en la Sección de Patrimonio Cultural de la Ciudad Autónoma de Ceuta).

Fernando VILLADA PAREDES, Joan RAMON TORRES y José SUÁREZ PADILLA (2010), *El asentamiento protohistórico de Ceuta. Indígenas y fenicios en la orilla norteafricana del Estrecho de Gibraltar*, Ceuta.

Fernando VILLADA PAREDES, Joan RAMON TORRES y José SUÁREZ PADILLA (2011), "Excavación arqueológica de la plaza de la Catedral de Ceuta: una nueva secuencia estratigráfica en el Istmo desde la Protohistoria a nuestros días", en *Arqueología y turismo en el Círculo del Estrecho. Estrategias para la puesta en valor de los recursos patrimoniales en el norte de Marruecos. Actas del III Seminario Hispano-Marroquí (Algeciras, abril de 2011)*, Colección de Monografías del Museo Arqueológico de Tetuán (III), Cádiz, pp. 381-404.

Gomes Eanes de ZURARA, (1792), *Crónica da Tomada de Ceuta*, introd. y notas de R. BRASIL, Sintra.

Análisis antropológico de los restos óseos humanos de época medieval procedentes de intervenciones arqueológicas de la Ciudad de Ceuta

Alfonso Palomo Laburu

INTRODUCCIÓN

Entre los años 2006 y 2009 fueron examinados un total de 58 individuos procedentes de distintas actuaciones arqueológicas de la ciudad de Ceuta y de cronología medieval. De la calle Alcalde Fructuoso Miaja 7-11 se analizaron los restos de 16 individuos, de Plaza de África fueron examinados cuatro, de calle Real 40-44 los 30 esqueletos exhumados, de calle Real 72 con Canalejas y Pasaje Diamante, fueron estudiados otros cinco y, por último, del antiguo Pasaje de Fernández, tres esqueletos de la primera fase de la intervención en la necrópolis correspondientes a cada uno de los enterramientos asociados a la mezquita excavada en el solar. En tres de estas excavaciones (Pasaje Fernández, Real 72 y Plaza de África) fue posible realizar toma de datos a pie de excavación, por lo que resultó posible extraer alguna información adicional referida a cuestiones tafonómicas y deposicionales.

Salvo en el caso de la excavación arqueológica del Pasaje de Fernández, en que los restos fueron hallados en un ambiente de preservación que permitió un estudio en condiciones en sus aspectos deposicionales, osteométricos, patológicos, y aquéllos referidos a la observación de marcadores ocupacionales, el resto de individuos examinados procedentes de otras excavaciones, tanto los analizados *in situ* como los entregados para su estudio antropológico, carecieron de unas condiciones mínimamente óptimas para un análisis más en profundidad, sea por el deterioro procurado por la presión de la tierra, por la fragmentación de los huesos durante el proceso deposicional y postdeposicional, o a causa de la afección por las características físico-químicas del suelo.

METODOLOGÍA

En orden a establecer el sexo de los individuos se tuvieron en cuenta aspectos discriminantes del relieve craneal y pélvico, en particular éste último (FEREMBACH et al., 1979, BRUZEK, 2002), también el desarrollo de determinadas inserciones musculares, tendinosas y ligamentosas, así como la robustez de la osamenta. La edad de muerte se estableció teniendo en cuenta en alguno de los casos la fase de evolución del cierre de las suturas de los huesos del cráneo (MEINDL y LOVEJOY, 1985), así como el desgaste de las piezas dentarias (BROTHWELL, 1981) y su grado de erupción (UBELAKER, 1989) y, al igual que en el caso anterior, la solidez y grosor de los huesos y el desarrollo de las inserciones musculares, también la presencia de lesiones vinculadas a la edad (CAMPILLO, 2001), y demás patologías (ISIDRO y MALGOSA, 2003). Por último, la estatura fue determinada a partir de la longitud de los huesos largos según lo propuesto por Manouvrier (1893) y Nunes de Mendonça (2000). El estado de destrucción de los huesos impidió apreciar puntos anatómicos de gran interés, entre ellos los extremos esternales de las costillas o las carillas sinfisarias del pubis, con el objeto de definir con mayor aproximación la edad de los individuos. Únicamente en los tres individuos asociados a la mezquita del Pasaje de Fernández han podido observarse los aludidos extremos costales (ISCAN, LOTH y WRIGHT, 1984 y 1985), y las sínfisis (McKERN y STEWART, 1957 y GILBERT y McKERN, 1973).

Para ubicar el momento de la muerte se emplearon intervalos de edad a los que se hace referencia en el presente trabajo. Éstos son: Infantil I, entre el nacimiento y los 6 años de edad, Infantil II, entre los 6 y 12 años; Adolescente, entre los 12 y 20; Adulto joven entre esta última y los 35; Adulto entre ésta y los 50, y Senil desde la citada en adelante.

ESTUDIO DE LOS RESTOS

Plaza de África

Durante las excavaciones llevadas a cabo en la Plaza de África, fueron estudiados los restos de un individuo prácticamente completo, CF-1, de un segundo del que se conservaba menos de la mitad del volumen del esqueleto, CF-2, y de otros dos cuerpos CF-3 y 4, sepultados juntos, de los que solo restan sus correspondientes tibias y peronés incompletos, dispuestos en paralelo y a una misma altura. Todos los esqueletos se hallaban en un estado de conservación muy deficiente, lo que llevó a un aporte muy escaso

Fig. 1.- PLAZA DE LA CATEDRAL. CF-1 con el brazo derecho sobre el suelo, mientras el izquierdo se hallaría flexionado con la mano a la altura del pubis y sus huesos parcialmente desplazados.

Fig. 2.- PLAZA DE LA CATEDRAL. A la derecha el esqueleto en posición del individuo CF-2, aparentemente supinado.

de información antropológica. Los esqueletos presentaban conexiones anatómicas, fácilmente apreciables en los individuos que más restos habían conservado. La posición de los esqueletos en estos últimos, CF-1 y CF-2 (Fig.1 y 2), y en función de la ubicación y desplazamiento de las piezas óseas, evidenciaron haber sido depositados en decúbito lateral derecho, habiendo rotado hacia decúbito supino, lo que conllevaría la no colmatación durante el proceso deposicional del espacio interior de la fosa, por lo que el sepultado podría vencerse dorsalmente. Igualmente, puede hablarse de una fosa con una anchura suficiente como para permitir al cuerpo el movimiento durante el transcurso de la descomposición, hasta su práctica supinación. De los señalados como CF-3 y CF-4 no cabe apenas descripción al respecto.

En lo que concierne al sexo y edad de los individuos, el individuo CF-1 resultó ser de sexo femenino en el rango de los adultos jóvenes. Mientras que del resto de individuos, solamente fue posible señalar el mismo intervalo de edad como margen mínimo a partir de la cual pudo producirse el deceso, quedando el sexo como indeterminado.

No se detectó, entre lo reducido y deteriorado de la muestra, ninguna evidencia de patología o marcador ocupacional.

Calle Alcalde Fructuoso Miaja 7-11

De la actuación arqueológica llevada a cabo en la calle Alcalde Fructuoso Miaja 7-11 fue analizado un total de 16 individuos y una cantidad exigua de restos muy parciales, posiblemente pertenecientes a alguno de los anteriores dado lo fragmentado de los mismos, lo que dificultó la obtención de información respecto del grupo de edad, por lo que en numerosas ocasiones se optó por establecer únicamente el límite inferior. Mayor complicación significó definir el sexo, de modo que solo en dos casos pudo ser identificado con seguridad, resultando uno masculino y otro femenino, con la posibilidad de dos posibles masculinos y otros tantos femeninos. Siempre teniendo en cuenta lo escaso de la representación poblacional y en función del establecimiento de cualquier parámetro de tipo demográfico, cabe señalar la nula presencia de individuos en edad adolescente y adulta, y la alta proporción de aquéllos en edad infantil I (0-6 años), de los cuales dos se encontrarían en su primer año de vida, y de la edad senil, representada por cuatro individuos (Fig. 3).

TOTAL INDIVIDUOS CALLE ALCALDE FRUCTUOSO MIAJA							
	MASC.	FEM.	ALOF.	POS.MASC.	POS.FEM.	INDET.	TOTAL
INF. I	-	-	3*	-	-	-	3
INF. II	-	-	1	-	-	-	1
ADOL.	-	-	-	-	-	-	-
AD. JOV.	-	1	-	1	-	-	2
ADUL.	-	-	-	-	-	-	-
SENIL	1	-	1	1	1	-	4
≥AD. JOV.	-	-	1	-	1	1	3
≥ADUL.	-	-	1	-	-	2	3
TOTAL	1	1	7	2	2	3	16

Fig. 3.- Sexo y edad total de la necrópolis de C/ Fructuoso Miaja. (*2 Neonatos)

Tampoco las patologías apreciadas ofrecieron resultados singulares, y menos aun significativas, dada la imposibilidad de conocer su prevalencia. No obstante se apreció que la lesión más reiterada era la artropatía en articulaciones y vértebras (Fig. 4 y 5), muy vinculada a la edad, observándose su generalización en los restos conservados de los cuatro individuos seniles, en uno de ellos acompañado de hernias de disco, y en otro de ligera deformación y fuerte reacción ósea en ambos húmeros. Las afecciones carenciales se evidenciaron en tres de los individuos, en uno de ellos en forma de *cribra orbitalia* unilateral, y en dos por una manifiesta hipoplasia del esmalte.

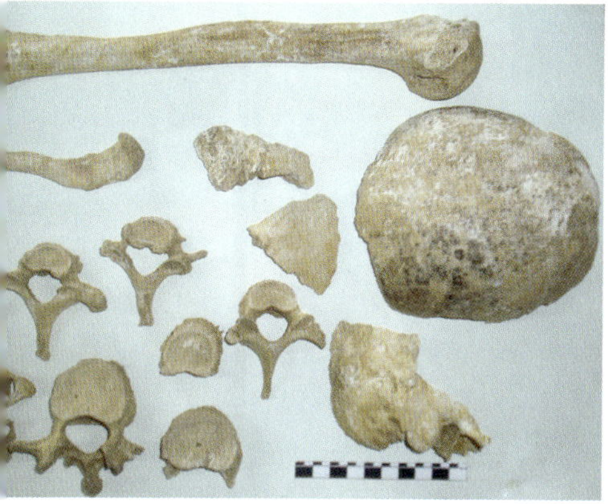

Fig. 4.- Individuo 4 mostrando actividad osteofitaria en vértebras, alguna de ellas acompañada de hernia discal.

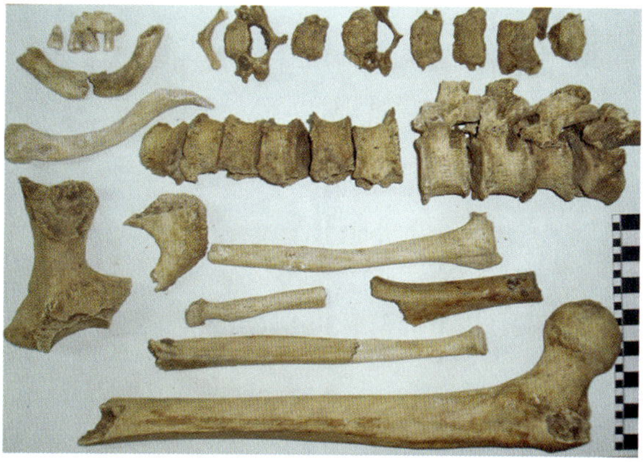

Fig. 5.- Individuo 12 con fuerte afección del mismo tipo.

En relación a circunstancias propias de las prácticas de enterramiento puede resultar reveladora la presencia de gravilla de río adherida a las piezas óseas y desprendidas durante el proceso de limpieza, ya que las pequeñas piedras formarían parte del fondo de las fosas.

Calle Real, 40-44

Procedentes de calle Real 40-44, fueron examinados un total de 30 individuos, mostrando una representación muy irregular, encontrándose por lo general muy fragmentados. De la treintena de cuerpos sepultados solamente uno de ellos correspondería al sexo femenino y trece al masculino, dato que, si bien no resulta significativo desde el punto de vista demográfico, no carece de cierto interés. En lo que respecta a la edad, uno de ellos encajaba en el intervalo de Infantil I, tres de ellos en el Infantil II, siete adolescentes, seis adultos jóvenes, seis adultos y uno senil. Del resto de inhumados únicamente ha podido fijarse el límite inferior de los intervalos de edad, encontrándose tres por encima de la adolescencia y cuatro de adulto joven (Fig.6).

TOTAL INDIVIDUOS CALLE REAL 40-44							
	MASC.	FEM.	ALOF.	POS. MASC.	POS. FEM.	INDET.	TOTAL
INF. I	-	-	1	-	-	-	1
INF. II	-	-	3	-	-	-	3
ADOL.	1	-	-	-	-	6	7
AD. JOV.	4	1	-	1	-	-	6
ADUL.	5	-	-	1	-	-	6
SENIL	1	-	-	-	-	-	1
≥ AD. JOV.	1	-	-	-	-	2	3
≥ ADUL.	1	-	-	2	-	-	3
TOTAL	13	1	4	4	-	8	30

Fig. 6.- Sexo y edad total de la necrópolis de C/ Real 40 - 44.

En el apartado de patologías es de señalar que la lesión más reiterada es la que afecta a los procesos periodontales de ambas arcadas, incidiendo en ocho de los individuos, más teniendo en cuenta los escasos fragmentos conservados de alguno de los maxilares. Tal afección se hallaría muy en relación con los usos higiénicos de esta población y que, salvo en los infantiles, se presenta en el resto de intervalos de edad (Fig.7). En prevalencia le sigue la hipoplasia del esmalte, ésta se presenta en seis de los individuos, cinco en forma de líneas o bandas y una por cambio de coloración. Tanto la última manifestación patológica descrita como los dos casos de *cribra orbitalia* observados, se detectaron en sendos individuos infantiles. En tercer lugar son las piezas vertebrales las que se ven aquejadas por alguna dolencia, en este caso de tipo artrósico, con calcificaciones en todos los bordes en forma de corona osteofitaria. Sin duda, por lo señalado anteriormente, de-

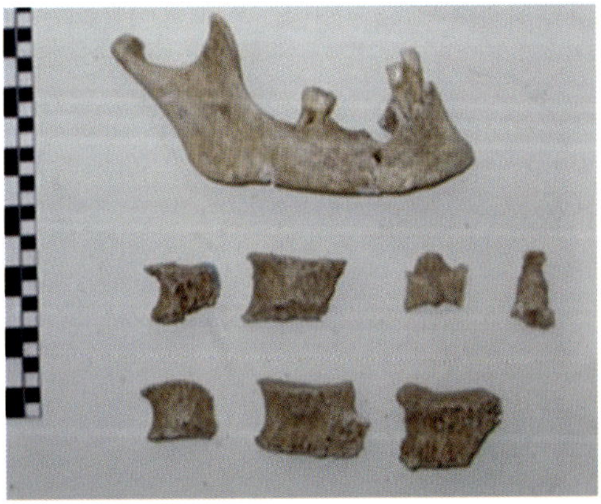

Fig. 7.- Individuo 2, presentando la mandíbula absceso en el sector del canino y primer premolar derecho, y vértebras con labiación y rebordes osteofitarios.

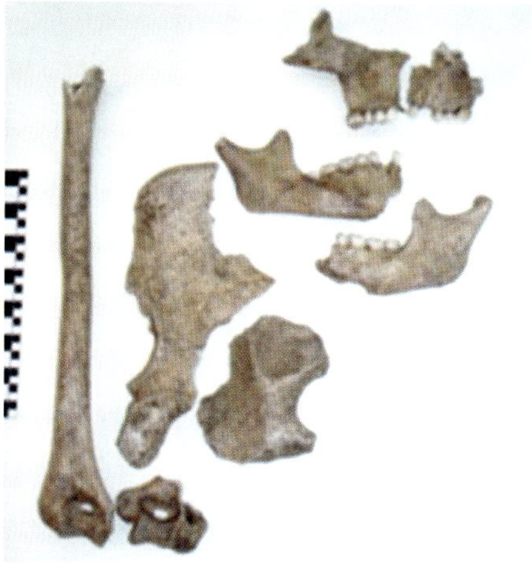

bió de ser mayor la incidencia en la población representada, ya que se había conservado muy escaso número de piezas vertebrales. En uno de los individuos estudiados se observó la presencia de húmeros con sendos orificios olecranianos (Fig.8).

Fig. 8.- Restos del individuo 3, esqueleto femenino, mostrando en las epífisis humerales grandes orificios olecranianos

C/ Real 72 con C/ Canalejas y Pasaje Diamante

La excavación de calle Real, 72 con Canalejas y Pasaje Diamante proporcionó datos referidos al tipo de enterramiento, la práctica funeraria, reutilización del espacio fúnebre, y gestión de parte de los restos depositados, además de los aspectos puramente antropológicos.

Los restos hallados se correspondían con seis individuos, tres de ellos adultos jóvenes, dos de sexo femenino y uno masculino, dos posibles masculinos, uno adulto joven y el otro senil, y el restante de sexo desconocido y de edad igual o por encima del intervalo Adulto joven.

En dicha intervención fueron hallados tres complejos funerarios con restos óseos en su interior. Los tres enterramientos, a cotas no muy diferenciadas, fueron tallados en la roca de la fuerte pendiente, por lo que las fosas solo se encontraban limitadas en su cabecera, pies y una de las paredes longitudinales.

Se observaron en la tumba CF-1 tres fases de enterramiento:

En el fondo de la tumba, directamente sobre la roca, debió haberse extendido un lecho de tierra con gravilla de río que solo había permanecido en el tercio inferior de la tumba al no haber sido removido este sector, como así sucedió posteriormente. Sobre el señalado lecho fue depositado un primer individuo adulto joven masculino, del que se conservaron en conexión anatómica ambas extremidades inferiores completas que revelaban la postura que había mantenido el cuerpo, en claro decúbito lateral derecho. En un segundo momento se produjo una remoción de los huesos del esqueleto descrito, que afectó al resto del cuerpo, quedando sus piezas óseas revueltas con otros huesos inconexos de dos individuos más, uno posible masculino en edad senil y el otro posible femenino por encima de la adolescencia, conformando un osario, produciéndose la pérdida de buena parte de la cama de gravilla. Sobre el conjunto referido (restos de la primera inhumación y osario) se extendía una capa constituida por tierra mezclada con pequeños fragmentos de conchas de molusco que llegaban a alcanzar los 10 cm de espesor, y que se intercalaba entre los restos óseos descritos y los de un individuo completo inhumado en último lugar, de sexo femenino en el intervalo Adulto joven. Éste se presentaba prácticamente completo en conexión anatómica y decúbito lateral derecho con las piernas flexionadas, mostrando ligera pronación de éstas y de la pelvis, lo que venía a demostrar que el cuerpo había sido depositado sobre espacio vacío o con escaso aporte de tierra que venía a contribuir a que al menos los huesos de los pies se mantuvieran en perfecta conexión.

Dentro del conjunto cementerial fue hallada una corta serie de segmentos de huesos largos agrupados a modo de reducción en una pequeña repisa del suelo, CF-3, que fue interpretada no como una selección o recogida de huesos a modo de enterramiento secundario, sino más bien en relación a una estructura mural de escasa entidad y de cronología posterior que aprovecharía el hueco de la fosa sepulcral. No obstante no se puede descartar la primera de las interpretaciones. Los huesos posiblemente se correspondan con un mismo individuo de sexo indeterminado y cuyo momento de muerte se hallaría por encima de la edad adolescente.

En lo que respecta al estado de salud de los individuos sepultados, se detecta una hipoplasia del esmalte en dientes de los individuos 1 y 3, de sexo masculino y femenino respectivamente en el intervalo adulto joven (CF-1). Además se hallaron pérdidas dentarias *ante mortem* por absceso en un fragmento mandibular del osario, así como marcada retracción alveolar, y fuerte desgaste dentario, porción anatómica que correspondería al individuo senil del osario del mismo CF (Fig.10), al que también pertenecerían las vértebras y cabeza femoral con evidencias artrósicas. Igualmente es de señalar la presencia de hernias discales en vértebras de dos de los individuos. A un cuerpo femenino del osario correspondería el húmero hallado con orificio olecraniano, característica física más propia de este sexo (Fig. 11), en lo que vino a redundar el resultado de los datos osteométricos. Aun así a falta de restos más significativos se tomó al individuo como posible femenino. El total del breve contingente humano excavado por sexo y edad se distribuye según se indica en la Figura 9.

TOTAL INDIVIDUOS CALLE REAL 72, CANALEJAS Y PASAJE DIAMANTE							
	MASC.	FEM.	ALOF.	POS. MASC.	POS. FEM.	INDET.	TOTAL
INF. I	-	-	-	-	-	-	-
INF. II	-	-	-	-	-	-	-
ADOL.	-	-	-	-	-	-	-
AD. JOV.	1	2	-	-	-	-	3
ADUL.	-	-	-	-	-	-	-
SENIL	-	-	-	1	-	-	1
≥ AD. JOV.	-	-	-	-	1	1	2
TOTAL	1	2	-	1	1	1	6

Fig. 9.- Total individuos calle Real 72.

Fig. 10.- Porción de arcada derecha del individuo senil.

Fig. 11.- Húmero izquierdo del individuo 3, femenino.

Pasaje Fernández

Fueron tres los individuos correspondientes al siglo XIV de entre los restos óseos humanos excavados en el solar del Pasaje de Fernández. Dos de ellos se correspondían con individuos de sexo femenino y uno masculino. La edad de muerte de uno de los femeninos (SP-3), se ubicaría en el tramo de los adolescentes, mientras los otros dos esqueletos, SP-1 y SP-2, masculino y femenino respectivamente, se encontraban en el intervalo Adulto joven.

Los desplazamientos óseos y las características de las conexiones anatómicas del esqueleto revelaron que los cuerpos habían sido enterrados en espacio vacío. El individuo designado como SP-1 mostraba el tronco ligeramente supinado, con una notoria ruptura entre la última vértebra lumbar y el sacro, manteniéndose las piernas en la posición en que fue depositado, lo que podría significar la colmatación de al menos la mitad inferior de la fosa. A diferencia del citado, el individuo SP-2 aparece dispuesto en posición de decúbito lateral derecho sin aparente movimiento postdeposicional, lo que hace pensar en la estrechez del espacio sepulcral. Al igual que en el caso anterior, determinados movimientos de piezas óseas, encajan con la idea de la colmatación del sector inferior de la fosa, no así el resto. Por su parte el SP-3, que se hallaba en su conjunto ligeramente pronado, mostraba características deposicionales que hacían coincidir con lo expresado para los otros dos esqueletos en lo que concierne al relleno de la fosa, y que en todos ellos afectaría a la mitad o al menos al tercio inferior del espacio de la tumba. En el último enterramiento descrito fueron hallados cinco clavos que pudieran indicar el uso de tablas claveteadas a modo de cubierta de la fosa.

De todo lo expresado se desprende que existen elementos comunes a los tres enterramientos, que serían: la estrechez de fosa, el espacio interior de la tumba parcialmente colmatado, sin poder averiguarse lo accidental o intencionado del hecho, y posiblemente la cubierta de tablas.

Fig. 12.- Ampliación del área articular de la cabeza del fémur.

Las patologías manifestadas en el hueso se encuentran relacionadas con los procesos orales, viéndose la mandíbula del SP-1 afectada por un absceso y dos caries (Fig.13), y el SP-2 por una.

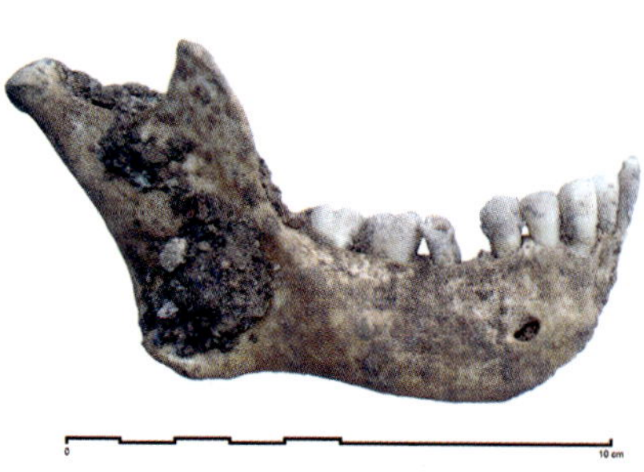

Fig. 13.- Destrucción del primer molar con absceso (CF-46)

Las inserciones musculares observadas se han hecho más evidentes en el esqueleto superior de los dos adultos jóvenes, hecho indicativo de esfuerzos musculares de este sector anatómico. Por su lado, entre los particularismos físicos de posible origen epigenético, se encuentran los orificios olecranianos que exhiben los húmeros del individuo SP-3. En las cabezas femorales del SP-2 se aprecia la ampliación de la superficie articular, la denominada faceta de Poirier, evidencia de un marcador ocupacional que podría provenir de la costumbre de sentarse el individuo en superficie muy baja, o por la continua flexión y abducción del fémur (Fig.12).

DISCUSIÓN Y RESULTADOS

La conservación de los esqueletos, como se desprende de los párrafos anteriores, ha sido muy irregular, desde restos muy fragmentarios con escasísima representación por individuo, como sucede con los procedentes de calle Fructuoso Miaja 7-11 y Real 40-44, hasta el análisis de esqueletos completos, como sucede con los procedentes de la excavación de Pasaje Fernández. También la preservación de la materia ósea ha sido muy distinta, habiéndose mantenido mucho más sólidos los restos de las dos intervenciones citadas en primer lugar. La respuesta se encontraría en relación a las propiedades físico-químicas del suelo, y a las agresiones antrópicas por remoción de las tierras bajo las que yacen los esqueletos y la presión ejercida por todo tipo de actividades desarrolladas sobre las mismas.

Aspectos deposicionales

El tratamiento del espacio interior de las fosas ha sido semejante en las excavaciones en las que fue tomada información antropológica y deposicional a pie de excavación. Así, en la Plaza de África, donde se hallaban los esqueletos muy deteriorados, pudo comprobarse por el desplazamiento de conexiones lábiles y persistentes entre huesos, y rotaciones de los cuerpos CF-1 y CF-2, que habrían sido depositados sin colmatación posterior de tierra sobre el difunto. Esta situación viene a repetirse en Real 72 con C/ Canalejas y Pasaje Diamante y Pasaje de Fernández, aunque en este último las piernas de los inhumados, en particular su mitad inferior, no parecen haberse movido de su posición original, lo que hace pensar en el relleno con tierra de esta zona de la fosa. En estas mismas, en razón de las dislocaciones articulares y rotaciones parciales de los sepultados pudo comprobarse la estrechez del espacio interior de las tumbas, haciéndose patente el efecto pared (DUDAY, 2005). En calle C/ Real 72 con Canalejas y Pasaje Diamante, la diferencia con respecto a las demás la establece la tipología de la tumba, habiendo aparecido las de esta necrópolis excavadas en la roca del nivel geológico. En relación a las prácticas funerarias, únicamente se evidenció la presencia de clavos en una de las tumbas excavadas en el Pasaje de Fernández, lo que podría relacionarse con la cubierta de la fosa, como ya se ha expresado. Y en solo dos de las necrópolis, al menos, en calle Fructuoso Miaja 7-11 y C/ Real 72 con C/ Canalejas y Pasaje Diamante, fue depositada bajo los individuos sepultados una capa de conchas trituradas o gravilla de rio, cuya función práctica sería la de servir de drenaje de los líquidos cadavéricos, evitando con ello la dispersión al exterior de malos olores procedentes de los cuerpos en descomposición. En la generalidad de los casos de los que se ha tenido constancia, éstos habían sido sepultados individualmente. Solamente se han advertido salvedades a esta norma en la Plaza de África, donde aparentemente dos de los inhumados, CF-3 y CF-4 (Fig.14), podrían haber compartido espacio funerario, y en C/ Real 72 con Canalejas y Pasaje Diamante, donde una de las estructuras, CF-1 (Fig.15), habría sido reutilizada como enterramiento secundario sin evacuar los restos del primer inhumado, y posteriormente secundario, como así demuestra el osario allí aparecido, posiblemente formando parte del proceso de acondicionamiento de la tumba para proceder a una nueva inhumación.

Fig. 14.- PLAZA DE ÁFRICA. Individuos CF-3 y CF-4, yaciendo en disposición muy semejante a una misma cota.

Fig. 15.- REAL 72. En primer término el complejo funerario 1, con dos cuerpos depositados a distinta altura y su reaprovechamiento como osario. Al fondo, el CF-2

Aspectos patológicos

En lo que respecta a las patologías cuya impronta ha quedado reflejada en el hueso, las observadas con mayor reiteración eran las que afectaban a las articulaciones de los huesos largos, particularmente en la región del hombro, codos, unión entre el coxal y las cabezas femorales, y área rotular. En cuatro de los dieciséis individuos de la excavación de Fructuoso Miaja 7-11 las artropatías eran generalizadas afectando a las articulaciones señaladas, además de las que implicaban a las piezas de la columna vertebral. En los restos examinados de calle Real 40-44 se apreció la lesión en vértebras de cuatro individuos, si bien las incidencia debió de ser mayor, dado el escaso número de huesos conservados de los treinta individuos. En calle Real 72 con Canalejas y Pasaje Diamante, la artropatía generalizada afectaba a uno de los individuos cuyos restos se encontraban en el osario. Las lesiones articulares se hallan muy relacionadas con la edad (Fig. 4 y 5), comenzando a aparecer a partir de los 35-40 años de modo natural, aunque pueden manifestarse en individuos más jóvenes cuyas articulaciones se encuentren muy deterioradas debido un esfuerzo físico de carácter repetitivo. La juventud de los individuos medievales excavados en Pasaje de Fernández, y el estado de preservación de los esqueletos de la Plaza de África han hecho inapreciable esta afección. Tras las artropatías en la espina dorsal, manifestadas en reacción ósea en el borde superior y/o inferior del cuerpo de las vértebras, y la degeneración en la superficie de los platillos de éstas, se han evidenciado signos de hernia de disco en alguno de los individuos, sin una prevalencia particularmente significativa. No es extraño que las hernias discales puedan haber sido la respuesta directa del organismo a unos modos de vida que llevaban aparejado el acarreo de cargas pesadas o al menos un trabajo físico intenso, por lo que no resulta excepcional que se hagan presentes en individuos jóvenes (ESTÉVEZ, 2002). No obstante la incidencia entre los esqueletos examinados de todas las excavaciones ha sido de tres, todos ellos seniles, si bien tal lesión habría tenido que afectar con práctica seguridad a un número mayor de individuos en caso de haberse hallado completos.

Las dolencias se presentaron con mayor frecuencia en los procesos dentarios, donde se observaron evidencias de abscesos, caries, hipoplasia del esmalte, retracciones alveolares y pérdida de piezas dentarias *ante mortem*. En los restos estudiados de Fructuoso Miaja 7-11 se ha hallado alguna de estas afecciones en cuatro individuos, con dos casos de hipoplasia del esmalte y otras tantas con implicación del soporte periodontal. De los tres de Pasaje de Fernández se vieron afectados por alguna lesión dos de ellos, siendo la más significativa el absceso observado en uno (Fig. 13). En diez de los treinta individuos exhumados en calle Real 40-44 se halló la impronta de alguna enfermedad dentaria, siendo las más significativas por su incidencia las que afectaron al proceso periodontal, con ocho individuos que las padecieron, lo que indudablemente es una proporción alta, seguida por los seis individuos en que se detectó hipoplasia del esmalte. Esta última alteración dentaria también fue observada en dos de los individuos de calle Real 72 con C/ Canalejas y Pasaje Diamante.

La hipoplasia del esmalte es considerada la evidencia de un proceso carencial, secundario a una enfermedad de origen infeccioso, que queda grabada en el esmalte de las piezas dentarias, normalmente anteriores, en forma de líneas o bandas transversales o cambios de coloración. Los cambios en la densidad de la dentina se producen durante la formación de las coronas dentarias, evidenciando que el proceso infeccioso se produjo durante los primeros años de vida del individuo inhibiendo momentáneamente el crecimiento. En las poblaciones estudiadas se ha encontrado en dos casos en Fructuoso Miaja 7-11, seis en Real 40-44, y dos en Real 72 C/ Canalejas y Pasaje Diamante. Relacionada con la anterior afección se cita la *cribra orbitalia,* manifestada en forma de porosidad en los techos orbitales. Se da como causa el déficit de hierro, cobre o zinc como consecuencia de episodios carenciales subsecuentes, como en el caso anterior, a procesos infecciosos, además de parasitosis y otros, sin llegar a estar de acuerdo respecto de su etiología entre distintos autores (Subirá et al., 1992). En los restos examinados se ha encontrado un caso en Fructuoso Miaja 7-11, y en dos individuos infantiles en Real 40-44.

Lo parcial de la representación poblacional, no solo por su número, sino por lo precario de muchas muestras, impide realizar un perfil del estado de salud de la población excavada, sin embargo las patologías halladas, en particular referencia a las últimas citadas hacen pensar en una sociedad donde no debían de resultar extrañas las dolencias de tipo infeccioso y la malnutrición, que podría afectar a un número alto de individuos infantiles.

Constitución ósea y estatura

La generalidad de los esqueletos mostró una constitución de normal a grácil, correspondiendo éstos últimos a individuos inmaduros, aun no desarrollados plenamente, y a los de sexo femenino, quienes muestran un claro dimorfismo sexual respecto de los individuos masculinos, hecho corriente en poblaciones del pasado y que afectaba igualmente a la estatura. Por su parte ésta se mantuvo en los esqueletos examinados entre el 1'47 m. de un individuo femenino de Fructuoso Miaja, y 1'67 m. de un adulto joven de sexo masculino de Real 40-44, siguiendo las tablas propuestas por Manouvrier (op. cit.), y 1'49 y 1'68 según Nunes de Mendonça respectivamente. Si bien la generalidad en el sexo femenino apenas alcanzaba el 1'60 m., con un caso de posible femenino senil de Fructuoso Miaja, que mostró una talla de 1'63 m. Los individuos masculinos tendían a mantenerse en la decena de los 60 centímetros, alcanzando 1'67-1'68, según tablas de estatura, en el yacimiento de calle Real.

TOTAL INDIVIDUOS ANALIZADOS							
	MASC.	FEM.	ALOF.	POS. MASC.	POS. FEM.	INDET.	TOTAL
INF. I	-	-	4	-	-	-	4
INF. II	-	-	4	-	-	-	4
ADOL.	1	1	-	-	-	6	8
AD. JOV.	6	6	-	2	-	-	14
ADUL.	5	-	-	1	-	-	6
SENIL	2	-	1	2	1	-	6
≥ ADOL.	1	-	-	-	-	2	3
≥ AD. JOV.	1	-	1	2	2	4	10
≥ ADUL.	-	-	1	-	-	2	3
TOTAL	16	7	11	7	3	14	58

Fig. 16.- Total individuos analizados.

BIBLIOGRAFÍA

D.R., BROTHWELL (1981), *Desenterrando huesos. La excavación, tratamiento y estudio de restos del esqueleto humano*. Madrid.

J. BRUZEK (2002), A method for visual determination of sex, using the human hip bone. *Am. J. Phys. Anthropol.*,177, pp. 157-168.

D. CAMPILLO (2001), *Introducción a la paleopatología*. Barcelona.

D. CAMPILLO y M.E. SUBIRÁ (2004), *Antropología física para arqueólogos*. Barcelona.

A. CANCI y S. MINOZZI (2005), *Archeologia dei restiumani. Dallo scavo al laboratorio*. Roma.

H. DUDAY (2005), *Lezioini di Archeotanatologia*. Roma.

M.C. ESTÉVEZ (2002), *Marcadores de estrés y actividad en la población guanche de Tenerife*, (Tesis Doctoral). Universidad de La Laguna. Tenerife.

D. FEREMBACH, I. SCHWIDETZKY y M. STLOUKAL (1979), «Recommendations pour determiner l'âge et le sexe sur le esquelette », en *Bull. et Mém. Soc. d'Anthrop. de Paris*. 6, série XIII, pp. 7-45.

B.M. GILBERT y T.W. McKERN (1973), "A method for aging the female of pubis", *Am. Phys. Anthopol.* 38, pp. 31-38.

M.Y. ISCAN, S.R. LOTH y R.K. WRAIGHT (1984), «Age estimation from the rib by phase analysis : White males», *J. Forensic Sci.* 29 (4), pp. 1094-1104.

M.Y. ISCAN, S.R. LOTH y R.K. WRAIGHT (1985), «Age estimation from the rib by phase analysis : White females», *J. Forensic Sci.* 30, pp. 853-863.

A. ISIDRO y A. MALGOSA (2003), *Paleopatología. La enfermedad no escrita.* Barcelona.

W. M. KROGMAN y M. Y. ISCAN, (1986), *The Human Skeleton in Forensic Medicine.* Springfield, Illinois. Charles C. Thomas Pub.

L. MANOUVRIER (1893), "La determination de la taille d'apres les grands os des membres", *Bull. Mém. Soc. Anthrop. de Paris,* 4, 347.

T.W. McKERN y T.D. STEWART (1957), "Skeletal changes in young American males. Analyses from the stand point of age identification". *Headquaters Quatermaster Research and Development Command, Technical Report EP-45.* Natick, Mass.

R.S. MEINDL y C.O. LOVEJOY (1985), «Ectocranial Suture Closure: A Revised Method for the Determination of Skeletal Age at Death Based on the Lateral-Anterior Sutures" *Am. J. Phys. Anthropol.,* 68, pp. 57-66. Ephrata, Penn.

M.E. SUBIRÁ, A. ALESÁN y A, MALGOSA, (1992), "Cribra orbitalia y déficit nutricional. Estudios de elementos traza", en *Munibe, antropologia-arkeologia.,* Supl. nº 8, pp. 153-158.

M.C. NUNES DE MENDONÇA, (2000): Estimation of height from the length of long bones in a Portuguese adult population. American Journal of Physical Anthropology. 112, p.p. 39-48.

D.H. UBELAKER (2007), *Enterramientos humanos, excavación, análisis, interpretación.* Donostia-San Sebastián.

Lugares de enterramiento en la Ceuta de los siglos XV al XXI

José Luis Gómez Barceló

La muerte es sin duda parte de la vida. Un acto natural acompañado de ritos tan importantes como cambiantes según las culturas y religiones. La necesidad de dar sepultura y honrar a los muertos necesita de espacios habilitados para ello y así ha sido desde tiempos inmemoriales.

Para la arqueología, el descubrimiento de una necrópolis es siempre un acontecimiento y uno de los yacimientos más deseados. En nuestra ciudad, la necrópolis de las Puertas del Campo excavada por Carlos Posac Mon (POSAC, 1965) o su descubrimiento del sarcófago romano en 1962 (POSAC, 1966), la basílica tardorromana descubierta por Emilio A. Fernández Sotelo (FERNÁNDEZ, 1991 y 2000) o los múltiples cementerios medievales estudiados por Fernando Villada Paredes y José Manuel Hita Ruiz (HITA Y VILLADA, 2007) son buena prueba de ello.

La conquista de Ceuta en 1415 supuso la desaparición de la medina Sebta y la aparición de la ciudad de Ceuta, muy diferentes entre sí, tanto en población como en estructura urbana. Gracias al relato de Mohammed al-Ansari (VALLVÉ, 1962), realizado desde su forzado exilio en Beliunex causado por la invasión portuguesa, conocemos el nombre y ubicación aproximada de los muchos cementerios, públicos y privados (GOZALBES, 1995), con los que se contaba antes de 1415. Sin embargo, muy poco sabemos de qué pasó después.

Como idea primordial habrá que decir que en la cultura cristiana peninsular, el cementerio es una realidad moderna, que procede de la Ilustración. Concretamente, como ha dicho Rodríguez Barberán (RODRÍGUEZ BARBERÁN, 2004), del miedo que surge al cadáver y a la enfermedad y que modifica la estructura de las ciudades, considerándose necesario el enterramiento extramuros. Sin embargo, y a pesar de ello, el enterramiento más frecuente en la península Ibérica siguió siendo no sólo intramuros, sino inclusive dentro de los templos religiosos.

Lugares de enterramiento en los siglos XV y XVI

La carencia de series sacramentales de los siglos XV y buena parte del XVI hacen muy difícil conocer los lugares de enterramiento de la ciudad (GÓMEZ, 2015). Es de suponer, viendo prácticas posteriores, que se debieron utilizar los propios templos, principalmente la Catedral, el Santuario de Nuestra Señora de África y las iglesias conventuales de franciscanos (GÓMEZ, 2007) y dominicos, al final de este periodo ambos en manos de los trinitarios.

Todos estos templos contaron con sepulturas colectivas de hermandades y cofradías, así como de familias importantes de la población. Como prueba de ello tenemos el testamento de don Antón de Noroña (CORREA, 1999, p. 174), realizado en Cochím el 27 de enero de 1569, por el que mandaba:

> *que mi sepultura sea en la capilla maior de la catedral de Ceuta, en donde está enterrado mi padre, y junto su sepultura se haga otra, en la cual se pondrá una cubierta con un letrero que diga: "Aquí iace don Antón de Noroña, que murió a tantos de tal mes y año en el mar, viniendo de la India de servir al rei de virrey de ella*

Lo que se cumplió sólo en parte, pues para no conservar tanto tiempo el cadáver a bordo sólo se trajo su brazo derecho, merced a las gestiones del obispo de Portalegre (BNC-FFB, Ms. 1379), dando lugar a la fundación Noroña, para caballeros pobres, es decir, los denominados mercieros (CAMARA, 1996).

La parroquia del Sagrario (APNSA)

Conquistada Ceuta el 21 de agosto de 1415 se procedió días más tarde a bendecir como iglesia su hasta entonces mezquita mayor. Tres años más tarde, el papa Martín V reconocía la conquista por bula *Rex regum* de 4 de abril de 1418 y mediante otra bula de igual fecha, *Romanus Pontifex*, mandaba a los arzobispos de Braga y Lisboa la posibilidad de designar un templo como catedral. Los prelados, por sentencia ejecutoria dada en Cintra el 6 de septiembre de 1420 elevaban a rango de Catedral la antigua mezquita mayor y daban límites al nuevo obispado, cuyo primer prelado sería fray Amaro de Aurillac, capellán de la reina doña Felipa (GÓMEZ, 2002).

En estos años la Catedral debió funcionar como parroquia, hasta que por bula *Etsi suscepti* de 9 de enero de 1442 el papa Eugenio IV elevó a parroquia el santuario de Nuestra Señora de África, con amplios límites que comprendían a Ceuta, el valle de Ányera, Tetuán y Alcázar cuando fueran conquistados. Respondía así favorablemente a una petición del Infante don Enrique realizada en 1434 (BRÁSIO, 1944).

El despojo de los derechos parroquiales al Obispado Septense no paró ahí, ya que un año más tarde Eugenio IV donó la iglesia a la orden de Cristo, que la había constituido en encomienda.

No sabemos en qué momento la parroquia volvió a la Catedral, aunque desde luego no antes de la muerte del Infante, en 1460, en vista de la relación de comendadores que hace hasta ese año (GÓMEZ, 2008). La serie de libros sacramentales de la parroquia del Sagrario comienza en 1573 y ya entonces la cura de almas correspondía al canónigo tesorero, refrendado por los Estatutos de Ciabra de 1580, es decir, que quizá ocurriese con la reforma de la diócesis emprendida por fray Enrique de Coimbra en 1512, ya que no hay mención alguna a la orden de Cristo en las Constituciones Sinodales de 1553 (ADCE-RG, 718) , ni en los estatutos de la Catedral de Manuel de Ciabra de 1580 (ADCE-RG, depositado en el Museo Catedralicio), en los que la cura de almas está encomendada al canónigo tesorero.

Podemos decir que desde al menos el siglo XVI la parroquia del Sagrario no es otra que la Catedral, y el Santuario tan sólo lo fue en los momentos en los que acogió al Cabildo por estar en ruinas, obras u ocupada la Catedral.

Santa Iglesia Catedral a comienzos del siglo XX.

Esta situación se mantendrá en el tiempo hasta la decisión del obispo Marcial López Criado de independizar las funciones parroquiales del Cabildo, para lo cual convocó oposiciones para curas propios de las parroquias de Nuestra Señora de África y Nuestra Señora de los Remedios. Fruto de ello fue la decisión de trasladar la pila bautismal de la Catedral a la Iglesia de África el 2 de agosto de 1923 como leemos en las Actas Capitulares (ADCE-AC, 864, Lº 15).

Esta pila bautismal constituye una de las piezas más interesantes del patrimonio artístico local, labrada en piedra arenisca y de estilo manuelino, fue restaurada en el año 2011 por Consuelo Troya (SOLANA, 2011).

Este hallazgo, del que di cuenta en un artículo de prensa (GÓMEZ, 2012), tiene su importancia, ya que la identificación del Santuario como Sagrario de la Catedral que tradicionalmente se había hecho, venía dada por la permanencia en los encabezamientos de las actas sacramentales "En la parroquia del Sagrario de la Santa Iglesia Catedral" a lo que sólo a partir de 1968 se añadió "Santuario de Nra. Sra. de África", que no sabemos si aclaraba o terminaba de confundir.

Finalmente, en 1979 el libro abierto por Sebastián Araujo y Ruiz de Conejo optaba por la fórmula "En esta Parroquia", que su sucesor, José Béjar Sánchez, en 1983, sustituiría por la más correcta "En la Parroquia de Santa María de África".

Las actas sacramentales de defunción de la Parroquia del Sagrario (APNSA)

La serie de defunciones de la Parroquia del Sagrario de la Catedral se constituyen en nuestra primera fuente documental fiable. Comienza en 1573 y hasta el año 1716 en que se bendice la Ayuda de Parroquia de Nuestra Señora de los Remedios es el único registro que permanece en la Ciudad.

En esta serie sacramental se inscribían todos los difuntos, naturales y connaturalizados. En ocasiones, cuando había grandes mortandades no se anotaban, y en cuanto a la guarnición extraordinaria y población civil seguramente ya entonces se llevaban anotaciones separadas, como conocemos era norma en el siglo XVIII al XX. Unas relaciones y libros que en el caso de las defunciones se hacían en el Hospital Real y se conservan, en buena parte, en el Archivo Arzobispal Castrense, en Madrid.

Con todos estos libros podemos hacer un seguimiento de cuales eran los lugares de enterramiento habituales, y cuales los extraordinarios.

De las primeras inscripciones de 1573 a la sublevación de 1640 (APNSA)

Desde el primer libro de difuntos (1573-1640), la mayor parte de las anotaciones expresan que se da sepultura al difunto en la Seo, es decir, la Catedral, y África por el Santuario, seguidas a menor distancia de Trinidad refiriéndose al convento de trinitarios y Santo Domingo o Espíritu Santo por el convento de dominicos, entonces también en manos de los trinitarios, y algunas sueltas en la Santa y Real Casa de la Misericordia y el Recogimiento de Doncellas.

En todos estos recintos había espacios adecuados, siendo los más destacados los panteones y sepulturas familiares:

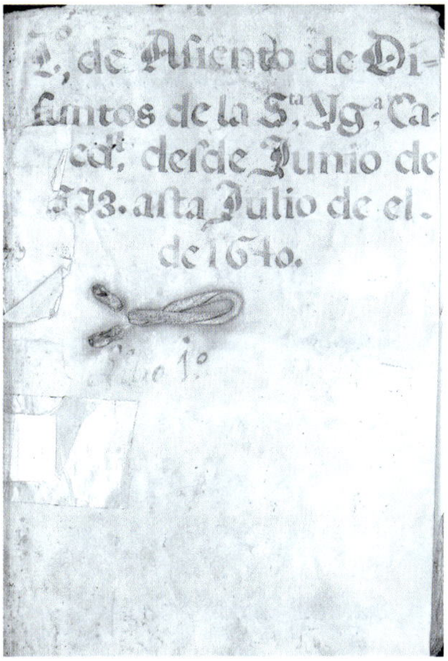

Libro 1º de defunciones del Sagrario.

La Catedral es el lugar con mayor número de sepulturas. Alrededor del templo debió haber al menos un cementerio. Documentalmente sólo aparece referenciado en un asiento a nombre de Pedro Colhado, vecino del Puerto de Santa María, del 24 de junio de 1601. Posiblemente se extendiera por el oeste y sur de la Catedral, desde donde estuvieron las casas del Cabildo vendidas durante la Desamortización y en las que había una cisterna (ROS, 1912, XX y XXVIII-III) –que pudiera ser la hoy a la vista bajo el Museo Catedralicio– hasta la altura de la calle O'Donnell, entonces plazuela de San Blas. ¿Quienes se enterraban dentro del templo y quienes en el cementerio? No lo sabemos, pero hemos de pensar que las razones serían sociales y económicas.

No se mencionan sepulturas de cofradías o hermandades, pero sí muchas familiares y personales (El deán Fernao Martins Fagúndes, en la sepultura de sus padres el 19 de mayo de 1633[1]). En algunas se dan indicaciones de su localización como la *Capilla del Rosario* (Don Manuel, criado del marqués de Villa Real, lo mataron los moros, 29 de septiembre de 1593; Antonio de Acosta Alburquerque, capitán general y gobernador, el 14 de enero de 1624); la *Capilla de Santa Ana* (Antonia de Contreras el 10 de julio de 1634); y la *Capilla de San Francisco* (Joao de Brito el 26 de agosto de 1583; Leonardo Vas el 2 de noviembre de 1586). Incluso, una inscripción corresponde a la nave mayor (Catalina de Escobar, mujer del alcaide mayor Manuel Lobato, en la sepultura de su padre, Antonio de Escobar, el 20 de marzo de 1596).

1.- Hemos optado por consignar únicamente las fechas de los asientos citados, al ser la correlación cronológica más fiable que las paginaciones de los libros, frecuentemente rectificadas o tachadas.

Estas referencias de capillas concuerdan plenamente con la descripción que hace del templo Jerónimo de Mascarenhas (MASCAREÑAS, 1918) a mediados del siglo XVII:

> *La sancta Iglesia es de fabrica antiquissima, por q' antes de ser consagrada al verdadero Dios, avia sido Mesquita. Consta de quatro naves, i en ellas tiene sete capillas; la del Rosario, q' es el mas comun entierro de los Obispos, la de la Concepcion, la de san Miguel con altar previlegiado, la de los martires de Ceuta, la de nuestra Señora de la Cabeça, la de San Francisco ila de Santa Ana. Sin estas ai la mayor, su invocasion (q' lo es de toda la Iglesia) nuestra Señora de los Angeles: sirvenla los pocos ministros q' pueden sustentar sus cortas rentas, q' son quatro Dignidades, Dean, Chantre, Thesorero Mayor, Arcediano, siete canonigos, i quatro beneficiados.*

El Santuario de N. S. de África fue otro de los lugares habituales de enterramiento. En esos años el templo era de pequeñas dimensiones y no tenía cripta. No tenemos ninguna referencia a que contara con cementerio a su alrededor, aunque si así hubiera sido, en buena parte habría quedado con el tiempo dentro de las sucesivas ampliaciones.

Santuario de la Virgen de Africa.

Al igual que en la catedral, hay frecuentes alusiones a sepulturas familiares (Melchor de Silveira, en la sepultura de sus padres, el 1 de marzo de 1627) y alguna localización (Joao Rois, tasador, donde está enterrado su compañero Joseph Fernandes, debajo de la lámpara, el 7 de marzo de 1623) pero no de hermandades ni cofradías.

Es sabido que junto al Santuario había una casa que sirvió de hospedería. Parece ser que también se sepultó a algunas personas en ella: Catalina Fernándes, el 6 de diciembre de 1631; Dominga Fernándes el 16 de noviembre de 1633.

Plaza África, con el Convento de Trinitarios y el monumento cripta a los Heroes de África.

El convento de la Trinidad, en el que la orden había sucedido a los franciscanos en 1568 (GÓMEZ, 2007), es uno de espacios funerarios más utilizados durante este período. Muchas sepulturas sin indicación de lugar y algunas familiares (Isabel Farta, en la sepultura de Álvaro Pires el 13 de julio de 1588; Leonor de Mendoza, en el monasterio de la Santísima Trinidad a donde tenía sepultados sus mayores, el 22 de diciembre de 1611) y en alguna ocasión en los claustros del convento (Baltasar Requejo, en el claustro de la Trinidad el 15 de septiembre de 1637). Tampoco encontramos indicaciones de propiedades de las cofradías.

Paiva Manso nos dice que en esos años *la iglesia tenía tres altares y en ella existían las hermandades del Nombre de María, Santa Bárbara, Santa Lucía, San Juan Bautista y San Nicolás, además de la de Santiago de los caballeros de la Plaza, erigida en la capilla del santo, anexa al convento* (PAIVA, 1872, 15).

La Capilla Real de Santiago estaba particularmente vinculada a la casa de Villarreal, es decir, a la familia Meneses. En las descripciones del retablo que han llegado a nosotros aparece el Aleo como símbolo familiar (CORREA, 1999, 194-5), que se repite también en edificios y monumentos funerarios de la familia. En ella fue sepultado el cadáver del rey D. Sebastián, tras su entrega a las autoridades de la Plaza, el 4 de diciembre de 1578 según acta obrante en el Archivo de Simancas (ARQUES, 1966, 150-6). Allí estuvo hasta ser trasladado a Lisboa en 1582, en una comitiva que encabezaba el obispo de Ceuta Manuel de Ciabra (CORREA, 1999, 194-5).

El monasterio de Santo Domingo con su Iglesia del Espíritu Santo había pasado en 1574 a manos de los trinitarios, manteniéndose en uso de forma independiente. Como en los recintos mencionados, contaba con sepulturas familiares (Vasco Arraes, en la capilla mayor de Santo Domingo, el 13 de diciembre de 1606; Duarte Vieira, en la sepultura de sus padres en la Iglesia del Espíritu Santo el 27 de marzo de 1619) con sus respectivas indicaciones y no hay mención a hermandades ni cofradías.

La Santa y Real Casa de la Misericordia de Ceuta, fundada a finales del siglo XV en la ermita de San Blas, es mencionada constantemente en el período, tanto por muertes en su hospital como por donaciones y algunas sepulturas (Pedro A. Patrón, el 22 de junio de 1590; Antonio Luis Franco, 19 de enero de 1640).

El Recogimiento de Doncellas también está entre los cementerios privados, ya que las únicas personas que encontramos en esos años son los propios fundadores: Simoa Arraes regenta del Recogimiento, en dicho Recogimiento donde tenía su sepultura, el 11 de octubre de 1638.

Fosarios y carneros eran los lugares de sepultura extraordinarios, utilizados en la época para las alarmas sanitarias producidas generalmente por epidemias. En ocasiones las inscripciones se hacían de forma precipitada y hasta podían reducirse a meras listas. Durante este período detectamos dos epidemias en 1580 y 1602 que coinciden perfectamente con las referencias que daba en su libro el doctor Enrique Jarque Ros (JARQUE, 1989).

Las inscripciones de la epidemia de 1580 no indican la causa de la muerte, pero todas ellas coinciden en la parquedad de los datos, la sepultura en la Almina y la homogeneidad cronológica (Gil de Azambuja, en la Almina, mayo de 1580; Joao Bravo, en la Almina, 1580).

En cuanto a la epidemia de 1602, son numerosos los apuntes que hacen mención a la enfermedad (Gonzalo Díaz, "en el tiempo de la peste", abril de 1602; Catalina Vas, viuda de Joao Velloso, "en el tiempo del mal de peste", abril de 1602) y en otros figura el lugar de enterramiento, coincidente con lo ocurrido en la epidemia de 1580 (Canónigo Gaspar de Torres, en la Almina, abril 1602; Capitán Diego Gil Argullo "en el tiempo de la peste que hubo en esta ciudad en el año de 1602", sepultado en la Almina, 29 de marzo de 1602).

Desconocemos el lugar en el que se hicieron la fosas en ninguna de las dos epidemias, y no lo hemos visto mencionados en fuente alguna, pero gracias a los libros de defunciones sabemos que las hubo y que se hicieron en la Almina, lo que entonces, que la ciudad estaba circunscrita al espacio intramuros, era fuera de poblado. Tradicionalmente se ha hablado de entierros masivos excepcionales en la zona del Espino, siendo frecuentes los hallazgos de restos, sin embargo en la de 1602 ya se debió utilizar la ermita del Valle como lazareto y cabe la posibilidad de que el carnero estuviera cerca, a la vista de una de las actas de defunción (Leonor de Aguiar, viuda de Antonio Fernández, "en el tiempo de peste", abril 1602, falleció en la casa de la Virgen del Valle).

En 1959 apareció un osario en la calle Espino, en unas obras realizadas por el Servicio Municipalizado de Aguas, apareciendo centenares de huesos a los que se les dio una antigüedad de unos 300 años, lo que vendría a coincidir con lo expuesto (OROZCO, 31 de mayo de 1959).

Un documento importante para la diócesis de Ceuta y Tánger

En 1639 el Obispo de Ceuta y Tánger, don Gonzalo da Silva (GÓMEZ, 2015 A), estableció una serie de disposiciones, durante su visita pastoral, con varios cuestionarios que constituyen una verdadera reglamentación, a la par que arancel, para contemplar todas las posibilidades económico-legales de enterramiento (ADCE-D, 1003). Aunque en principio estaba destinado a Tánger, su cumplimiento era idéntico en Ceuta.

Estas disposiciones establecen, entre otras cosas:

- La pertenencia de las sepulturas de las capillas de la Catedral a su fábrica y no a las compañías de infantería de la Plaza como en ese momento se estaba imponiendo.
- La rotulación de las sepulturas para probar su pertenencia. En Ceuta estas inscripciones existían, ya que en la visita del obispo Antonio de Aguiar (1619-1622) se había prohibido poner cruces en ellas para que no fuesen pisadas (ROS, 1912, XX)
- La potestad del obispo de conceder sepulturas y que estas no pudieran transferirse sin permiso de la autoridad episcopal.
- Las personas que dentro del núcleo familiar podrían sepultarse en ellas y las formas y derechos de herencia de las mismas, contemplando los casos de varios matrimonios, los hijos menores o los hijos naturales.

- Los derechos de los compradores foráneos o que carecieran de herederos, así como la forma de autorizar los traslados a su tierra de origen.
- La forma de testar y elegir sepultura.
- Las limosnas correspondientes a entierros y derechos de sepultura, que no venta, para no incurrir en el pecado de simonía.
- La obligación de dar sepultura a todas las personas que fallecieran en la Ciudad, aunque no fuesen pobres, en la Catedral o en los conventos, explicando cómo la costumbre había llevado de ir enterrando, de los alrededores de los templos a sus pórticos, y de ahí al interior de los mismos.
- La designación de sepulturas para personas de distinción como los prelados.

De la sublevación de 1640 a la llegada del primer obispo español en 1677 (APNSA)

La periodización de la serie documental de defunciones, de la parroquia del Sagrario, coincide con momentos de importancia histórica para la ciudad y la diócesis. En este caso, el segundo libro de sepelios va de 1641 a 1677, es decir, desde que Ceuta declara su lealtad a Felipe IV hasta 1677, año en el que, tras el reconocimiento de Portugal de la españolidad de Ceuta, y la nueva delimitación del obispado –ahora independiente de Tánger–, se designa a Antonio Medina Cachón como nuevo prelado (GÓMEZ, 2002).

Los lugares de enterramiento van a ser básicamente los mismos que en los años anteriores. Como novedades encontramos:

En la **Seo** alguna capilla no mencionada hasta entonces como la de *Santa María de la Cabeza* (Simao de Andrade da Franca, en la capilla que es suya, el 5 de octubre de 1644; y su hijo Héctor de Andrade da Franca, por ser los fundadores de dicha capilla, en la sepultura de sus padres, el 21 de marzo de 1671), la de *Ánimas* (Isabel Carrasca, en la sepultura de su marido, en la capilla de las Almas, en la Catedral, el 29 de marzo de 1657), la de la *Concepción* (Diego Godino, profeso en la Orden de Cristo, en la capilla de la Virgen de la Concepción, en la Catedral, el 1 de enero de 1667) o la de los *Santos Mártires* (María Barbosa, el 9 de agosto de 1663).

Algunas de las capillas dieron nombre a la nave en la que estaban. En las inscripciones del siglo XIX y XX se referían a la de la derecha como de

Ánimas o de los Mártires y a la de la izquierda como de San Cristóbal o del Sagrario. En esta época la capilla del Rosario, que como se ha citado, era de las más importantes de la mezquita-catedral, daba nombre a su nave (Elena, mujer de Paulo Franco, en la nave de N.S. del Rosario en la Catedral, el 5 de diciembre de 1668).

Seguimos encontrando escasas referencias al cementerio de la Catedral, incluso en casos que a priori podríamos pensar que lo hicieran, como cuando se trata de esclavos (Bárbara, esclava del vicario Diego Caeiro Antunes, en la Iglesia Mayor, el 19 de octubre de 1669) ya que el camposanto se reducía a personas que ejercían oficios tenidos por viles (Felipe, el carnicero, falleció en el Hospital y se enterró en el cementerio de la Iglesia Mayor el 19 de febrero de 1673) incluso de soldados que caían en las acciones militares, en los que se hacen relaciones de los muertos –o simple referencia– pero no se dice dónde se sepultan (los soldados y caballeros que mataron los moros, mataron cuarenta y dos personas, castellanos, portugueses y castellanos el 9 de septiembre de 1648; el ayudante Diego Angulo y veinte soldados más –da los nombres– que cayeron en el Negrón el 11 de junio de 1653)

Sabemos la particular relación que tuvo en un principio el **Santuario de N.S. de África** con la Orden de Cristo, aunque desde la fundación de la Real Cofradía del Santísimo Sacramento, que agrupaba a los caballeros de Hábito entre 1583 y 1736, esta se focalizó en la Catedral. Por eso llama la atención alguna inscripción de caballeros de la Orden de Cristo en el Santuario (Enrique de Castillo, comendador del Orden de Cristo, en África, donde tiene su sepultura, el 2 de noviembre de 1644) quizá por tradición familiar.

África se va consolidando como el templo preferido por la guarnición, como demuestra el enterramiento de diecisiete caballeros en la Casa de Nuestra Señora de África el 17 de noviembre de 1645 en un combate en el que sin duda debió caer mucha más tropa. Correa de Franca (CORREA, 1999, 245-7) reseña este importante combate que se dio en el monte de la Corona, y dice que cayeron diecisiete personas, de las que ofrece datos sobre sus cargos y familias.

También, en ocasiones, los asientos nos ofrecen importantes informaciones sobre la estructura del templo (el padre Bartolomé Nabo, en la sepultura de Isabel Hurtado, debajo del Coro, en África, el 21 de noviembre de 1671), es decir, que ya entonces contaba con coro alto.

Respecto al **convento de trinitarios**, los claustros recibían el nombre de la titular del templo en aquellos años, que era Nuestra Señora de los Remedios (Lorenço de Amaro Fernandes, en el claustro dos Remedios, el 5 de julio de 1676) y que luego terminaría siéndolo de la parroquia de su nombre (GÓMEZ, 1995), señalándose otros lugares del monasterio y su iglesia (Joao Coronha, en la *capilla mayor de la Trinidad* el 10 de diciembre de 1671). Es en este lugar donde primero hemos hallado referencia a una sepultura de Hermandad (Antonio Barbosa, cabo de escuadra, en el claustro de los Remedios, en la Trinidad, el 17 de mayo de 1675).

En este período disminuyen notablemente los enterramientos en el **convento de Santo Domingo** aunque algunos asientos dan datos interesantes (El capitán Joseph Campelho Botelho, en la *capilla de la Virgen del Rosario* en la Iglesia del Espíritu Santo, el 21 de octubre de 1669, para trasladarse con posterioridad a la Iglesia de Santo Domingo de Lisboa, en la sepultura de sus padres).

También se mantienen algunos de la familia de los fundadores y enclaustradas del **Recogimiento de Doncellas** en su capilla (María de los Remedios, doncella de las Recogidas en el convento de Nuestra Señora del Socorro, prima de doña María de Mérida, el 6 de enero de 1662; Catalina de Grada, moza doncella recogida en el Monasterio de esta Ciudad donde está sepultada, 24 de septiembre de 1644; María Evangelistas, recogida en el convento de esta Ciudad, enterrada junto al altar de S. Juan Evangelista, en dicho convento el 1 de junio de 1674) y de la Real casa de la Misericordia (Diego Pereira Molina, boticario, casado con doña Leonor de Valderrama, se enterró en la Misericordia el 9 de abril de 1650; Francisco Fernández, de Baeza, soldado de las Compañías Españolas, se enterró en la Santa Casa de la Misericordia el 26 de agosto de 1665; Manuel Nabo, hijo de la Misericordia, en la Casa de la Misericordia el 2 de septiembre de 1665)

De la demolición de la mezquita Catedral al Cerco de Muley Ismail (APNSA)

A la llegada a la ciudad del obispo Antonio de Medina Cachón y Ponce de León, en 1676, se produjeron muchos cambios organizativos, en una diócesis que llevaba vacante desde 1645. Quizá el más importante fue la clausura de la Catedral, tras el derrumbe producido el 3 de agosto de 1678 (ADCE-AC, 1137, L. 2º, fol. 15) y su posterior demolición. En ese mismo momento, y también por orden suya, se mandó iniciar un nuevo libro de difuntos, tal y como se indica en sus primeras páginas, que va de 1678 a 1695, recién iniciado el cerco de Muley Ismail.

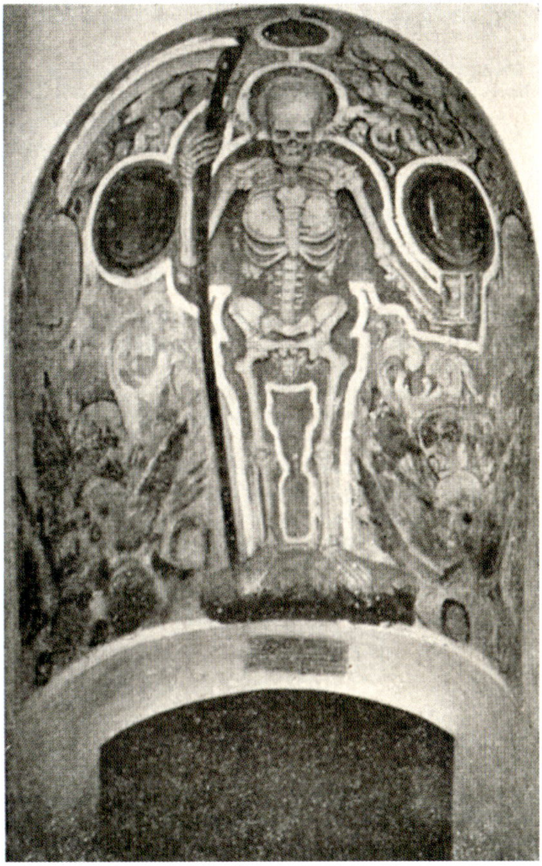

La Canina, relieve perdido a la entrada de la cripta de África.

Así, este libro nos muestra el fin de una época, tanto por la castellanización que emprende la iglesia septense con el nuevo prelado, que se ejemplifica en la prohibición de continuar utilizando la lengua de Camoens en sus documentos, como por la salida obligada de la ciudad intramuros hacia el este, en primera línea de fuego durante el asedio.

No es baladí tampoco el que en 1677 lleguen varios hermanos franciscanos, expulsados de Marruecos, fijando su residencia en la ciudad, primero en la ermita del Valle y después en la de la Santa Cruz, en pleno centro de la Almina (GÓMEZ, 2007).

A partir de entonces encontramos menciones a la Catedral, a su cementerio y a la Iglesia Mayor. Parece lógico que trasladado el culto a la ermita de África el 21 de agosto de 1678 (ADCE-AC, 1137, L. 2º, fol. 16), fuera ésta a la que se refirieran como Iglesia Mayor (Gonzalo Arraes, caballero profeso en la Orden de Cristo, sepultado en la Iglesia Mayor en una sepultura que le señaló el mayordomo de fábrica por no tenerla propia, el 14 de abril de 1680; el canónigo don Fernando Alvares da Costa, se enterró en la Iglesia Mayor de N.S. de África que sirve de Catedral, 30 de agosto de 1692), pero no siempre podemos afirmarlo con rotundidad, ya que todas estas localizaciones conviven durante prácticamente toda la década de los 80 y aún en los 90. Da la impresión de que, mientras algunas capillas estuvieron practicables, se siguieron utilizando para este fin (arcediano Diego Antunes

Caeyro, ordenó ser enterrado en la Catedral, en la capilla de la Concepción y no pudiendo ser así en el panteón de mis hermanos dignidades y canónigos, 28 de agosto de 1681; reverendo deán D. Manuel Vas Serrado, provisor y vicario, enterrado en medio de la capilla de N.S. de África que hoy sirve de Catedral, 7 de junio de 1692).

El clero local se vio muy afectado por la desaparición de la capilla de la Concepción de la Catedral, en la que tenía su sepultura (GÓMEZ, 1983), viéndose obligados a utilizar la Iglesia de África para esos fines (Ilustrísimo señor don Diego Ibáñez de la Madrid y Bustamante, en la capilla mayor de Nuestra Señora de África que sirve de Catedral, 5 de abril de 1694; el canónigo don Pedro Viegas, en la capilla de N.S. de África que hoy sirve de Catedral, 25 de julio de 1694)

Ciertamente, con la construcción de la nueva catedral, fue imposible seguir sepultando en ella para quienes tenían propiedades de antiguo (Tomás Arraes de Mendoza, enterrado donde diga su esposa, porque la sepultura de sus padres está en la Iglesia Mayor que se está fabricando, 17 de diciembre de 1691), lo que no debió afectar al cementerio (Antonio, esclavo de Melchor Correa, en la Iglesia Mayor, en el cementerio de dicha Santa Iglesia, 13 de junio de 1691; Isabel esclava del deán don Pedro Álvarez de Acosta, en el cementerio de la Iglesia Mayor, 11 de junio de 1693).

Respecto al cementerio de la Iglesia Mayor, seguimos creyendo que se refiere a la Catedral y no a África, ya que en ningún lugar hemos encontrado referencias a su existencia, a pesar de que sí sabemos que se enterraba en su pórtico (Antonio Conejo falleció en el hospital de la Misericordia y fue enterrado en el pórtico de N.S. de África, 13 de julio de 1693). Por cierto que no todos los esclavos se enterraban en él, pues algunos lo hacían en las sepulturas de sus dueños (Gonzalo, catecúmeno esclavo del sobrerronda Antonio López Páez, en la Iglesia Mayor, en la sepultura de sus amos, 22 de marzo de 1682).

Además, seguimos encontrando, en este período, registros de enterramiento en el Recogimiento de Doncellas, Santa y Real Casa de la Misericordia, Trinitarios y alguna de la Iglesia del Espíritu Santo, siendo numerosas las menciones a la Hermandad de los Remedios radicada en el convento de la Trinidad.

La falta de uso de otros templos como cementerios –en especial fuera del espacio entre fosos– se hace evidente con el entierro del ermitaño de

San Antonio en la Catedral (Joao Lopes, natural de Jerez, ermitaño de la ermita de San Antonio de la Almina, en la Iglesia Mayor, 8 de febrero de 1678), aunque hemos encontrado dos inscripciones correspondientes al convento de franciscanos más antiguo, levantado alrededor de la ermita de la Santa Cruz (Manuel de Zárate, artillero, en el convento de San Francisco, 23 de noviembre de 1694; Tomás, artillero, en la iglesia del convento de San Francisco, 1 de febrero de 1695) que identificamos con el cementerio del Pajar, que aparece en algunos planos de la primera mitad del siglo XVIII (CARMONA, 1996, 147), cuando ya estaba convertido en hospital de mujeres.

Los cementerios de los hospitales reales, tanto del primero en los alrededores de la ermita de la Santa Cruz, como del segundo, en la plaza de los Reyes, se utilizaron generalmente por la población militar, en gran parte asentados en los libros castrenses, hoy en Madrid.

Particularmente interesante resulta la inscripción de Cristóbal del Baño y de la Cueva, caballero profeso de la Orden de Cristo que falleció en un desafío en San Simón, y cuyo cuerpo fue llevado primero al convento de San Francisco y más tarde a la capilla de San Juan de Dios, ya dentro de la ciudad murada, para ser enterrado en la capilla mayor de la iglesia del convento de Trinitarios, siendo la inscripción de 27 de agosto de 1683.

En este período de tiempo sucedió un hecho transcendente en la vida religiosa de la ciudad, cual fue la vuelta de los franciscanos, esta vez de la Provincia de San Diego, desde Marruecos, en 1677. Su voluntad fue instalarse extramuros y para ello les fue asignada la ermita del Valle, que aunque fuera del recinto entre fosos, estaba dentro de la Almina. Eso fue en febrero de 1677, pero meses más tarde, viendo la incomodidad del lugar, el nuevo gobernador, marqués de Sauceda, les permutó la donación por la ermita de la Santa Cruz, en el centro de la Almina (GÓMEZ, 2003, 379-81). La destrucción del hospital de San Blas, regentado por la Hermandad de la Misericordia en 1694 (AGCE-SRCM 7, Lº 5) obligó a las autoridades a levantar un hospital real en la Almina, confiado a los franciscanos, y alrededor del cual se levantó un cementerio. Si bien es cierto que no encontramos inscripciones referentes al mismo en los libros, lo achacamos a ser militares que serían apuntados en registros castrenses auxiliares, pues la existencia de este campo santo está atestiguada por un pleito seguido en 1708 entre el cabildo catedralicio y los franciscanos a cuenta de los derechos de entierro (ADCE-D, 1027).

El libro cuarto de la Parroquia del Sagrario (1695-1762) (APNSA)

Comenzado el Gran Asedio que sufrió la Ciudad entre 1694 y 1727 se produjo un importante desplazamiento de la población hacia la Almina. La construcción de la iglesia de los Remedios en 1715, del Hospital Real y del nuevo convento de San Francisco, con sus respectivos cementerios, disminuyó drásticamente el uso de los templos de la ciudad intramuros como lugar de enterramiento. Estos camposantos se ven citados preferentemente en los libros de la parroquia auxiliar de N.S. de los Remedios.

Sin embargo, hay que decir que el primitivo convento de la **Santa Cruz o de San Francisco** aparece mencionado a comienzos del siglo XVIII (Julián Casales, que los moros mataron, se enterró en S. Francisco, 24 de enero de 1701; excelentísimo señor don Joseph Agulló, Capitán General de esta plaza –marqués de Gironella-, enterrado en el convento de S. Francisco en la Almina, 20 de octubre de 1704), antes de la construcción del de la plaza de los Reyes y que la iglesia de N.S. de los Remedios.

La catedral vuelve a ser utilizada tras su bendición, el 6 de diciembre de 1726, por el obispo Tomás Crespo Agüero (Diego Mari, natural de Nápoles, se enterró con cura y sacristán en la Iglesia Catedral, 6 de agosto de 1729; Antonio de los Reyes, en la Catedral, 23 de agosto de 1742) y también hallamos noticias de su cementerio (Blas Pires, criado de Pedro Vieira, en el cementerio, 7 de agosto de 1695; Juana Francisca de Toro, en el cementerio de esta Santa Iglesia, 24 de junio de 1743). Ros Calaf nos dice que en tiempos del obispo Andrés Mayoral (1731-1738) se encontraba entre la Catedral y la Brecha, pero que posteriormente, tenía su acceso por la plaza de África, constando en la Visita Pastoral de Martín de Barcia de 1750 que, cuando el prelado asistía a la Catedral a celebrar de pontifical, el cabildo lo recibía "unos cuarenta pasos más allá del cementerio" (ROS, 1912, XXXIV).

En el nuevo templo no se construyó panteón ni cripta, ni tampoco se dedicó capilla alguna como panteón de prelados o de las dignidades del cabildo, excavando las tumbas de los obispos en el lugar que en ese momento se creyó oportuno (D. Miguel de Aguiar y Padilla, dignísimo obispo de esta fidelísima ciudad, fue sepultado en el plano de las gradas del altar mayor, en bóveda que para el efecto se hizo, 15 de febrero de 1743).

Se continúa utilizando **la iglesia de África** y su pórtico o alpendre, además de su nuevo panteón construido a iniciativa del obispo Vidal Marín (Alonso López, en la bóveda de África, 19 de mayo de 1704; Antonio

Galván y Rivero, canónigo, en un nicho de la bóveda, 26 de julio de 1707; don Vidal Marín, Inquisidor Mayor y Obispo de Ceuta, depositado su cadáver –trasladado desde Madrid- en un nicho del panteón de África, 14 de mayo de 1714; don Joseph Pedro de Guevara Vasconcelos, coronel brigadier del Regimiento Fijo, en un nicho del panteón de África, 4 de enero de 1755) con mayor actividad durante el tiempo que se usa como sede del cabildo catedralicio.

Como curiosidad, decir que el cura párroco y tesorero de la Santa Iglesia Catedral D. Francisco Sánchez Acuña consignará en las partidas de defunción, a partir de julio de 1757 la fórmula "fue sepultado/a en la Iglesia consagrada de Nuestra Señora de África", conforme al acto de consagración que realizó de la renovación del templo el obispo Martín de Barcia el 5 de agosto de 1752 (GÓMEZ, 2008[2], 95).

Respecto a los **conventos de trinitarios** se mantiene el de **Santiago** –con preferencia por el claustro de los Remedios- que será renovado en el primer cuarto del siglo XVIII, construyéndose una cripta o panteón (Juan María de Guevara Vasconcelos, en la bóveda del Real Colegio de la Santísima Trinidad, 17 de agosto de 1756) y se habilita incluso un pequeño cementerio (Lucas de Paiva, en el cementerio de los trinitarios, 15 de febrero de 1696) y el del **Espíritu Santo**, heredado de los dominicos, hasta su demolición.

El **beaterio de Recogidas** –Iglesia del Socorro- dejó paso a la **Santa y Real Casa de la Misericordia** ocupando su edificio tras la ruina sucesiva de las ermitas de S. Blas y S. Sebastián. La Hermandad de la Misericordia debió habilitar un pequeño cementerio, pues ya en 1723 encontramos referencias a gastos para enladrillar la iglesia y su cementerio (AGCE-SRCM, 1065) y reparaciones del mismo en 1734 (AGCE-SRCM, 1075) utilizado para dar sepultura a los confinados a los que atendía en su última hora (Bartolomé Colmenero, pasado por las armas, soldado del Regimiento Fijo, en el cementerio de la Santa y Real Casa de Misericordia, 7 de junio de 1755). Sobre este asunto puede consultarse la serie de expedientes personales de ajusticiados del fondo de la Hermandad (AGCE-SRCM, 18).

También se habilitan templos intramuros como la **ermita de S. Antonio** (Antonio Caeiro, ermita de S. Antonio sita en la ciudad, 8 de agosto de 1715) que aún debía existir dentro del barrio del Castillo (GÓMEZ, 1990), **S. Sebastián** (Francisco Pereira, se enterró en S. Sebastián, 27 de julio de 1711; Francisca Rodríguez, se enterró en S. Sebastián, 2 de marzo de 1714) en la cerca (GÓMEZ, 1990) siendo sede de la Misericordia tras la ruina de S.

Blas, y **San Juan de Dios** (Lorenzo Alberola, falleció en la cárcel de muerte natural y se enterró en S. Juan de Dios, 18 de octubre de 1707; Ana Norada, natural de Marsella, en la ermita de S. Juan de Dios, 19 de noviembre de 1718; Antonio Cornejo, muerto en el mar viniendo de España a Ceuta, en San Juan de Dios, 9 de noviembre de 1746) junto a la puerta de la Almina (GÓMEZ, 1997); y extramuros como la **ermita del Valle** (Manuel Díaz, ermitaño, en la ermita del Valle, 9 de junio de 1715), la de **S. Pedro** (María Fernández, en S. Pedro, 23 de agosto de 1695; Antonio Rebelo, subteniente del Regimiento Fijo de Ceuta, en la ermita de S. Pedro, frente al callejón del Valle, por morir de contagio, 28 de agosto de 1743).

El uso de fosarios y carneros no sólo estará ligado a las catástrofes sanitarias –aunque sea lo más frecuente–, sino también a muertes numerosas por causa de la guerra (114 hombres de las 123 víctimas de la entrada de los marroquíes en la plaza de Armas, y que fueron enterrados en el carnero, 30 de julio de 1695). No siempre sabemos por qué razón son utilizados en detrimento de los lugares cotidianos de inhumación (Domingo Afonso, portugués del Algarve, en el carnero de la Iglesia Mayor, 7 de mayo de 1695; Ana Dias, mujer de Joao Lopes, en el carnero, 24 de septiembre de 1695) quedando más claro en épocas de epidemia (Catalina Velasco, se inhumó en San Francisco, por no haber sepulturas en las iglesias de la ciudad, por la gran mortandad que hubo de gente en una epidemia, 5 de marzo de 1721; Diego Torrella, se enterró en el carnero de la Almina, 14 de marzo de 1721;

Demolición de la capilla de San Juan de Dios.

Ana de la Concepción Pereira, sepultada en la fosa donde se sepultaba a los que fallecieron por enfermedad contagiosa, 22 de julio de 1743; Antonio Cañadas, en la fosa del revellín de San Amaro, 28 de septiembre de 1743; Ana Granados, en la fosa del Valle, 7 de octubre de 1743).

El primer medio siglo de la parroquia de N. S de los Remedios (APNSR)

Libro 1 de Difuntos de la Parroquia de los Remedios.

En 1716 se bendice la parroquia de Nuestra Señora de los Remedios y se abren sus series sacramentales. Los dos primeros libros de defunciones van de 1716 a 1731 y de 1731 a 1768.

Desde la primera defunción registrada se va a utilizar el templo como lugar de inhumación (Francisco Noguera, murió en el hospital y se enterró en **N.S. de los Remedios**, 11 de noviembre de 1716), con localizaciones precisas en ocasiones (Teresa Casas, se enterró en *el pórtico* de esta iglesia, 14 de febrero de 1721; María Cana, murió en el Hospital Real, enterróse en esta Iglesia en *el pórtico de los pobres*, 7 de diciembre de 1733; María Espinal, se enterró como pobre en *el patio* graciosamente, 14 de enero de 1724) y su cementerio (Martín Francisco, esclavo de Manuel Jorge, *en el cementerio* de la Iglesia de N.S. de los Remedios, 20 de diciembre de 1717; Joseph Jiménez, sargento reformado del Regimiento de Toledo, en el cementerio de N.S. de los Remedios, 31 de marzo de 1721; don Miguel del Tollo, en el cementerio de N.S. de los Remedios, 4 de abril de 1721).

Sin duda, la Hermandad de la titular desplaza con ella a sus hermanos y su lugar de sepultura (Francisco Javier Linares, se enterró en la iglesia de N.S. de los Remedios, como hermano, 4 de diciembre de 1720; Juan de Coca, cabo de escuadra de la Compañía de Alonso Pérez de Vera, del Regimiento de la Corona, se enterró en el cementerio de los hermanos de N.S. de los Remedios, 11 de mayo de 1721; Leonardo Simeón y Feliciano Aracil, en el suplicio de la horca, se enterraron en el patio que sirve de cementerio, trasladados a esta iglesia por la Santa Hermandad de la Misericordia, 6 de junio de 1725).

Incluso cuando el fallecido es hermano de otra cofradía, se entierra en las sepulturas de la hermandad de los Remedios y la cofradía propia paga los gastos (Sebastián López, enterróse en esta iglesia de N.S. de los Remedios en sepultura de la Hermandad... todo a expensas de la hermandad del Sr. S. Antonio cuyo hermano era, 3 de marzo de 1725).

Respecto a la estructura del templo y sus capillas, las partidas nos permiten conocer su estructura (el capitán D. Fernando Columna, se enterró en esta iglesia de N.S. de los Remedios en la *capilla de S. José*, 29 de julio de 1728; Dª Juana Correa de Afranca, mujer de D. Manuel Cabral Machado, caballero de la Orden de Cristo, se enterró en esta Iglesia en la *capilla de Santo Domingo*, 6 de abril de 1732; el coronel D. Isidro Vicente Ferrer, se enterró en esta iglesia de los Remedios en la *capilla de S. Miguel*, 14 de mayo de 1732).

Frente a lo que ocurría hasta entonces en otros templos, encontramos muy pocas sepulturas de propiedad familiar o personal, concretamente hemos encontrado la de la familia Mendoza (don Antonio de Mendoza en esta iglesia de N.S. de los Remedios, en su *capilla que es la de N.S. de la Concepción*, 17 de abril de 1720; Isabel Francisca Merino y Vinagra, servía de asistencia a doña María Clara de Hourlier, mujer de D. Joaquín de Mendoza, adalid de la caballería de esta plaza, enterróse en esta iglesia de S.M. de los Remedios en sepultura de dicho don Joaquín de Mendoza, 20 de noviembre de 1730) y que debía estar en la capilla de la Concepción (María Margarita, baronesa de Bertier, hija única y heredera del difunto barón de Bertier, del consejo de estado del Duque de Baviera, casada con el comisario ordenador de los ejércitos y veedor, contador y juez de la Real Hacienda D. Juan de Hourlier, enterróse en la Iglesia de S.M. de los Remedios en la capilla de N.S. de la Concepción que es de la casa de los Mendozas, 5 de febrero de 1732)

La iglesia de N.S. de los Remedios compartirá su importancia con el **convento de S. Francisco** (doña Felipa López de Vera, se enterró en S. Francisco, 17 de julio de 1717; D. Nicolás Yerro, capellán del segundo batallón de España, se enterró en la Iglesia de S. Francisco, 2 de febrero de 1721; doña Josefa de la Higuera, se mandó enterrar en S. Francisco, en la *capilla de la Concepción*, 11 de febrero de 1721). El convento tenía varios panteones en su parte trasera y una bóveda o cripta (Dª Josefa Godoy, hija de los condes de Valdelagrana, se depositó su cuerpo en la bóveda del convento de S. Francisco, 4 de marzo de 1731).

Como hemos señalado anteriormente, el antiguo convento de franciscanos y su hospital se convirtieron en hospital de mujeres, que mantuvo su cementerio (Ana María Planelles, murió en el hospital de las mujeres, enterróse en el cementerio del hospital, 6 de noviembre de 1729)

Además, encontramos entierros en otros templos de la ciudad intramuros como el convento de trinitarios, la capilla del Socorro, y con ocasión de epidemias en los diferentes carneros habilitados (Francisco Rosario, esclavo de D. Andrés Viegas, se enterró en el carnero, 23 de febrero de 1721); y extramuros como la capilla del Real Hospital (D. Diego Díaz Gómez, presbítero y administrador del real hospital de esta Ciudad, enterróse en la referida capilla del Real Hospital, 17 de enero de 1731).

Por su parte, el segundo libro de difuntos (1731-1768) deja reducidos los lugares de enterramiento prácticamente a dos: las **Iglesias de N.S. de los Remedios** y la de **S. Francisco**, con la excepciones que comentaremos.

Fragmento de una lápida de las fosas de la epidemia de 1743.

En la primera de ellas encontramos referencias al templo, camposanto, pórtico y patio, teniendo especial interés las que mencionan algunas *capillas* como la de *Ánimas* (Dª Teresa Díaz de Villalobos, 11 de agosto de 1742; Dª Josefa Durán, 24 de junio de 1743), *San Miguel* (Capitán D. José Hidalgo, en el cuerpo, frente a la capilla de San Miguel, 20 de diciembre de 1745), *San José* (Dª Ana de Mendoza Barbosa y Afranca, 3 de enero de 1743) y particularmente la de la *Concepción*, propiedad de la familia Mendoza y en la que enterraban muchos de sus parientes con su permiso (p.e. Dª Micaela Cárdenas, en la capilla de la Concepción, con permiso de D. Joaquín de Mendoza, 18 de noviembre de 1741). Sin que nos haga pensar que hubiera una cripta, es posible que la iglesia contase con un panteón o muro de nichos, ya que tenemos algunas inscripciones que así parecen indicarlo: Ruperto de la Riva Neyra, en nicho de la bóveda, 11 de abril de 1738; teniente Juan de Lirio, en nicho de la bóveda, 16 de diciembre de 1738; Dª Tomasa Cantarero Barrientos y Ocampo, en nicho, 23 de enero de 1741.

En **San Francisco** las dos únicas alusiones a espacios concretos son la de Dª Inés de Palma, sepultada en el convento de San Francisco, frente al *altar de Nuestra Señora del Destierro*, el 9 de octubre de 1741 y la de D. Francisco Gallegos, en una de las bóvedas del convento, el 18 de julio de 1766.

Aparte, hay una referencia a la **ermita del Valle**: D. Pedro Llano, alférez del Regimiento de la Reina, que apareció muerto en el destacamento del Molino de Viento, y fue sepultado en la Iglesia del Valle el 24 de diciembre de 1763; y otra a la **Iglesia de Nuestra Señora de Gracia**, de Juana de las Nieves, esclava, sepultada el 10 de junio de 1741 y que aunque podría referirse a la iglesia del convento de los padres Trinitarios, la falta de menciones similares en ninguno de los libros de la ciudad nos hace pensar que podría ser un error del amanuense.

Un período que sale de la cotidianidad de la parroquia fue la epidemia de peste bubónica que sufrió la población en los años 1743 y 1744, en los que la Iglesia y resto de espacios adyacentes se saturaron rápidamente (Dª Antonia Suárez, en esta iglesia, en el patio, por no haber ya sepulturas, 13 de julio de 1743). El Ingeniero Lorenzo Solís, por orden del marqués de Campo Fuerte, entonces gobernador de la Plaza, destinó a un grupo de desterrados para construir una profunda zanja en el campo santo, y puso a disposición del mayordomo del hospital dos cahíces de cal el 3 de julio de 1743, lo que sin duda quedó en nada para la magnitud de la tragedia que se avecinaba (AGCE, FH, 19, 135).

Habilitadas como hospitales las casas de la Almadraba de San Amaro, la ermita del Valle y las casas adyacentes a la ermita de San Pedro, obligaron a construir sendos *carneros* en los tres lugares: *San Amaro* (Dª Felipa Angulo y Quintanilla, en el carnero de S. Amaro, porque estaba en la capillita de San Amaro que se convirtió en hospital, 24 de julio de 1743), *Nuestra Señora del Valle* (Manuela de Palma, murió en el hospital del Valle y se enterró en el carnero de Nuestra Señora del Valle, 31 de julio de 1743) y *San Pedro*, que se utilizó preferentemente con sepultura de religiosos y algunas personas de distinción (D. Tomás Álvarez de Acosta, en la ermita de San Pedro, 29 de julio de 1743).

Todos estos osarios fueron cerrados con lápidas que avisaban de que no debían ser abiertas hasta pasados al menos cien años, algunas de las cuales han llegado a nuestros días, aunque ya fuera de su ubicación original, una de las cuales se conserva en los fondos del Museo de Ceuta.

Lugares excepcionales de enterramiento en la primera mitad del siglo XVIII

Las fuentes de nuestro estudio las constituyen las series sacramentales de sepelios de las diferentes parroquias, las que en un país confesional, como la España de la época, deberían reunir a un número casi completo de población. Sin embargo, en ocasiones, en la ciudad vivían personas de otros credos, tanto judíos, como musulmanes, de entrada tradicional por Marruecos, así como protestantes, dentro de los contingentes militares de guarnición extraordinaria.

No podemos asegurar, como ya ha puesto de manifiesto en sus trabajos el profesor Antonio Carmona, que los libros sacramentales recogieran los datos de toda la población, siendo posible que en ocasiones se redujesen a naturales y connaturalizados, dejando fuera a una parte de la tropa, de cuya existencia sabemos por los padrones parroquiales y de cumplimiento pascual (ADCE-CP).

Así, por ejemplo, conocemos la existencia de fosarios incluso en el campo exterior, cuando en 1721 la expedición que vino a socorrer a Ceuta, comandada por el marqués de Lede, se vio afectada por un implacable brote epidémico, lo que confirma un testigo presencial, Alejandro Correa de Franca (CORREA, 1999, 384):

> *829. Dadas las precisas providenzias, despachados a toda diligencia combalecientes y enfermos a España, recogido nuestro exército y transportado a las costas de Andalucía, se desaogó algo esta ciudad. Los padres franciscos boluieron a su anterior exercicio, ayudando a otros capellanes al cuydado espiritual. Reyntegrado el ospital de ministros y sirbientes, restableció su descaecimiento, reasumiendo la perdida policía y aseo y, aunque el contajioso mal duró en él y en toda la ciudad, deuorando la salud y vida de muchos, cedió a principio de iunio de 1721. Los muertos en esta epidemia no es fácil numerar porque, aunque los que fallecían en sus casas constaran por los libros parroquiales, los que espiraban en cuarteles, barracas y tiendas de campaña en la ciudad, Almina y campo de los moros, como se tumulaban vnos dentro y los más fuera de cementerios benditos, sin concurrencia de parroquia, no se anotaban; y menos los que entraban y salían del ospital, porque éstos, no hauiendo formal interbención, se introducían con la multitud y, sin saberse si eran soldados, vivanderos o vagamundos, ocupaban los rincones o huecos que dejaban los que se levantaban a sus menesteres o vacaban por los muertos, sin que de vnos y de otros parezca en algún modo memoria cabal.*

La enorme cantidad de planos que se conservan de nuestra ciudad no nos permiten asegurar que en alguno de ellos no se encuentren señalados cementerios no mencionados en los registros sacramentales de las parroquias locales. En prueba de ello, recurrimos a un plano conservado en el Archivo de Simancas (AGS-GM, 3338), que Antonio Carmona fecha entre 1726 y 1751 (CARMONA, 1996, 147), en el que aparece el Hospital de Mujeres, el Pajar y con una pequeña cruz, su campo santo, al cual se refiere en una nota de 1910 Salvador Ros y Calaf, al haberlo visto mencionado en una escritura de la capellanía de María Brito (ROS, 1912, XXXIV). Un cementerio que no figura en los libros sacramentales que hemos examinado hasta hoy.

Los registros de la parroquia de África de mitad del XVIII hasta la aparición de los cementerios generales

El libro V de Defunciones de la parroquia de África comprende los años 1762 a 1814, mientras que el siguiente va de 1814 a 1861, que rebasa en mucho la puesta en funcionamiento de los cementerios de competencia municipal, tanto el de las Eras como el de Santa Catalina.

Como ya había quedado de manifiesto al tratar la primera mitad de la centuria, desde el cerco de Muley Ismail la población de la ciudad vieja había quedado muy reducida, y el funcionamiento de los hospitales y cementerios en la Almina mermaron considerablemente los entierros en la parroquia del Sagrario de la Catedral, que habían sido desplazados a la Ayuda de Parroquia de Nuestra Señora de los Remedios. Hay que decir, aunque no sea tema de este estudio, que para ello no hubo gran oposición, por cuanto ambas fábricas revertían en el cabildo catedralicio, pues canónigos eran sus respectivos párrocos.

La mayor parte de las sepulturas tienen lugar en la **Iglesia de Nuestra Señora de África**, y en algunos casos, en uno de los nichos de su panteón (Dr. D. Antonio Lobera, en un nicho del panteón, el 30 de julio de 1762; Joaquina Fernández de Córdoba Ponce de León, marquesa de Cogolludo y de Soleza, párvula, hija de los duques de Medinaceli, el 6 de noviembre de 1811 y su hermana María de la Natividad, con los mismos títulos y lugar el 26 de febrero de 1812). En esta cripta había una reserva de sepulturas para el Cabildo (D. Domingo Piñero y Chaves arcediano y canónigo de esta Santa Iglesia, se enterró el día siguiente en la Iglesia de N.S. de África donde tiene este Cabildo su enterramiento, ADCE-AC, 1138, L° 4, 220 v. 10 de agosto de1730) según lo decretó su instaurador, el obispo Vidal Marín (ADCE-AC, 863, L° 9, 55-60) y otra para el Regimiento Fijo de Ceuta (D. Juan de Murga, capitán de granaderos del Regimiento Fijo de esta fidelísima ciudad y plaza de Ceuta, en un nicho del panteón, de los que tienen en ella el dicho Regimiento Fijo, el 4 de julio de 1779).

Lápida de la Marquesa de Cogolludo en la cripta de Ntra. Sra. de África.

El tema del enterramiento de los canónigos en la cripta del Santuario fue conflicto recurrente entre el cabildo y la parroquia, pero quedó aclarado definitivamente en 1794, siendo muy interesante el informe evacuado al respecto e incluido en las actas capitulares, redactado en 1703 (ADCE-AC, 863, L° 9, 60-64, 14 de noviembre de 1794):

Testimonio justificativo del derecho que tienen los capitulares de esta Santa Iglesia Catedral para tumularse en el panteón de la Iglesia de la Virgen de África sin pagar estipendio alguno por el nicho &°.- En la fidelísima ciudad de Ceuta veinte días del mes de marzo de mil setecientos y tres años, el Ilustrísimo Señor D. Vidal Marín, mi señor, obispo de la dicha Ciudad, del Consejo de S.M., ante mí el infrascrito notario apostólico, su secretario de Cámara, dijo: que por cuanto en la ermita de Nuestra Señora de África intra muros de la dicha Ciudad, y que al presente sirve de Catedral, se ha reedificado la capilla mayor debajo de la cual se ha dispuesto una bóveda para entierros, y otras sepulturas en el suelo de ella, y que para cuando se ofrezca usar de ellas y de los nichos se eximen diferencias, así acerca de los cadáveres que en ellos han de ser enterrados como de la limosna que han de dar los herederos o testamentarios de los difuntos, o las personas por cuya cuenta corrieren los funerales; habiéndolo primero comunicado con el Reverendo Cabildo de la Santa Iglesia Catedral de dicha Ciudad, usando de su jurisdicción ordinaria en la mejor vía y forma que haya lugar en derecho, hizo la regulación en la forma siguiente.- Primeramente ordenó y mandó que ninguna persona de cualquier estado, dignidad o condición que sea pueda ahora ni en ningún tiempo adquirir para sí, ni para otros, derecho alguno de propiedad, patronato o posesión por cualquier causa que sea sobre cualquiera de los referidos nichos, ni sepulturas terreras, aunque muchos de los de su familia y estado se hayan enterrado en ellos, o en ellas, ni por cualesquiera vía pueda prescribirse el tal derecho de propiedad; si no que desde ahora para siempre son y sean los tales nichos y sepulturas propios de la dicha ermita de Nuestra Señora de África. Mas si con el discurso del tiempo pareciere necesario el dar derecho de patronato a alguna persona o familia de algún nicho o sepultura sea con expreso consentimiento del señor Prelado, y sólo se conceda a personas beneméritas, y que hayan ayudado con tan cuantiosas limosnas u hecho otros beneficios a la dicha ermita o a la Santa Iglesia Catedral, que parezca razonable el remunerarla, cediéndoles ese derecho, o haciéndoles esa gracia.- Ytem mando S Ilustrísima que de los referidos nichos se separen cuatro los de lugar más digno y estos solo sirvan para enterrar en ellos a los Señores Obispos de esta ciudad, y a los señores capitanes generales, y a las mujeres e hijos de los dichos señores capitanes generales; y los dichos señores no tengan obligación de contribuir con limosna alguna, ni ninguna persona les pueda pedir precio por enterrarlos en los referidos nichos; mas solamente se recibirá lo que por su devoción voluntariamente quieran dar, y siempre que se ofrezca haber de enterrare alguno o alguna de los susodichos se les advierta a los que preguntaren qué limosna se da por la sepultura, que no tienen obligación de dar alguna; y de los dichos cuatro nichos han de servir los dos del lado del Evangelio para los señores Obispos, y los dos del lado de la Epístola para los señores capitanes generales, sus mujeres e hijos.- Ytem, se separen otros cuatro nichos siguientes a los antecedentes y estos han de ser para los señores prebendados, dignidades, canónigos y racioneros de la Santa Iglesia Catedral de esta dicha Ciudad, y para los familiares del señor obispo que fuere de ella, entendiéndose por familiares el provisor, secretario, capellanes, pajes y mayordomo, cuando alguno de ellos sucediere el morir en actual servicio de su amo, y ninguno de los referidos señores prebendados, dignidades, canónigos, racioneros ni familiares del señor prelado haya de contribuir con limosna alguna, si no es que gratis se les ha de conceder el nicho para el entierro, y si sucediere que cuando alguno de los referidos se hubiere de enterrar estuviesen los cuatro nichos ocupados, tan recientemente que no se hayan podido consumir los cuerpos que en ellos se pusieron, puedan enterrarse en los demás nichos inmediatos que se hallaren desocupados, sin dar por ello limosna alguna.- Ytem por los demás nichos excepto los que se separan para los señores prelados, capitanes generales, cabildo y familia episcopal, señala su limosna de cada uno que se enterrase dar mil maravedís de moneda de Ceuta, y por enterrarse en cualquiera sepultura de las de dicha bóveda mil maravedís de dicha moneda, los cuales los aplico desde luego, la mitad para la fábrica de la Santa iglesia Catedral, por haber contribuido con sus rentas para dicha capilla y bóvedas, y la otra mitad para dicha ermita de Nuestra Señora de África por ser suyo el terreno y haber también ayudado a la fábrica. Y así mismo declara S.I. que aunque la catedralidad se pase a otra parte, y no se hagan los oficios en dicha ermita, siempre y en todo tiempo han de quedar separados los ocho nichos referidos arriba para los señores obispos, capitanes generales, sus mujeres e hijos, cabildo y familia episcopal sin pagar cosa alguna por enterrarse en ella, y en ese caso ha de ser la mitad de la limosna de los demás nichos y sepulturas para la catedral, y la otra mitad para la ermita de Nuestra Señora de África, y desde ahora ha de entrar en poder del fabriquero o mayordomo de la catedral su mitad de que se ha de hacer cargo, y la otra la ha de recibir el mayordomo de la Cofradía de Nuestra Señora de África, porque aunque ahora sirve de Catedral siempre están divididos los emolumentos de lo que a cada uno toca. Y porque (no se conceda indiferentemente) digo, el entierro en los nichos es honorífico, como es entierro de cabildo entero, con vigilia y misa solemne de cuerpo presente, cuyos derechos hayan de satisfacer al Cabildo los herederos o testamentarios del difunto.- Así mismo mandó S.I. que en enterrando cualquiera cadáver en nicho, luego sin la menor dilación y a costa de los bienes del difunto se cierre la boca del tal nicho con ladrillo y macla, sin dejarse respiradero; y el cabildo no vaya a traer el cuerpo a la Iglesia hasta que dicho material esté en ella por el perjuicio que se sigue de la dilación; y los ladrillos no se pongan en forma de tabique sencillo; y las sepulturas terreras también se cierran de ladrillo con brevedad, y a cada cuerpo que pusieren en nicho le echen media fanega de cal viva.- Otro sí en la boca del tal nicho se escriba el día y año en que se puso el cuerpo para que se sepa cuando verosímilmente se podrá abrir, pero sin ponerle otra inscripción o elogio sepulcral, ni escudo de armas, que eso sólo se permite al señor prelado y genera solamente a su persona y en necesitando de ocupar con otro cuerpo aquel nicho, se saquen los huesos y se pongan en el osario, mas si hubiere otro desocupado, no se saquen los huesos hasta que, como dicho es, se necesite de él.- Y S.I. reservó en sí y en sus sucesores herederos, el alterar, mudar, declarar o modificar todos y cualesquiera cláusulas de las referidas, según que con el tiempo vieren convenir, y mandó que otra persona alguna no vaya en contra de lo dispuesto en este auto, pena de excomunión mayor, y otras a su arbitrio, y se ponga en el Libro de la Fábrica, y en el de la Hermandad de Nuestra Señora de África para que conste. Y así lo proveyó, mandó y firmó en Visita de que doy Fe.- Vidal, Obispo de Ceuta.- Por mandato del obispo mi señor.- D. José González de Gate, secretario.-

Siguen en número las de quienes eligieron como última morada la **Iglesia de San Juan de Dios** (Martín Gola, el 22 de noviembre de 1766) que poco después es citada como de San Juan de Dios y Nuestra Señora del Carmen (Juana Cantero, 23 de noviembre de 1762), y cuya cofradía tenía muchos hermanos (Damián Ossete, como cofrade de su hermandad, el 9 de mayo de 1767), lo que ya habíamos mencionado en otros trabajos (GÓMEZ, 1997); y **la Iglesia de la Santa y Real Casa de la Misericordia** (María Barranco, el 2 de marzo de 1763).

Más escasas son las de la **Santa Iglesia Catedral** (Juan de Salazar, gitano como sus padres, el 21 de julio de 1763; Francisco Bosa, en el osario de la Santa Iglesia Catedral, 10 de agosto de 1764), que parecen indicar el camposanto. No encontramos sepulturas de familias, cofradías ni sacerdotes, pero sí las de los prelados:

> *En ocho días del mes de septiembre del año de mil setecientos setenta y tres murió el Ilustrísimo y Reverendísimo Señor Dr. D. Manuel Fernández de Torres, digno obispo de esta fidelísima ciudad y plaza de Ceuta, del Consejo de su Majestad, vicario general que fue de la villa y corte de Madrid; no recibió el Sagrado Viático por indisposición de su accidente, sólo sí el Santo Sacramento de la Extremaunción; acompañó a su funeral el Reverendo Cabildo de esta Santa Iglesia Catedral, con su hábito canonical, las dos comunidades de Nuestro Padre San Francisco y la de la Santísima Trinidad de descalzos, todos los señores sacerdotes y capellanes de los Regimientos y clero de este obispado; la Hermandad de la Misericordia y más cofradías; con doce pobres; tuvo cuatro pozas, la primera frente de la puerta de San Francisco extramuros, segunda en la puerta de Nuestra Señora del Carmen intramuros, tercera, en la puerta de la Sacristía de Nuestra Señora de África, la cuarta en el atrio de la puerta principal de esta dicha Santa Iglesia que la música, a todo oficio; se cantó dentro de la Iglesia el oficio de difuntos de nueve lecciones y los laudes con misa que ofició el señor chantre de esta Santa Iglesia, asistiendo a este funeral el Gobernador y demás jefes de esta Guarnición; fue sepultado en un nicho que se le labró del lado de la epístola de esta dicha Santa Iglesia Catedral; y para que conste hice este asiento.- Francisco Sánchez Camúñez, Tesorero Mayor, Cura párroco.*

Y alguna persona muy vinculada a la vida del propio templo, como la del Sacristán Mayor (D. Diego Izquierdo Escolar, en la sepultura inmediata al Altar de las Ánimas, presbítero, sacristán mayor, sepultado el 29 de enero de 1785), aunque con posterioridad y en ese año y hasta comienzos del siguiente encontramos algunas inscripciones más, seguramente por obras en el Santuario, ya que esos meses sólo se inscriben inhumaciones en su panteón.

Desvinculada la cofradía de Nuestra Señora de los Remedios de la comunidad trinitaria y renovado el **convento de la Santísima Trinidad**, los entierros en el Convento se reducen a las familias que poseían sepulturas propias en su Iglesia o en el panteón, como los Guevara Vasconcelos (Dª Mª del Pilar Pedrajas y Medrano, viuda de D. José Pedro de Guevara Vasconcelos, en un nicho propio del panteón, el 21 de febrero de 1763) o los Galea (Dª Margarita González Chamizo, viuda de D. Nicolás Galea, el 20 de enero de 1769) y algunos militares (D. Domingo Moreno, sargento mayor de la Plaza, en uno de los nichos del panteón del Real Colegio de Trinitarios descalzos, el 23 de noviembre de 1786; D. Juan Alonso González, brigadier de los Reales Ejércitos, Teniente de Rey de esta Plaza, en la bóveda del convento de padres trinitarios descalzos, el 12 de noviembre de 1796; y comandantes generales como D. Antonio Ferrero, que lo fue entre 1801 y 1805 y fue enterrado en uno de los nichos del panteón del Real Colegio el 4 de enero de 1805). Incluso durante algunos años, se necesitaba autorización expresa del provisor y vicario (Mavil Jaime, el 4 de diciembre de 1761).

Hay que decir que cuando se produjo la exclaustración definitiva de los frailes trinitarios, en 1835, la Iglesia se siguió utilizando hasta poco antes de su demolición, en la última década del siglo. A la vista de los planos de José Madrid Ruiz y de Salvador Navarro de la Cruz que publicamos (GÓMEZ, 1998) creemos que la construcción de los pabellones de la manzana que forman las actuales calles Jáudenes – O'Donnell – Alcalde Antonio L. Sánchez Prado – Plaza Obispo Barragán dejan bajo el jardín la cripta que estaba bajo el presbiterio, y a la que debería accederse desde la sacristía.

Menciones expresas a la existencia de un cementerio o campo santo hay pocas (Jayme Leben, soldado del Regimiento de Infantería de Ultonia, ejecutado por intento de fuga al campo del moro, sepultado el 19 de enero de 1781; Juan Antonio Lagunas, soldado del Regimiento Fijo de Ceuta, ajusticiado por haber dado muerte a otro soldado de su compañía, dentro del cuartel, sepultado el 18 de agosto de 1783). Hasta que en 1784 aparece una alusión al *Campo Santo de esta fidelísima Ciudad y Plaza de Ceuta* (Bernardo de Viñas, murió de muerte violenta y fue sepultado el 23 de marzo de 1784), sin identificación de su ubicación. Seguramente se trataba del **cementerio de la Catedral**, próximo al lugar donde se ejecutaba a los presos –hay que recodar que la picota estaba frente a la entrada al Santuario– y que según Ros Calaf dejó de funcionar entre 1787 y 1797. Su fuente fueron las Visitas Pastorales seguidas en esos años por el obispo fray Domingo de Benaocaz, confirmando la primera su desuso y la segunda su nuevo uso. La desaparición definitiva vendría refrendada por la Visita Pastoral de fray Rafael de Vélez de 1818 (ROS, 1912, XXXIV). Pero a este cementerio volveremos a referirnos más adelante.

Casi siempre, los enterrados en él habían muerto por causas violentas, salvo rara excepción (Josefa Ramos, casada y con dos hijos, sepultada en el cementerio de esta Santa Iglesia Catedral, el 13 de abril de 1788; José Granados, párvulo, en el cementerio de esta Santa Iglesia Catedral, el 15 de noviembre de 1788).

La primera alusión al **cementerio general** es de 1814 (Francisco García, fue sepultado en el cementerio general de esta referida Plaza, el 22 de febrero de 1814) y desde esa fecha, será el lugar normal de enterramiento. Es decir, el cementerio de la Era o de las Eras, que fue bendecido por el canónigo

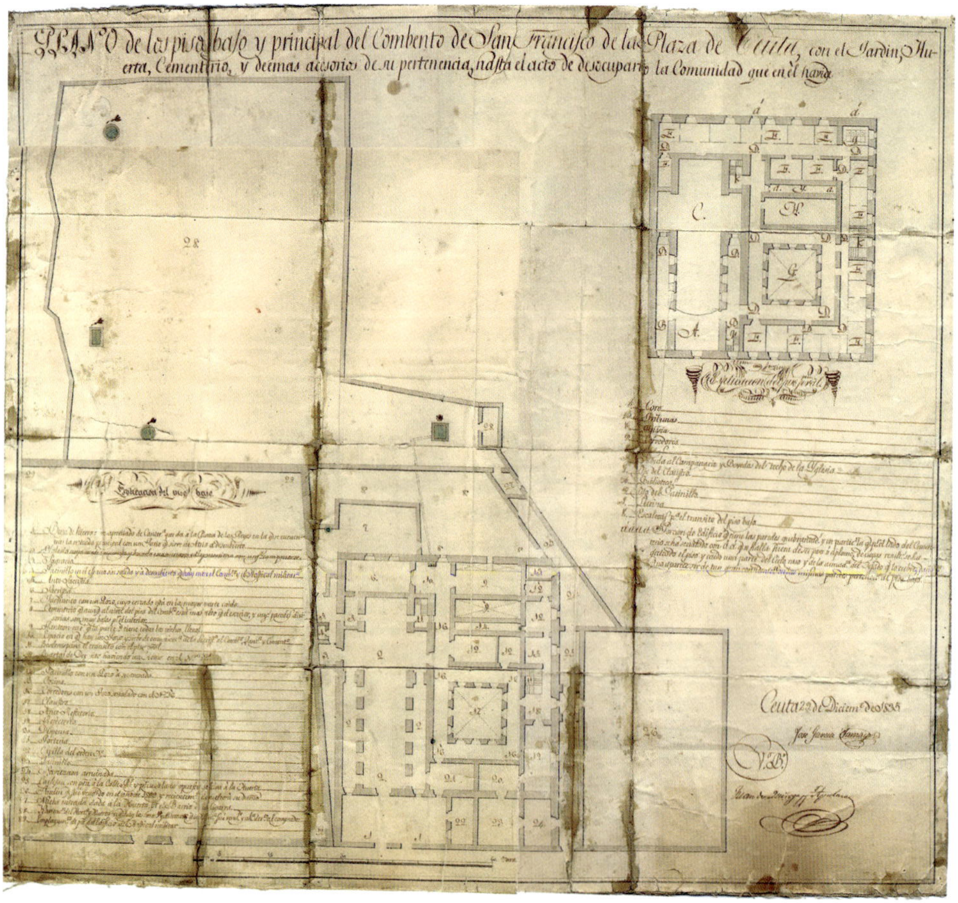

Plano del Convento de los Franciscanos con su cementerio.

Francisco de Paula Añino a mediados de diciembre de 1813 (AGCE-AC, 10-1, 320 v.). Curiosamente, el 3 de septiembre de 1813 el Ayuntamiento había autorizado un **cementerio provisional** junto a la Catedral, en terrenos de la colecturía y junto a la casa del canónigo Almagro (AGCE-AC, 10-1, 305 y v.) y no contentos con ello, se había reabierto el del convento de San Francisco (Miguel Escalona y Gutiérrez, trasladado al **cementerio del convento de S. Francisco** y allí se enterró, el 7 de febrero de 1816) que sería visitado en 1818 por el obispo fray Rafael de Vélez, diciendo Ros Calaf que cuando lo visitó entró por *"el interior de la sacristía y antiguo panteón, lo halló bien murado, y bien reparadas las sepulturas para sacerdotes, adultos y párvulos, con cruces e inscripciones"* (ROS, 1912, XXXIV).

Como veremos más adelante, 1813 supuso un punto de inflexión en la situación de la policía mortuoria local, como ya estaba pasando en otras ciudades, a consecuencia de las disposiciones emanadas del gobierno.

Como curiosidad, señalar que en algunas ocasiones en los libros sacramentales se anotaban defunciones sin que se conociera el lugar de enterramiento del difunto, como cuando una persona moría fuera de las murallas y no podía recogerse su cadáver. En esos casos, la familia podía solicitar su inscripción, mediante una testifical y así conseguir el documento necesario para justificar la defunción legalmente, bien para la transferencia testamentaria de sus bienes, o bien para obtener las pensiones a que tuviesen derecho.

Esto podía haber sido por muerte violenta:

> *Jacinto Morillo. En catorce días del mes de marzo del año de mil setecientos sesenta y tres, murió de un balazo y le cortaron la cabeza los moros en el sitio que llaman de Benzús a Jacinto Morillo, natural de Alcalá de los Gazules, de la parroquia de San Pedro, hijo legítimo de Esteban Murillo y de Josefa Cumplido, de estado casado con Rita García, vecinos en esta plaza de Ceuta; y siendo público y notorio, en esta dicha Plaza, el fallecimiento de dicho Jacinto Morillo, por petición presentada por dicha Rita García en el día dos de julio de este año de mil setecientos sesenta y seis, ante el señor licenciado D. Juan de Zea Villarroel, provisor y vicario general de este obispado de Ceuta, su auto en ella proveído por dicho señor provisor, hecha la justificación de la narrativa de la dicha petición, por testigos que en los autos se expresan, ser verdad la muerte de dicho Jacinto Morillo, mandó dicho señor que dicha partida se pusiese en el libro corriente de difuntos para los efectos que le convengan a dicha Rita García y sus hijos. Lo que ejecuto a continuación de*

este libro de difuntos, ser viuda Rita García, de Jacinto Morillo, marinero de la Compañía de D. Juan Herrera, capitán de la Mar, y para que conste hice este asiento en el día seis del mes de julio de mil setecientos y sesenta y seis. D. Francisco Sánchez Camúñez, Cura párroco.

O por muerte accidental en tierra:

Pedro José del Río. En quince días del mes de mayo del año de mil setecientos sesenta y cinco, murió ahogado en una alberca del Campo del Moro D. Pedro José del Río, natural de la ciudad de Tarifa, de la parroquia de San Mateo, hijo legítimo de D. Francisco García del Río y de Dª María Illescas Serrano, de estado casado con Dª María Pacheco Saldaña, vecinos en esta Plaza y ciudad de Ceuta; y siendo público y notorio en esta dicha Plaza el fallecimiento del susodicho D. Pedro José del Río, por auto y decreto hecho en diez y ocho días del mes de julio de este presente año, en petición puesta por dicha Dª María Pacheco, al señor licenciado D. Juan de Zea Díez de Villarroel, provisor y vicario general de este obispado, mandó se pusiese la partida del fallecimiento del susodicho por constarle por declaración de testigos, que en dicho auto expresa ser cierto lo relacionado; para los efectos que dicha Dª María Pacheco, viuda y sus hijos, en lo sucesivo les pueda convenir haciendo fe en ambos juicios. Y para que en todo tiempo conste lo mandado hice este asiento.- D. Francisco Sánchez Camúñez, Cura párroco.

O en el mar:

Lorenzo de Matha. Hoy día siete de marzo del año de mil setecientos ochenta y cinco se celebró misa y vigilia en esta Santa Iglesia Catedral por la hermandad de San Antonio de Padua, al cargo de la Compañía de Mar, por sufragio de su hermano Lorenzo de Matha, que falleció de desgracia en un temporal que se levantó estando pescando y lo sumergió con la barca en el día veinte y ocho de enero del año pasado, de ochenta y dos; era dicho difunto natural de esta ciudad, de estado soltero, y para que conste firmo este asiento en que me firmo.- Antonio Jorge Galea, tesorero y cura párroco.

Casos similares, preferentemente de marineros muertos en naufragios, existen también en los registros de la parroquia de la Almina como el naufragio del 2 de junio de 1795 en el que murieron Ramón Castañeda Maldonado, Manuel Arrabal Díaz, Tadeo Álvarez Díaz y Alonso Jurado Díaz, de cuyos cuerpos sólo se recuperó el del primero de ellos, siendo necesaria la declaración familiar y de testigos, pasados casi tres meses.

Caso singular es el de Juan Díaz de los Reyes, miembro de una antigua familia local:

> *Juan Díaz. En la fidelísima Ciudad de Ceuta a diez días del mes de marzo, año de mil setecientos noventa y cuatro, María Durán, de estado casada con Juan Díaz, marinero que fue de la Dotación de esta Plaza, en clase de inválido, natural de ella, hizo justificación e información ante Román Blanco de Cartagena, escribano del Cabildo y público, que el día doce de febrero del presente año fue muerto su expresado marido Juan Díaz en la ciudad de Tetuán, por una sublevación que hubo de los moros, a cuya ciudad fue en el falucho nombrado La Pastora, de compañero, a cargar de ganado vacuno y naranjas, de cuyo matrimonio le han quedado tres hijas nombradas María, Francisca y Teresa, y dos hijos mayores edad de diez y seis años; dio su alma a Dios en la comunión de Nuestra Santa Madre Iglesia y para que conste lo firmo, Bernabé Sebastián Zilleruelo, Canónigo y Cura.*

Los registros de la parroquia de los Remedios de mitad del XVIII hasta la aparición de los cementerios generales

Para la segunda mitad del siglo XVIII y hasta la puesta en marcha de los camposantos regidos por el municipio, en los registros sacramentales de la ayuda de parroquia de Nuestra Señora de los Remedios contamos con tres libros, el 3º que comprende los años 1768 a 1795, el 4º que va de 1795 a 1817 y el 5º para los años 1817 a 1831.

En un principio, las inscripciones se reparten entre las iglesias y cementerios de la parroquia y el convento de franciscanos, siendo importante señalar que a partir de 1768 los espacios en torno a la iglesia de los Remedios señalados para las inhumaciones no serán tan desordenados, al acotarse y bendecirse su cementerio el 3 de octubre de 1768, por su canónigo y cura, D. Pedro de Obedos Viegas, de orden del obispo D. Andrés Gómez de la Torre (APNSR, Difuntos, L. 3º, f.1). Así ya raramente aparecerá el pórtico denominado de los pobres como en épocas anteriores (Diego Plasencia, fue sepultado en el pórtico de esta iglesia, el 14 de abril de 1775), ni desde luego jardines, patios u almacenes, como habíamos visto con anterioridad.

Señalar también que a mediados de la década de los 90 hemos encontrado citado el **cementerio del Hospital Real** (Pedro Sanz, desterrado, murió ahorcado, sepultado su cadáver en el campo santo del Real Hospital, el 8 de julio de 1795; Tomás Picher, murió en el suplicio de la horca, fue sepultado en el Cementerio del Real Hospital, el 28 de abril de 1796) que entendemos se trata de un espacio reservado para la inhumación de los ejecutados afrentosamente, seguramente cuando las ejecuciones ya no se hacían en la plaza de África, y que pudo estar en parte de la que fue huerta del convento de los franciscanos y no el antiguo del Pajar, ya que en esos tiempos el hospital viejo es mencionado siempre como Hospital de Mujeres (María Franqueza, murió de enfermedad en el Hospital de Mujeres, fue sepultada en el cementerio de la Iglesia de los Remedios, el 22 de agosto de 1799). Es más, parte de esos restos podrían haber sido los descubiertos en unas obras en la plaza de los Reyes en febrero de 2006 (DIARIO SUR, 8 de febrero de 2006).

En cuanto a la elección entre la iglesia y el cementerio, las razones son económicas, distinción esta de la que sólo se salvaban quienes pertenecía a una hermandad que se hiciera cargo de los gastos de inhumación. San Francisco, además, contaba con unos panteones construidos detrás de la sacristía, como puede verse en los planos levantados en 1835 por José García Tamayo con motivo de la desamortización del convento, y que se conservan en el monasterio de la Vid, en Burgos.

Los panteones fueron escogidos preferentemente por militares de alta graduación y personas vinculadas con el hospital (D. Juan de Cortázar y Gutiérrez, fue sepultado en el *panteón de los religiosos de San Francisco* de esta ciudad, como síndico que era de este convento, el 7 de enero de 1766, aunque inscrita la última de 1770).

Ermita del Valle a comienzos del siglo XX.

Entre las ubicaciones concretas en los templos destacan algunos militares (D. Antonio Osete, en *una de las sepulturas de la Compañía de Caballería de esta Plaza* –en la Iglesia de los Remedios– por haber sido soldado distinguido de la Compañía de dicha Dotación, el 10 de septiembre de 1789; D. Iñigo Morejón y Girón, capitán agregado al Estado Mayor, en la *Capilla de la Pura y Limpia Concepción* de la Iglesia de los Remedios, el 11 de octubre de 1790) y religiosos (D. Pedro de Obedos y Viegas, canónigo y cura párroco, *frente del altar de San Pedro* de la Iglesia de N.S. de los Remedios, el 28 de febrero de 1782; D. Pedro Perchet, presbítero, colegial que fue de Santiago en Granada, en el convento de S. Francisco, *en nicho separado*, el 30 de octubre de 1794).

A partir de noviembre de 1791, y durante algunos meses, encontramos varias sepulturas en la **Iglesia de Nuestra Señora del Valle** (Dª Inés de Mendoza, de estado honesto, el 20 de noviembre de 1791; D. José Borrero, escribano de S.M. en esta Plaza, el 23 de noviembre de 1791), por impedimento que debió prolongarse hasta 1794, pues en ese período las inhumaciones se reducen a su cementerio, aumentando mucho en el convento de franciscanos. Sabemos que en septiembre de 1791 el Cabildo se vio obligado a trasladarse a la iglesia de los Remedios, al resultar afectada la Catedral por los ataques del Cerco de Muley Yazid, lo que ya había ocurrido un año atrás, pero en diciembre estaban de vuelta (ADCE-AC, 863, L. 8º, 209-231). De todos modos, y desde entonces, el cementerio tendrá total predominancia sobre la iglesia.

Muy rara vez se anotan inscripciones referentes a los templos de la ciudad intramuros, salvo los prelados, que tenían su palacio en la Almina pero eran sepultados en la Catedral.

Otra curiosidad de las inscripciones en la década de los 80 del siglo XVIII es la de encontrar algunas referencias a enterrarse con cajón propio (D. Ignacio Carrasco y Andrade, teniente de Rey y coronel de los Reales Ejércitos, mandó enterrarse en el convento y bóveda de nuestro padre S. Francisco, en cajón propio, 13 de junio de 1789; Dª Catalina Escribano y Cebollino, fue sepultado su cadáver en cajón, en esta iglesia de Santa María de los Remedios, el 27 de agosto de 1789), frente a la costumbre de hacerlo sólo con sudario y utilizando, en los casos de pertenecer a alguna hermandad, el que tuviera esta. Pero pronto desapareció, seguramente por la dificultad que presentaba ante el retraso de la descomposición de los cadáveres necesitando mayor espacio para las inhumaciones.

En los libros de la parroquia auxiliar de Nuestra Señora de los Remedios, la primera inscripción del Cementerio General es de diciembre de 1813 (José Manuel Gómez Delicado, Párvulo, el 24 de diciembre de 1813) al que a veces se referirán como cementerio general provisional (Cristina Boada, 3 de octubre de 1814), lo que supuso el cierre del cementerio de la parroquia, aunque siguió utilizándose el de San Francisco hasta al menos 1819.

Hospitalito de Jesús, María y José.

¿Tuvo cementerio el Hospitalito de Jesús, María y José?

Hemos ido viendo como prácticamente todos los hospitales conocidos en la Ciudad –San Blas, Real antiguo, Mujeres o Pajar, Real de la Plaza de los Reyes– tuvieron su cementerio. Repasadas las actas de difuntos de ambas parroquias hemos visto que durante la existencia del Hospitalito de Jesús, María y José, construido en 1775-6 y convertido tras la exclaustración en Hospital del Penal hasta la desaparición de la Colonia Penitenciaria en 1911, no hay ninguna que indique que tuviera campo santo.

También hemos visto que, salvo desterrados integrados en la población y ajusticiados, no parece que los confinados fallecidos en Ceuta fueran inscritos en los registros sacramentales, al menos hasta abrirse la serie dedicada a las defunciones de la Colonia Penitenciaria en 1869 y que finaliza en 1911 (APNSR). Prueba de ello es el cotejo de informaciones periodísticas sobre defunciones en el Penal de Ceuta que no encuentran refrendo en las series sacramentales, como pudimos comprobar en el caso del famoso confinado Manuel Blanco Romasanta, acusado de licantropía y muerto el 14 de diciembre de 1863 en Ceuta (LA ESPERANZA, 21 de diciembre de 1863; LA IBERIA, 23 de diciembre de 1863) sin que figure en los libros de las dos parroquias existentes en esa fecha.

Pues bien, en el Archivo Diocesano hemos encontrado unos interesantes documentos (ADCE-D, 957) sobre la aparición, en 1897, en el patio del Hospitalito, de varios esqueletos humanos completos, con hierros en cuello y muñecas, seguramente restos de cautivos traídos desde las mazmorras de Tetuán, por lo que en algún momento este espacio se consideró apropiado para darles sepultura.

El proceso de constitución de los cementerios civiles

El estudio de los libros de defunciones nos ha ido ya ofreciendo una visión sobre la desaparición paulatina de los espacios funerarios en los templos y sus alrededores, sin saber muy bien cuáles eran las razones, salvo la colmatación de dichos espacios. Pero la realidad es que, además, existió una razón legal.

A mediados del siglo XVIII el crecimiento del número de habitantes, así como la proliferación de epidemias había despertado la preocupación de los gobernantes europeos, y más aún de los ilustrados. En Francia, en 1776 se había prohibido enterrar dentro de las iglesias, lo que a un monarca como Carlos III y a sus ministros, no podía pasarles desapercibido.

Así pues, el 3 de agosto de 1784, una Real orden del monarca disponía que a partir de entonces los cadáveres no fueran inhumados dentro de los templos (SANTONJA, 1998-9, 34), la cual fue ratificada por una Real Cédula de 3 de abril de 1787 por la cual, entre otras cosas, se mandaba (GACETA DE MADRID, 20 de abril de 1787):

- *III. Se harán los Cementerios fuera de las poblaciones siempre que no hubiere dificultad invencible o grandes anchuras dentro de ellas, en sitios ventilados e inmediatos a las Parroquias, distantes de las casas de los vecinos: y se aprovecharán para Capillas de los mismos Cementerios las Hermitas que existan fuera de los pueblos, como se ha empezado a practicar en algunos con buen suceso.*

- *IV. La construcción de los Cementerios se ejecutará a la menor costa posible bajo el plan o diseño que harán formar los Curas de acuerdo con el Corregidor del Partido, que cuidará de estimularlos, y expondrá al Prelado su dictamen en los casos en que haya variedad o contradicción, para que se resuelva lo conveniente.*

Miguel Porcel Manrique de Arana, conde de las Lomas, era en ese momento el gobernador político-militar de la población, además de estar bajo su presidencia la Junta de Ciudad, sucesora de la Cámara municipal de tiempos lusos y antecesora del Ayuntamiento Constitucional. A tal fin se eligieron unos terrenos alrededor de la ermita del Valle, que se mandó evaluar al arquitecto de Reales Obras Ángel María de Monti (ADCE-D, 6).

Pero a la salida del conde de las Lomas el proyecto se paralizó y, como hemos visto en el estudio de las series sacramentales, se optó por mantener el mayor tiempo posible la situación preexistente, aunque dando preferencia a las inhumaciones en los cementerios sobre los templos. Esta actitud de falta de colaboración por parte de ayuntamientos, parroquias y hermandades, parece ser, fue común en la mayor parte de las poblaciones españolas (SANTONJA, 1998-9).

Ante tal grado de incumplimiento fueron necesarias nuevas disposiciones emitidas por Carlos IV en 1799 y 1804 –Circular comunicada por la Escribanía de la Cámara y de Gobierno del Consejo Real dictando disposiciones para que se verifique en todos los pueblos del reino la construcción de cementerios bajo las reglas que se expresan, publicada en la Gaceta de Madrid de 27 de julio de 1804– con instrucciones precisas:

1º Promoverán los corregidores estos utilísimos establecimientos en todo el distrito de sus partidos, poniéndose de acuerdo con los RR. Obispos, y procurando se realicen con preferencia en las ciudades o villas capitales, pueblos en que haya o hubiere habido epidemias, o que estén más expuestos a ellas, y en aquellas parroquias en que se reconozca que es mayor la urgencia por el número de parroquianos, corto recinto de las iglesias, y otras circunstancias.

2ª Se deben construir los cementerios fuera de las poblaciones, y a la distancia conveniente de estas, en parajes bien ventilados, y cuyo terreno por su calidad sea el más a propósito para absorber los miasmas pútridos, y facilitar la pronta consunción o desecación de los cadáveres, evitando aún el más remoto riesgo de filtración o comunicación con las aguas potables del vecindario: y como el examen de estas circunstancias pende de conocimientos científicos, deberá preceder un reconocimiento exacto del terreno o terrenos que parezcan proporcionados, practicado por profesor o profesores de medicina acreditados.

3º Si resultare del informe de estos que concurren las cualidades correspondientes en el terreno o terrenos elegidos, se formarán por arquitecto aprobado, donde le hubiere, y en defecto por el maestro de obras o alarife de más confianza del pueblo, el conveniente plano, y el cálculo prudencial de la cantidad a que podrá ascender la ejecución, teniendo presente en primer lugar que los cementerios deberán estar cercados en la altura que sea suficiente para impedir que puedan entrar en ellos personas o bestias capaces de causar alguna profanación, opuesta al honor con que deben ser tratados los cadáveres; pero descubiertos en la parte en que se han de hacer los enterramientos; y en segundo, que su recinto debe ser de tal extensión, que no sólo puedan enterrarse los cadáveres que resulten en un año común, deducido de un quinquenio, y calculado de manera que colocándose dos cadáveres en cada sepultura pueda dárseles el tiempo de 3 años para su consunción o desecación, sino que quede además algún terreno sobrante para ocurrencias extraordinarias.

4º Se aprovecharán para capillas de los cementerios las ermitas situadas fuera de los pueblos, según se previno en el cap. 3º de la Real cédula de 3 de abril de 1787. Si no se pudiere verificar, o porque no existan, o porque no lo permitan su situación y demás circunstancias, convendrá se construyan, a lo menos en los pueblos principales y en que haya proporción de fondos, e igualmente osarios para el desahogo y limpieza de los cementerios y habitaciones para los capellanes y sepultureros; pero ni deberán considerarse de necesidad estas obras, ni retardarse con ocasión de ellas la construcción de cementerios; pues en los pueblos cortos, donde no sea fácil proporcionar fondos para capilla, osario y dichas habitaciones, o donde no se tenga por oportuno establecerlas, bastará por ahora que cercándose hasta la altura conveniente los cementerios, se coloque una cruz en medio de ellos.

5º Para que se guarde el honor debido a los sacerdotes, y para que, conforme al espíritu de la Iglesia, no se confundan con los demás los cadáveres de los párvulos, se destinarán sepulturas privativas, o unos pequeños recintos separados para unos y otros: se podrán también construir sepulturas de distinción, ya para preservar en ellas los derechos que tengan adquiridos algunas personas o familias en las iglesias parroquiales o conventuales, ya para que se puedan conceder a otras que aspiren a este honor, pagando lo que se estime justo.

6º Se ejecutarán estas obras con los fondos señalados en el capítulo 5º de dicha Real cédula de 3 de abril de 1787, observando en ellas la mayor moderación, y la forma que sea más capaz de conciliar la economía en el coste con el decoro exterior, aunque sencillo y serio, de estos religiosos establecimientos.

7º Luego que se hayan reconocido y elegido los terrenos, fijando el número de los cementerios que se conceptúen necesarios en cada población, y formado los planos y cálculos de su corte, se hará todo presente al Sr. Ministro comisionado con la debida instrucción para su aprobación o providencias que estime convenientes. Las acordará igualmente para que se realicen los fondos necesarios; para arbitrar algún medio extraordinario, en el caso de que no sean suficientes los designados en la expresada Real cédula, o en el de que, por no hallarse estos expeditos, convenga usar con calidad de reintegro de algunos otros de que pueda disponer interinamente; y en todos los demás casos y puntos en que por su gravedad, dudas que ocurran, o por otras circunstancias, deba intervenir su autoridad. El mismo Sr. Ministro estimará también si en alguna villa o lugar de población dispersas se podrán permitir que se establezca el cementerio dentro de su recinto común, en paraje bastantemente distante de las habitaciones del vecindario, y en que concurran además las otras circunstancias que son necesarias para que se logren cumplidamente los objetos a que se dirigen estos importantes establecimientos.

En Ceuta parece que no se toman cartas en el asunto hasta que en la primavera de 1812 se recibe una orden sobre quedar totalmente prohibido sepultar bajo techo (ADCE-AC, 1139, Lº 10, 216 v., 2 de mayo de 1812) que fue vista en el cabildo catedralicio:

Leí yo el infrascrito (Nicasio Pírez, secretario) *un oficio del señor provisor que inserta otro de la Junta de Sanidad de esta Ciudad terminante a que en lo sucesivo no se hagan enterramientos en las iglesias ni bóvedas, y sí en los cementerios que están a la intemperie, y esto con la precaución de poner espuertas de cal en cada uno de los cadáveres ínterin se hacen los cementerios que están decretados. Los señores acordaron se conteste a dicho señor provisor para que lo haga a la Junta estar conforme con dicha disposición en todas sus partes.*

La Iglesia, lejos de oponerse, verá con alivio el acuerdo, a la vista de lo expuesto en cabildo de 20 de julio (ADCE-AC, 1139, Lº 10, 282 v., 20 de julio de 1813):

Que se pase oficio al Ayuntamiento manifestándole no haber paraje en que dar sepultura a los cadáveres, principalmente en la ciudad, por estar llenos los cementerios y que espera el cabildo disponga con la Junta de Sanidad lo que haya de practicarse.

Lo que estaba ocasionando múltiples problemas (ADCE-AC, 1139, L° 10, 286 v., 19 de agosto de 1813):

> *Se leyó un memorial del Sr. Daffa* (canónigo) *a nombre del Sr. Prado que habla sobre la media ofrenda de los dos entierros que se han hecho en la Trinidad pues los interesados no quieren pagarla por decir se hicieron los entierros por necesidad y por no tener sepultura la parroquia. Los señores acordaron en su vista manda se exija a los interesados y que se tomen medidas para obviar estos inconvenientes en lo sucesivo; que se evite al Ayuntamiento sobre este particular supuesto lo que se dijo con fecha de veintidós de julio haciéndole ver el estado de las cosas y necesidad que hay de que los entierros vuelvan a África.*
>
> *... Acordaron los señores se publique un edicto avisando al pueblo que los párvulos muertos sean llevados a la parroquia donde se les dará sepultura graciosa siendo pobres, que se prevenga a los prelados regulares no admitan a ningún párvulo para enterrar en su Iglesia, lo que vigilará el fiscal eclesiástico, y que se conteste al Ayuntamiento que en la primera relación de muertos se incluirán los párvulos pues para ello se han tomado las medidas necesarias.*

Y semanas después (ADCE-AC, 1139, L° 10, 288v. 30 de agosto de 1813) se dio por enterado el cabildo catedralicio de la comunicación del Ayuntamiento sobre que iba a disponer lugar de enterramientos provisionalmente hasta tanto se dispusiera de un cementerio general.

Explanada donde estuvo el Cementerio de las Eras.

El Ayuntamiento Constitucional, presidido por el propio gobernador, Pedro de Grimarest Legobien y Mendoza dispuso, el 3 de septiembre de 1813, la apertura de dicho cementerio provisional en la plaza de África –próximo a la Brecha, dicen en las actas de la Catedral–, (ADCE-AC, 1139, L° 10, 230 v., 6 de septiembre de 1813) hasta poder habilitar uno en despoblado (AGCE-AC, 10-1, 305 y v.):

> *Que considerando este Ayuntamiento de absoluta necesidad la providencia sobre el entierro de los cadáveres, ha meditado, que en el terreno de la colecturía inmediato a la casa llamada del Canónigo Almagro, pueden provisionalmente abrirse sepulturas, en tanto que se toman otras medidas para construir un cementerio con arreglo a instrucción.*
>
> *Para el efecto, de cada arroba de vino que se introduzca, se reservarán dos reales de los mismos catorce que se pagan, cuya cantidad ha de depositarse en poder del señor regidor D. Ignacio Huguet, sin que pueda hacerse uso de este fondo si no para la construcción del citado Cementerio.*
>
> *Que el señor presidente de las providencias convenientes, para la demarcación del terreno que deberá ser el que crean los ingenieros más a propósito, dando al mismo tiempo los auxilios de desterrados para abrir cimientos, dar barrenos en la cantera más inmediata, acopio de piedras, y demás que sea conducente.*

El 19 de noviembre de 1813 (AGCE-AC, 10-1, 313 v. y 314) el Ayuntamiento Constitucional acuerda, para dar cumplimiento a las disposiciones de Cayetano Valdés y Flores Bazán y Peón, jefe político de la Provincia Marítima de Cádiz, la creación de una comisión que delimitara un cementerio provisional, hasta la construcción del permanente:

> *Asimismo se puso de manifiesto otro oficio dirigido por dicho Excelentísimo Señor su fecha once del corriente, relativo a que en el preciso término de un mes se tomen las disposiciones necesarias a preparar los cementerios provisionales fuera del pueblo, mientras se construyan los permanentes; en cuya virtud acordaron sus señorías que a fin de que tenga el debido cumplimiento el decreto de las Cortes de primero del corriente inserto en dicho oficio se encarguen los señores D. Juan Ramón Denis y D. José Fortún, asistidos del comandante interino de Ingenieros a reconocer el terreno que vean ser a propósito para dicho cementerio provisional, dando cuenta dichos señores de lo que practiquen sobre el particular para pasar oficio al Cabildo Eclesiástico, presentarse a él como comisionados, dándole el debido conocimiento para que le conste sin embargo de que por la localidad de esta Plaza, no es posible se verifique del todo el Cementerio en despoblado.*

Finalizados sus estudios, la comisión dio cuenta al Ayuntamiento el 3 de diciembre de 1813 de su propuesta para que el cementerio provisional extramuros se instalase en el lugar conocido como la Era, es decir, en el llano que había al final de la Marina y comienzo del camino de San Amaro, mientras que el definitivo estaría situado en Santa Catalina (AGCE-AC, 10-1, 318 y v.):

> *Habiéndose conferenciado sobre el establecimiento del cementerio provisional hasta que se verifique el permanente, se manifestó por dichos señores, diputación eclesiástica y facultativos, les parecía que con respecto a la situación de esta plaza, no había otro paraje más a propósito para el dicho cementerio provisional, que el sitio que nombran la Era, pero que antes de verificarse su establecimiento pasen a él uno de los señores de la diputación eclesiástica, el señor regidor D. Juan Ramón Denis y los facultativos D. José Mayuli y D. Pedro Díaz acompañados del comandante de Ingenieros interino a la práctica del debido reconocimiento, y siendo a propósito para el caso referido dicho sitio, acordaron sus señorías con los nominados señores diputados, y los dichos facultativos, quede establecido provisionalmente hasta que se verifique el permanente, en cuyo caso el señor presidente pasará los oficios necesarios al ministro de Hacienda Pública.*
>
> *Que sin la menor dilación se proceda a dar principio a la fábrica del cementerio permanente, en el sitio señalado en Santa Catalina, que aunque también es pedregoso, es el que se ha encontrado con más proporción para poderse verificar dicho cementerio permanente.*

Días más tarde, el 15 de diciembre de 1813, se ordenó la bendición inmediata del cementerio de la Era –luego conocido como de las Eras–, y se regularon las tasas (AGCE-AC, L.10-1, 320 v.):

> *Que inmediatamente se proceda a la bendición del nuevo cementerio provisional, establecido por acuerdo del día tres del corriente en el sitio que nombran la Era, cuyo acto, según manifestó dicho señor diputado eclesiástico lo verificará el señor canónigo D. Francisco de Paula Añino, al que acordaron sus señorías le acompañen los señores D. Juan Ramón Denis y D. José Fortún, y que estos mismos señores cuiden de que se cierre con tablas el rastrillo hasta la medición de él, y reconozcan bien el sitio, para dejar cerrado absolutamente todo portillo o comunicación que tenga por el exterior.*
>
> *Que los veinticuatro reales de vellón que satisfacen los dolientes por el derecho de sepultura, queden reducidos a veinte, los que se distribuirán del modo siguiente: tres reales a cada uno de los mozos que conduzcan el cadáver,*

cuatro al sacristán de los Remedios que deberá acompañarlo, hasta dejarlo enterrado, y traerse las llaves del cementerio, y los cuatro restantes quedarán en depósito en poder del señor D. Juan Ramón Denis, para el costo de cal y suplir la conducción del que sea absolutamente pobre de solemnidad, llevando una exacta cuenta de la inversión de este caudal para que si resulta algún sobrante, al fin del año, que se deberá liquidar, se invierta en sufragios por las almas de los mismos difuntos, bien entendido que si algún interesado se opone al pago de esta cantidad quedará de su cuenta el verificar la conducción y enterramiento del cadáver, a lo que le obligará la autoridad por todos los medios correspondientes; y los párvulos difuntos, que se encuentren en las iglesias se considerarán como los pobres de solemnidad.

Añino comunicaría al Cabildo el día 14 que todo estaba preparado para la bendición, y el 20 que ésta se había efectuado (ADCE-AC, 1139, L° 11, 12 y v., 14 y 20 de diciembre de 1813).

Sin embargo, el cementerio de San Francisco continuó abierto, como confirma el acuerdo del cabildo espiritual de 7 de noviembre de 1815 (ADCE-AC, 861, L° 1, 137-138 v.):

En este cabildo se leyó un oficio de su ilustrísima y solicitud que acompaña el padre guardián de S. Francisco para que se hagan en el cementerio de su convento los enterramientos que los fieles deseen, bajo las precauciones que se expresan en los informes de los facultativos y Ayuntamiento, todo para que el cabildo exponga en razón de ello lo que tenga por conveniente a sus derechos.

Los señores (capitulares) *en vista de todo acordaron se conteste del modo que expresa el oficio que se presentó y cuya copia se extenderá en este libro por nota para precaver los derechos del Cabildo en todo tiempo. De todo lo que certifico.- Nicasio Pírez canónigo secretario.*

Ilustrísimo Sr. Hemos visto la solicitud del padre guardián de S. Francisco que V.S.I. nos acompaña, con su oficio de 4 del corriente que devolvemos, y observando que toda la autoridad respecto el particular de que trata es propia de V.S.I. con el padre guardián y Ayuntamiento respectivamente nos limitamos a hacer presente a V.S.I. sólo nuestros derechos parroquiales cuyo ejercicio nos compete.

Consecuente con este principio parece no debe innovarse la práctica hasta aquí observada de que los cadáveres de la Ciudad y Almina sean conducidos a la parroquia respectiva, allí se le hagan los sufragios y luego de ellos salgan para el cementerio supletorio acompañados del eclesiástico que tenga este encargo al modo que se ha hecho respecto al situado en el Cuartel Nuevo, mas a los sentenciados apetecen que los cadáveres sean llevados a la iglesia de S. Francisco y allí se les hagan los sufragios, deberán satisfacer los derechos que con arreglo al arancel se han pagado siempre con este motivo así como los de extramuros cuando de la ciudad haya de salir algún cadáver inmediatamente a la iglesia de S. Francisco.

Parece también no haber una razón para hacerse novedad respecto los derechos que llaman de cajón y pompa particular que son de arancel y no han sido derogados.

Dios guarde A &ª. Y noviembre, 9 de 1815.- Ilmo. Sr.- Sr. Deán.- Sr. Alvarado. Por acuerdo de &. Nicasio Pírez, canónigo secretario.- Ilmo. Sr. D. Andrés Esteban y Gómez.

El 19 de noviembre de 1815, en cabildo ordinario se dio cuenta de un nuevo reglamento de uso firmado por el Obispo Andrés Esteban y Gómez (ADCE-AC, 1139, Lº 11, 74), aunque paulatinamente fue quedando en desuso, como se ha visto en el detalle de los libros sacramentales.

La desamortización posterior del convento hizo que el cementerio, y aún los panteones, se abandonasen, hasta el punto de que Juan José Relosillas (RELOSILLAS, 1886, 46-49) habla de estar los restos al aire, y haber tenido él mismo, durante algún tiempo, una calavera sobre su mesa, así como que al maestro del taller de labrado y torneado, especializado en hacer puños de bastón, le llamaban *el huesero*...

Acceso al Cementerio de Santa Catalina.

Con posterioridad, y en contadas ocasiones, se continuaron utilizando lugares fuera del cementerio, inclusive extraordinarios, como cuando en 1823 fueron fusilados 23 presidiarios que se sublevaron en la Ciudadela del Hacho, en la cual fueron ejecutados y enterrados (PNSR-LD, 15 de julio de 1823), lo que posiblemente no hubiera sido la primera ni la última vez.

De hecho, Gabriel Fernández Ahumada nos ha facilitado unas notas de su estudio sobre la fortaleza del Monte Hacho a partir de los planos de diferentes archivos militares y en ellos ha encontrado señalado un pequeño cementerio en el interior del recinto, concretamente a la derecha de la entrada de la Puerta de Málaga. Este campo santo figura en diferentes planos entre los años 1801 y 1898, suponiendo nosotros que sólo se sepultarían en él confinados y ejecutados, cuyos datos no fueron trasladados a la parroquia correspondiente por las autoridades militares ni los sacerdotes castrenses.

Igualmente, Fernando Villada ha localizado una referencia en la obra de Arthur de Capell (CAPELL, 1831, I, 379) en la que el autor habla de haber visitado un cementerio dentro de la fortaleza utilizado por los ingleses cuando la ocuparon durante el trienio constitucional. Posiblemente se trate de un espacio cercano a este otro ya mencionado, y que ya entonces no presentaba inscripciones.

Respecto al cementerio definitivo de Santa Catalina, en la sesión de 31 de julio de 1822, (AGCE-AC, 10-1, 163 y v.) el Ayuntamiento, bajo la presidencia del gobernador político-militar, Fernando Gómez de Butrón, acordaba:

> *Convocado ante díem el Ayuntamiento. Se trató de la necesidad de construir un nuevo cementerio que sustituya al provisional que se creó en el año de 1813, respecto a que sobre ser éste muy reducido para continuar en él los sepelios no tiene las proporciones que recomiendan las leyes para esta clase de establecimientos; en cuya virtud y mediante a que en las faldas del Monte Hacho e inmediación de Santa Catalina existe un terreno ventilado y oportunamente a propósito para aquella erección que ya se empezó en el año pasado de 1819, quedo acordado unánimemente que se proceda desde luego a construir y habilitar dicho cementerio bajo la dirección del maestro mayor de obras D. Carlos Aranda.*
>
> *En cuanto al pago y costo del que deba emprenderse se formalizó el competente presupuesto y resultando de él que son necesarios cinco mil reales al efecto quedó igualmente acordado que respecto la premura de metálico que tiene la fábrica de la Santa Iglesia se cubra aquel importe con los 2015 reales recaudados de la contribución voluntaria y espontánea que han hecho varios vecinos y hermandades para dicho objeto; con los 700 y pico de reales que conserva en depósito el Ayuntamiento procedentes de igual recaudación hecha el año de 1819; con 960 reales que suministra la Fábrica en medio de su apuro y escasez y con lo que satisfará el Ayuntamiento de los fondos públicos hasta el completo de los 5000 reales indicados.*

Por fin, el 27 de agosto de 1830, entre las 5 y las 6 de la tarde, se inauguró el cementerio de Santa Catalina, que suponía cerrar el cementerio provisional de las Eras. Con anterioridad había sido cerrado el de San Francisco, según unas notas tituladas antecedentes del Cementerio de Santa Catalina (ADCE-D, sin catalogar), a la llegada del gobernador José de Miranda (1818-1820).

Y bajo la dirección el maestro mayor de obras don Carlos Aranda se dio comienzo a las obras de construcción del cementerio definitivo de Santa Catalina, que no fue bendecido hasta la tarde del 27 de agosto de 1830. A pesar de la evidente necesidad de su apertura, la verdadera razón que ocasionó su traslado fue el proyecto de ampliación del cuartel inmediato al cementerio provisional de la Era (ADCE-D, sin catalogar).

Una noticia recogida por Rafael Orozco García en sus ficheros dice que:

> *...los restos que yacían en el cementerio provisional que estaba en la explanada delantera del Cuartel de las Eras fueron trasladados al nuevo camposanto con el debido respeto y cuidado* (OROZCO, 27 de agosto de 1830).

Sin embargo, unos documentos encontrados recientemente parecen rebatir esta especie:

> *Tribunal Eclesiástico de Ceuta y su Diócesis.- Una casualidad me ha hecho ver que de la tierra que se saca del cementerio antiguo para rellenar el camino que corre por frente de dicho sitio, resultan muchos huesos de los cadáveres que había sepultados en él; en tanto número que sólo en el tajo de la obra observé había gran porción de calaveras íntegras. Lo cual prueba, que la exhumación practicada para trasladar estos restos al nuevo cementerio, fue muy imperfecta; y como por toda razón deba evitarse el que sean profanados, me dirijo a V.S. rogándole se sirva mandar a los operarios, que trabajan en el paraje indicado, que recojan cuantos huesos vayan apareciendo, y depositen en un sitio determinado, para que el capellán del camposanto cuide de su traslado y sepultura, como voy a prevenirle: yo espero de los sentimientos religiosos de V.S. favorecerá esta operación en que tanto se interesa el sumo cuidado y atención solícita con que Nuestra Madre la Santa Iglesia mira por el respeto debido a los despojos de sus hijos que fueron templos vivos del Señor.- Dios guarde a V.S. muchos años.- Ceuta 15 de julio de 1839.- Juan Francisco Cid y Villanueva.- D. Carlos Montenegro, Comandante de Ingenieros de esta Plaza.-*

Borrador de respuesta del comandante de ingenieros al Vicario General de la Diócesis:

> *Comandancia Exenta de Ingenieros.- Al Sr. Vicario general de esta Diócesis.- Los pocos despojos humanos que aparecieron al trasladar las tierras del terreno que sirvió de Cementerio al camino que se está componiendo,*

tenía muy recomendado se colocasen con todo cuidado como ha tenido efecto en paraje bastante profundo para que bien enterrados no fuesen como antes de la exhumación y escasa perfección de ésta, el juguete de los que con poco respeto las miraban, y sola una distracción de los trabajadores encargados exclusivamente de recogerlos ha podido dar lugar a notarse descubiertos algunos, con bastante pesar mío, lo que creo no deba repetirse por ser ya fuera del cercado que ocupaba aquel lugar, lo que resta que mover; pero sí aún resultasen no tengo dificultad en depositarlos en el sitio que me designe y que reunidos disponga con sus instrucciones el capellán encargado de la traslación que auxiliaré en cuanto a mí toque, con el interés de oído a la memoria de hijos de la Santa Madre a que pertenecemos.-. Dios &ª.- Ceuta 15 de julio de 1839.- Carlos Montenegro.

El cementerio del Arroyo del Flamenco y el fosario de Terrones

Es un hecho poco conocido, que en 1811, con la invasión de Andalucía y los enfrentamientos con los franceses en el Campo de Gibraltar, posiblemente por decisión del General Ballesteros, se instaló un hospital provisional para los heridos de la zona en Ceuta. Esta necesidad de instalar en la ciudad hospitales, almacenes de víveres y recluta forzaron de paso el sometimiento del gobierno militar de Ceuta al del Campo de Gibraltar, ejercido por el general Ballesteros, y que se consiguió en diciembre de 1811 por medio de un decreto del Consejo de Regencia, derogado en febrero de 1812 (GÓMEZ, 2009, 126-7).

Estamos refiriéndonos a los efectos de la segunda ofensiva napoleónica sobre el campo de Gibraltar, en octubre de 1811 (VICENTE, 2001, 2002), cuya importancia fue grande como se ve en los textos de los historiadores de la región, (MONTERO, 1860; PÉREZ-PETINTO, 2001) pero en los cuales no se menciona el hecho del traslado de las víctimas a Ceuta, a pesar de que algunos como Emilio Santacana (SANTACANA, 1901, 260), detectaron los problemas a los que hubo de enfrentarse el hospital de la Caridad de Algeciras.

El 10 de diciembre de 1811, el gobernador político-militar de Ceuta, José María Alós, se dirigía a Carlos Lemaur de la Mourere, quién debía estar al mando de la Comandancia de Ingenieros, comunicándole que:

Estando establecido en Plaza de Armas el hospital provisional de Algeciras es necesario enterrar en el Campo del moro los cadáveres de los que fallecen, a cuyo fin se ha bendecido un sitio a propósito, al cual conviene se le haga cerca sencilla de piedra para que no sea profanado, si después de reconocido por algún oficial del Cuerpo de V.S. no presenta algún inconveniente esta operación.

Y el 15 de diciembre volvía a hacerlo del siguiente modo:

> *Con vista de las razones que V.S. me manifiesta en su oficio de este día sobre el Cementerio establecido en el Campo del Moro, he prevenido lo conveniente al Sargento mayor de esta Plaza para que de acuerdo con V.S. se sitúe dicho cementerio entre el que actualmente sirve a los moros y el Arroyo del Flamenco, como V.S. propone a cuya disposición queda una Brigada de Cadenas para el arranque y conducción de piedra, el día y hora que V.S. avise al comandante de Brigadas.*

Un borrador de Lemaur de oficio dirigido al Gobernador el mismo 15 de diciembre completa la información sobre este cementerio, del que hoy en día no queda rastro, y su enfado por no haber sido consultado sobre la ubicación del establecimiento con anterioridad:

> *En oficio de 10 del corriente que recibí a las doce del día de hoy, se sirve V.S. manifestarme, que hallándose establecido en Plaza de Armas el Hospital provisional de Algeciras, y bendecido para cementerio un sitio a propósito en el Campo del moro, conviene se haga una cerca sencilla de piedra, si después de reconocido no presentase inconveniente.*
>
> *No habiendo tenido, como consta a V.S., parte alguna en la colocación del hospital, ni en la elección del sitio para el cementerio ya bendito solo me resta, al parecer, el disponer se ejecute el cercado, pero sin dejar de exponer a V.S. que debiendo realizarse en el Campo del moro, se hallaría mejor situado entre el que actualmente sirve a los moros y el Arroyo del Flamenco, en una pradera llana por encima de la playa de San Antonio y algo más avanzado que el señalado, porque siendo éste un terreno mucho más bajo que el de arriba se hallaría más descubierto de los fuegos de la Plaza, no podrían los enemigos ofender con tanta facilidad a nuestras tropas, y los sepulcros se harían más profundos y sin quedar expuestos los cadáveres a ser comidos de los caribes; más no obstante se ejecutará la cerca donde se ha señalado, aunque con mayor trabajo o de modo que no pueda servir de parapeto a los enemigos, a cuyo efecto y cuando V.S. lo tuviese por conveniente podrá destinar una Brigada para el arranque y conducción de la piedra y sobre lo que espero el aviso de V.S. para tomar mis disposiciones…* (AGCE-FH, 19, 135).

Este olvidado cementerio, que vendría a estar en el llano donde un siglo más tarde se construyó la prisión de los Rosales, no puede confundirse con el fosario de Terrones, construido en la parte sur de la fortaleza al Mansura, entonces denominada Ceuta la Vieja, pero protegido por sus murallas, como puede verse en un plano de 1864 trazado por el capitán Félix Recio (GÓMEZ, 2013, 117).

Respecto a este otro cementerio, también en el campo exterior, sabemos que fue necesario habilitarlo ante la preocupación de los médicos de pasar a las víctimas del cólera, durante la guerra de 1859-60 desde los hospitales y posiciones, a través de la ciudad, hasta el cementerio de Santa Catalina, el cual además, se saturó muy pronto, haciendo necesario cavar fosas comunes en su parte posterior (GÓMEZ, 2011, 226-7).

Del descuido y desaparición de este camposanto hemos escrito con anterioridad:

> *En 1885 se quejaba ya el periódico local* El Eco de Ceuta *de cómo la enorme fosa excavada entonces fue rodeada de un cercado y cómo unas obras que se hacían en el entorno del fuerte de Terrones amenazaban con borrar toda huella de su existencia. Incluso solicitaba la construcción de un monumento al que pudieran ser trasladados, pidiendo el mismo interés que habían tenido para levantar el monumento funerario al jefe de Estado Mayor Ramón Jáudenes y Álvarez* (EL ECO DE CEUTA, 15 de octubre de 1885 p. 1-2). *Diez años más tarde, los restos de algunos militares sepultados en el cementerio de Santa Catalina fueron trasladados al mausoleo levantado en el centro de la plaza de África* (ÁLVAREZ, 2004, pp. 153-176). *Nadie se acordó de quienes estaban en el cementerio de Tetuán, se lamentaba García Figueras* (GARCÍA, 1961, p. 262), *pero tampoco de quienes reposaban en el fosario de Terrones, a pesar de que sobre la pertinencia de hacerlo se hubiera escrito en la prensa años atrás* (LA DINASTÍA, 28 de octubre de 1890).

Los problemas de propiedad y extensión del cementerio de Santa Catalina y los camposantos del campo exterior

El paso en Ceuta de la Junta de Ciudad a Ayuntamiento Constitucional, en 1812 estuvo lastrado por la preponderancia de la Plaza militar sobre la Ciudad. Así, costó mucho conseguir la independización de la Junta de Abastos, a la que el municipio se hallaba supeditado económicamente, y se partió de una evidente falta de bienes de propios, que sólo comenzó a remediarse a partir del reparto de tierras del Campo Exterior en 1867 (GÓMEZ, 2009 y 2013).

Como sabemos, la ubicación y extensión del cementerio de Santa Catalina fue determinada por la Comandancia de Ingenieros de la Plaza, siendo siempre discutida por ser terrenos del Ministerio de la Guerra y considerarse necesarios para otros fines militares.

Los primeros problemas surgieron dos años más tarde de su bendición, cuando el Ayuntamiento solicitó permiso para construir nichos y venderlos, lo que propició un complejo debate entre los estamentos municipal y militar que se saldó con la cesión de terrenos al Municipio por parte del Ministerio de la guerra (AGCE-FH, 19,135).

Pero la crisis más importante se produjo en 1858, cuando el ayuntamiento pidió la ampliación del camposanto y el Ministerio de la Guerra, por consejo del Cuerpo de Ingenieros, propuso el traslado del mismo al Campo Exterior, con dos ubicaciones posibles, de una parte la explanada que hoy alberga las instalaciones de lo que fuera la Hípica, entre la avenida de España, Teniente General Muslera y Parque Ceuta; y de otra el espacio entre el Morro y las Casas de Jadú, es decir, la parte sur de esta Barriada (AGCE-FH, 19-135). Naturalmente, la propuesta no fue bien acogida por la población, en unos momentos en los que salir más allá de las Murallas Reales entrañaba peligros reales, y aunque la Real Orden de autorización se promulgó en 1858, las autoridades militares se resistieron a aplicarla hasta llegar al año 1863.

Ya hemos visto que con motivo de la Guerra de 1859-60 hubo que habilitar un fosario en la zona del Afrag o Ceuta la Vieja, como entonces se denominaba, lo que parecía dar fuerza a los argumentos de la Comandancia de Ingenieros para trasladar el cementerio de Santa Catalina. Esto, sumado al hecho de que la zona de Santa Catalina estaba declarada como "táctica" y que la duplicación de espacio que se solicitaba duplicaba los peligros respecto al polvorín cercano, hizo que la negociación fuese larga. Intervinieron en ella varios comandantes generales y coroneles de Ingenieros hasta que por fin, en 1863, los informes favorables a la permanencia y ampliación del camposanto en Santa Catalina del coronel Andrés Brull y Sinués inclinaron la balanza a favor de los intereses municipales (AGCE-FH, 19-135).

Hay que reconocer que, entre los alcaldes que más se preocuparon por conseguirlo, destaca Manuel Crivell González (1861-1863), quien en un escrito dirigido el 18 de agosto de 1861 al comandante general Ramón Gómez Pulido, llegó a decir que:

> *V.E. sabe también que en los días consagrados a la conmemoración de los difuntos, todos los parientes, deudos y amigos de todas clases de la sociedad desean visitar los lugares en que yacen sus restos, y desde ellos consagrarles*

sus lágrimas y recuerdos, encomendándolos a la clemencia del Altísimo, y esto es fácil verificarlo en el sitio de Santa Catalina, tanto por la distancia como por no necesitarse permiso especial para ello; lo que no sería fácil para la generalidad si el cementerio se hallase en el campo exterior de la Plaza. V.E. sabe igualmente, como conocedor de todo el territorio de su digno mando, que la mayor parte de las aguas potables que se consumen en la población traen su origen del indicado campo, y serían perjudiciales las filtraciones que pudieran ocurrir en los veneros de la misma. Y V.E. conoce así mismo la barbarie y fanatismo de los contiguos marroquíes, que tendrían un placer como ajenos a la civilización, de hollar y profanar nuestros sepulcros en excursiones nocturnas, guarecidos de la oscuridad.- Por los motivos expuesto el Ayuntamiento ha acordado, como desde luego lo verifico, suplique a V.E. se sirva autorizar a la corporación para que la obra del nuevo cementerio se ejecute en el referido sitio, cuyo terreno está ya concedido por Real Orden de 13 de noviembre de 1858, y en lo que cree no habrá oposición por parte del Sr. coronel comandante de Ingenieros, y obtenida que sea la autorización el Ayuntamiento pasará manos de V.E. el plano y presupuestos de la obra para su aprobación superior.

El acuerdo se cerró en 1863, siendo alcalde José Moreno Alarcón (1863-1865), tras haber realizado el proyecto por la comandancia de Ingenieros, al mando del coronel Andrés Brull, al carecer el Ayuntamiento de arquitecto y cediéndole el Ayuntamiento al Ministerio de la Guerra el espacio interior del primer patio, en su parte derecha, para que regimientos y personalidades militares pudieran construir sus panteones. Además, el Ayuntamiento, en sesión de 30 de mayo de 1863, al producirse el traslado a la subinspección de Ingenieros de Extremadura, acordó darle el nombre de Coronel Brull –hoy solamente Brull- a la calle recién abierta entre el Cuartel de la Reina y la plaza de Maestranza.

Las obras se prolongaron varios años y en 1865 no había levantado más que un muro de la capilla, cuyas obras se prolongarían aún más de veinte años, teniendo lugar su bendición el 28 de enero de 1889, por el entonces vicario eclesiástico D. José Xiqués y Soler, concelebrando con el beneficiado D. Cayetano Villalta González (OROZCO, 28 de enero de 1889).

Innumerables ampliaciones se han producido desde entonces, como la ejecutada en 1901 siendo coronel de Ingenieros D. José Madrid, pero más importantes aún han sido las producidas en la segunda mitad del siglo XX, tanto al norte como al este y al oeste del cementerio, quedando imposibilitada su ampliación hacia el sur por haberse levantado en el siglo XIX, en ese lugar, el cementerio judío, al que más adelante dedicaremos unas líneas.

Nos parece importante reseñar que en 1931, la capilla del cementerio de Santa Catalina fue clausurada y que por oficio del 22 de abril de 1935 fue autorizado el Vicario General por el Delegado del Gobierno para quitar el candado y volver a celebrar en ella actos de culto (ADCE-D, 1050). Y también que, a pesar de las sospechas y rumores que circularon durante muchos años, las últimas investigaciones realizadas sobre las víctimas de la represión franquista, parecen descartar que existiesen fosas comunes fuera de la existente en el propio cementerio de Santa Catalina, y cuyos nombres han sido justamente vindicados en la monumentalización de la misma (SÁNCHEZ, 2004, 371).

Otros lugares de enterramiento propuestos a finales del siglo XIX y comienzos del XX

En diferentes momentos de la historia contemporánea se han proyectado y/o habilitado espacios de inhumación, de personas que no fueron registradas ni en los libros sacramentales de las parroquias, ni en los del registro civil, sin que hayan llegado a nosotros los que hubiese podido formar el municipio o el ministerio de la Guerra.

Se trata de espacios que no fueron respetados más tarde, ni tan siquiera se ha hecho memoria de ellos en historias, crónicas ni artículos, pero que existieron. Así, por ejemplo, en 1893 se autorizó un cementerio provisional en Jadú, por si hubiese viruela y fuese necesario utilizar el departamento de corrigendos como hospital de penados enfermos, sin que tengamos constancia de que tuviera uso (ADCE-D, 1034).

En el año 1921 se habilitó un cementerio en el Tarajal, para las víctimas del tifus exantemático que estaban muriendo en los cementerios próximos de O'Donnell y Docker, que fue bendecido por el cura castrense D. Maximino Paraleda a las 16 horas del 28 de octubre de 1921, junto al puente de la carretera del Tarajal. El terreno era cuadrado, con 25 metros de lado, situado al norte de un *hospitalillo* –que debió levantarse al efecto–, a unos cuatrocientos metros, y con acceso por el camino que subía al fuerte del Príncipe Alfonso (AGCE-FH, 19, 135).

No sólo las enfermedades epidémicas, sino también las campañas de Marruecos alarmaron considerablemente a las autoridades militares y demostraron la insuficiencia del cementerio de Santa Catalina. En 1923, el Comandante General Manuel Montero Navarro, escribía al Coronel de Ingenieros Luis Navarro, pidiéndole que señalara un lugar para un nuevo cementerio en el ensanche, presidido por un mausoleo que conmemorara dignamente los caídos en la defensa de la Patria y al cual se pudieran trasladar, en su día, los cadáveres esparcidos en diversas posiciones del territorio. En el estudio, se vio que en el quinquenio transcurrido entre septiembre de 1918 y 3l mismo mes de 1923 se había dado sepultura en Santa Catalina a 3.677 cadáveres, proponiéndose una explanada en el Jaral, que no llegó a ser realidad (AGCE-FH, 19, 135).

Valores patrimoniales del cementerio de Santa Catalina

La propia dinámica de control del crecimiento del cementerio, y sus ampliaciones, no han sido buenos impulsores del surgimiento de un patrimonio monumental importante en el recinto. En dos épocas muy diferentes, los arquitectos José Blein Zarazaga y Javier Arnaiz Seco, se plantearon y realizaron proyectos de reforma y enriquecimiento del cementerio, pero con poco resultado.

A finales del siglo XIX, y tras el acuerdo de ampliación de 1863, se construyen algunos panteones como el del geógrafo Ramón Jáudenes o el del alcalde y diputado Rafael Orozco por ingenieros militares. Destacables son también los de Isabel Pascual de Bonanza o el de Regulares.

A pesar de ello, los más notables por su calidad artística son los pertenecientes a familias como

Monumento funerario de Regulares 3.

los Crivell o los Delgado, construidos en Málaga, o los encargados en Italia por las familias Cerni (a los Nicoli de Génova) o Raggio (a los Vannucci en Pietrasanta, Toscana).

El propio arquitecto Javier Arnaiz, en colaboración con los escultores Alejandro y Javier Pedrajas, han realizado en los últimos años importantes intervenciones como con la conversión en enorme panteón de la fosa que contenía los restos de los represaliados durante la Guerra Civil española, y los nuevos monumentos dedicados a los Héroes de las Campañas africanas del siglo XX y al diputado y alcalde, fusilado en 1936, Antonio López Sánchez Prado (GÓMEZ, 2015).

Una cripta y un columbario en la plaza de África

Para finalizar con los lugares de enterramiento cristianos, hemos de reseñar al menos el Monumento a los Héroes de la Guerra de África de 1859-60 proyectado en 1892 por el ingeniero militar José Madrid Ruiz y que fue inaugurado el 4 de mayo de 1895, siendo trasladados al interior de su cripta los restos de los militares caídos en la Campaña y que pudieron ser identificados, tanto en el Cementerio de Santa Catalina como en el fosario de Terrones. El mismo continúa siendo el centro visible de la plaza de África y en cuanto a sus valores, de construcción como de exorno con bronces salidos de los barros del genial escultor sevillano Antonio Susillo, fallecido a edad temprana, nos remitimos al trabajo del profesor Álvarez Cruz (ÁLVAREZ, 2004).

Como curiosidad sobre quienes reposan en esta cripta y el acto de su inauguración, reproducimos la crónica publicada en la prensa nacional, en la que recuerda haber sido el primer monumento nacional con el que contó la Ciudad (LA ÉPOCA, 10 de mayo de 1895):

> *EN HONOR DE LOS HEROES DE LA GUERRA DE AFRICA (DE NUESTRO CORRESPONSAL).- Ceuta 5 de mayo.- Como anuncié oportunamente, ayer se realizó el noble pensamiento de esta guarnición de trasladar al monumento erigido por ella, en la plaza de África, los restos de sus queridos compañeros muertos gloriosamente en la campaña de África, monumento que fue declarado, de Real orden, Nacional. A las diez de la mañana, la brigada de esta guarnición y el tercer batallón cubrían la larga carrera desde el rastrillo del Pozo del Rayo hasta el obelisco, situado en el centro del bonito jardín de la plaza. Formaba a la cabeza el regimiento de África, número 2;*

seguía el batallón de Artillería, y luego el regimiento de África núm. 8, mandando la línea el general de brigada D. José Ramos Navarro.

Marchaban también a vanguardia del cortejo seis piquetes de los Cuerpos, al mando de un teniente coronel. Los restos yacentes en el cementerio pertenecían á los jefes y oficiales siguientes: Teniente coronel de Cazadores de Madrid, D. Antonio Piniés.— Teniente de ídem id., D. Andrés Alaminos.— Capitán de Ingenieros, D. Bernardo Palermo.— Comandante del regimiento de Navarra, D. Gregorio García.- Capitán del regimiento de Castilla, D. Ceferino Ventura.— Capitán de Cazadores de las Navas, D. Federico Pellicer.—Comandante del regimiento de Córdoba, D. Bernardo Gelabert. — Capitán de Cazadores de Cataluña, D. Miguel de Castro.— Teniente de Cazadores de Vergara, D. José Villena.— Teniente de Cazadores de Alcántara, D. Jacinto Mena. Además, se depositaron en el monumento los restos de soldados que pudieron encontrarse en el antiguo cementerio establecido en Ceuta la Vieja. La traslación hízola en lujosa caja el Ayuntamiento, y, llevaba por escolta el escuadrón de Cazadores. En el rastrillo que antes se indica, la recibieron el comandante general, Sr. Correa, y las Comisiones y representantes de los Cuerpos, depositándola sobre un armón, que convirtió en magnífica carroza el Cuerpo de Artillería, adornándole con notable gusto.

Cubierto de coronas el coche fúnebre, emprendió la marcha por la carrera que cubrían las tropas, rindiendo honores de capitán general con mando en plaza. Imponente y majestuoso el acto, hacía vibrar en el numeroso público que lo presenciaba la fibra del patriotismo, estimulado por el recuerdo que de nuestras glorias evocaba el acto, y hacia elevar, también al Altísimo una plegaria por aquellos héroes que la suerte designó como víctimas propiciatorias. Llegado el cortejo á la plaza de África, procedióse a la celebración de la Misa, que oyeron la multitud y las tropas, que, replegadas, habían formado en orden concentrado frente al monumento, haciéndose por los piquetes, colocados en la muralla Sur, las tres descargas de ordenanza, una al llegar los restos, otra al alzar a Dios y la tercera al depositarlos en la fosa, en cuyo instante la batería de salvas hizo una de 15 cañonazos. Levantóse el acta correspondiente de la entrega del monumento al Cabildo municipal, para su conservación. Luego leyeron a las tropas los distintos jefes de Cuerpo la alocución dirigida por el comandante general, Sr. Correa, a las mismas, y en enseguida empezó el desfile. Tal ha sido el último tributo de honor que esta guarnición, inspirándose en nobilísimos sentimientos, ha rendido, en nombre del Ejército y de la patria, a los queridos compañeros que perecieron en la guerra de 1859-60, y que arrancará un aplauso de todos aquellos que compartieran las glorio-

Monumento a los Héroes de la Guerra de África.

sas jornadas que tan alto pusieron el nombre militar español. Entre las coronas que adornaban el carro fúnebre destacábanse, en primer término, la dedicada por S. M. la Reina Regente, de exquisito gusto y notable mérito; otra del comandante general D. Rafael Correa, de laurel y flores naturales, dedicada á los soldados, lindísima y de gran efecto; e igualmente notables eran las remitidas por los regimientos de Córdoba, Navarra y Cazadores de Cataluña; las dos del alcalde y Ayuntamiento de esta población, y, por último, la de esta guarnición, que era de pensamientos. La ciudad ha respondido al llamamiento del alcalde y a la demostración del Ejército Con gran entusiasmo. Las calles de la carrera estaban adornadas con vistosas colgaduras, ostentando los negros crespones, símbolo del dolor; y al paso de la carroza cayeron sobre ella tal profusión de flores y de coronas que la cubrieron literalmente. Ceuta ha sabido expresar sus sentimientos de amor a la patria, contribuyendo da este modo a realizar el nobilísimo pensamiento de la guarnición.

La orden general leída a las tropas es notable, y dice así: «Soldados: En nombre del Ejército y de la patria nos ha cabido la suerte de honrar la memoria de nuestros camaradas, los que tan bizarramente sucumbieron defendiendo el honor nacional en la gloriosa campaña de África, al atacar y conquistar esas formidables posiciones que tenemos a nuestra vista.

Testigo presencial de aquellas hazañas, puedo aseguraros que cumplieron con heroísmo el sagrado juramento a Dios y promesa a la Reina de no abandonar sus banderas en acción de guerra o preparación para empezarla, hasta perder la última gota de su sangre, pues pelearon con honra y murieron con ella en aquella lucha que renovó las antiguas glorias militares de España. A nosotros nos toca imitar su ejemplo cuando llegue la ocasión, y mientras tanto admirarlos y descubrirnos con orgullo ante ese mausoleo donde el Ejército ha depositado los restos da sus queridos compañeros y la patria sus preclaros Hijos. ¡Loor á esos héroes! Vuestro general.— Correa.

La otra referencia que no podía quedar en el tintero, es la conversión en columbario del panteón construido a finales del siglo XVII en el Santuario de Nuestra Señora de África, a iniciativa del obispo Vidal Marín.

El 12 de junio 2003, después de más de un siglo, volvió a utilizarse como lugar de enterramiento la cripta del Santuario, con el traslado a uno de sus nichos de los restos de quien fuera su rector durante muchos años, el padre Bernabé Perpén Rodríguez (EL FARO DE CEUTA, 13 de junio de 2003). Unos años después, el Obispo de Cádiz y Ceuta autorizó la conversión del panteón en columbario, con 240 nichos para cuatro urnas cada uno, que fue bendecido por el propio prelado, Antonio Ceballos Atienza, el 5 de septiembre de 2009 (El FARO DE CEUTA, 6 de septiembre de 2009).

El Cementerio Civil

La confesionalidad de España, durante siglos, dio por resultado costumbres verdaderamente condenables, como cuenta el profesor Rodríguez Marín (RODRÍGUEZ MARÍN, 2005):

> *La situación era más grave en Andalucía, donde por razones de índole económica y comercial la comunidad británica era más abundante. En Málaga, donde se negaba a los británicos ser inhumados en suelo sagrado, el entierro se celebraba de noche, alumbrando con antorchas el traslado del difunto hasta alguna playa apartada, donde era depositado en una fosa vertical y mirando hacia el mar del que provenían, sin ningún tipo de oración y dejando expuesto el cadáver a que el temporal lo descubriese o a que arrojasen basuras sobre la tumba, que carecía de cualquier tipo de señalización.*

Como es bien sabido, en Ceuta hubo lugares de enterramientos para musulmanes y judíos, normalmente fuera de poblado, pero bajo la protección de las murallas, lo que se denominaba "bajo el tiro del cañón", permitiéndoles seguir sus costumbres y ritos funerarios.

A nivel nacional, las cosas comenzaron a cambiar con la Real Orden de 13 de noviembre de 1831 por la que Fernando VII expresó no existir impedimento en que los ingleses adquirieran terrenos para construir sus cementerios, sin que pudieran tener capilla pública (GACETA DE MADRID, 31 de diciembre de 1831), siendo este el origen de los cementerios ingleses de La Coruña, Madrid y Málaga (NISTAL, 1996).

El 24 de octubre de 1855 se publicaba en la Gaceta de Madrid un proyecto de Ley, muy breve, pero importante, que había sido aprobado el 29 de abril de 1855:

> *Artículo único. En todas las poblaciones donde la necesidad lo exija, a juicio del Gobierno, se permitirá construir cementerios a donde sean conducidos, con el decoro debido a los restos humanos, los cadáveres de las personas que mueran en España fuera de la comunión católica.- Madrid 2 de abril de 1855.- Joaquín de Aguirre.*

No parece que en Ceuta se pusiera en ejecución el mismo y, así, habría que esperar a la *Real Orden* –de Amadeo de Saboya– *de 28 de febrero de 1872 disponiendo que en las poblaciones donde no hubiese cementerios destinados á inhumar los restos de los no católicos, se amplíen los campos santos existentes con destino á este servicio, y autorizando á los Ayuntamientos y asociaciones religiosas distintas de la católica para construir cementerios especiales* (GACETA DE MADRID, 1 de marzo de 1872).

De esta Real orden, nos interesa especialmente la disposición primera, que es la que define perfectamente el estado de los cementerios civiles en España durante alrededor de una centuria:

> *1ª. De conformidad con el espíritu y disposiciones consignadas en la ley de 29 de abril de 1855, en todas las poblaciones donde no hubiese cementerio destinado a inhumar los restos de los que mueren perteneciendo a religión distinta de la católica, se ampliarán los existentes, tomando la parte del terreno contiguo que se considere necesario para el objeto. La parte ampliada se rodeará de un muro o cerca como lo demás del cementerio y el acceso a la misma se verificará por una puerta especial independiente de éste, por la cual entrarán los cadáveres que allí deban inhumarse y las personas que los acompañen.*

Lo que siguió a continuación, tanto para el cementerio civil como para el cementerio judío, fue una petición del juez municipal al Alcalde, en los últimos días de la I República española, que éste remitió al Gobernador, durante los primeros días del Gobierno provisional del general Serrano para delimitar ambos recintos, a lo que se dio cumplimiento el 20 de febrero de 1874 (GÓMEZ, 2014, 249-250).

La habilitación material del espacio se realizó en 1884 (EL ECO DE CEUTA, 8 de julio de 1884). Con el tiempo y las ampliaciones del cementerio de Santa Catalina, el cementerio civil quedó convertido en lo que hoy es, es decir, un pequeño recinto unido al cementerio general, que tenía acceso independiente y único.

La tapia que unía ambos fue derribada por vez primera en diciembre de 1931, por acuerdo del Ayuntamiento de la II República (AGCE-AC, 31-3, Pleno de 12 de diciembre de 1931), para volver a ser levantada durante la Guerra Civil. Con la promulgación de la Constitución Española de 1978 y en aplicación de la no discriminación por razón de religión, se volvió a darle acceso directo por el general.

El cementerio civil es muy querido por los ceutíes, pues en él tiene su sepultura el destacado músico militar Ángel García Ruiz, Director de la Banda de Música de La Legión, de la Orquesta Sinfónica de Ceuta y del Conservatorio. Autor del himno de Ceuta y cuyo nombre lleva hoy el Conservatorio Oficial de Música de la Ciudad. Sus discípulos pusieron en ella la siguiente inscripción:

D. ANGEL GARCIA RUIZ
HE SERVIDO A DIOS
CONSAGRANDO MI VIDA
A LA MUSICA
Y MAESTROS
21-2-1956

Tumba de Ángel García Ruiz en el antiguo cementerio civil.

Los cementerios judíos de Ceuta

La recomposición de la comunidad judía de Ceuta, durante la primera mitad del siglo XVI lleva a sus miembros a vivir bajo la protección de los gobernadores, en el barrio del Castillo, es decir en la ciudad intramuros, y no en los arrabales occidentales de la población, como lo hacían durante la época medieval islámica (GÓMEZ, 2014).

Seguramente, en esos años, continuaron enterrando a sus difuntos fuera de las murallas, pero bajo el tiro del cañón, y así debió ser hasta su salida de la población, en los primeros años del siglo XVIII.

A la vuelta de comerciantes judíos desde Gibraltar, en la primera mitad del siglo XIX, y parece que hasta la construcción del actual cementerio, utilizaron como camposanto un espacio por delante de las murallas merinidas. Manuel Lería y Ortiz de Saracho, que recuperó y editó parte de la obra del publicista local David Schiriqui, me contó que la familia conservaba un óleo de las murallas que entonces se conocían como *Ceuta la Vieja* y que cuando el anciano que lo poseía pasaba horas mirándolo, le preguntaban la razón y él siempre contestaba: *Porque ahí están enterrados mis mayores.*

Salvando los errores de quienes fueron los primeros comerciantes que volvieron y en qué fechas, David Schiriqui escribió en su manuscrito (SCHIRIQUI, 1967, 9):

> *El año 1848 vinieron a Ceuta los primeros hebreos, que fueron dos, los señores Cachí y Barchilón, de los cuales uno falleció después del 60, siendo enterrado en Ceuta la Vieja, sin poderse encontrar por los hebreos su sepultura hasta la fecha de 1899.*

Otra confirmación la encontramos en el libro de Emilio Lafuente (LAFUENTE, 1862, 6):

> *Poco más adelante, y a la derecha del camino, se ven grandes y carcomidos lienzos de muralla, ruinosos torreones y cimientos de extensos edificios, que son llamados Ceuta la Vieja...*
>
> *...No lejos de estas ruinas y a la orilla del mar, existe el sepulcro de un judío cubierto con una losa de mármol, que contiene una inscripción en caracteres hebreos, incisos, pintados de negro y como de dos pulgadas de largo, de la cual consta que se llamaba Moisés. Es de época moderna.*

Lugar donde estuvo el antiguo cementerio judío.

Como ya hemos señalado en un trabajo anterior (GÓMEZ, 2014, 246):

> *El arabista nos aporta una preciosa información, del cementerio previo al actual, sin que nadie sepa de esa ni otras tumbas que pudiera haber en el lugar. Lo que sí es lógico es la ubicación elegida, pues estaba fuera de la linde fronteriza, con buen acceso por la costa norte, e incluso la playa Benítez era una de las mejores ensenadas de embarco y desembarco.*
>
> *Un último apunte: Las familias antiguas de Ceuta conocían a comienzos del siglo XX el montecillo sobre el que hoy se levanta la barriada Loma del Pez, es decir, la loma de Fez, como el monte Coriat, lo que muy posiblemente tenga relación con el lugar de inhumación.*

A pesar de la promulgación de la Ley de 1855 que autorizaba la construcción de cementerios para personas de otras religiones, ya hemos visto como en Ceuta no se puso en práctica hasta el año 1873. Volvemos a traer aquí un texto publicado con anterioridad (GÓMEZ, 2014, 249-251):

> *Consentida la inscripción de los judíos tanto en el padrón como en los libros del Registro Civil, había que dar un paso más, pues era evidente que en cualquier momento se encontrarían con la necesidad de dar sepultura a algún miembro de la comunidad. El asunto se complicaba pues los nuevos límites de Ceuta dejaban la zona del arroyo de Benítez dentro de la población. Es decir, que había que pedir autorización para poder seguir utilizándolo, si aquella hubiera sido la intención.*

El paso lo dio el juez municipal, el 27 de diciembre de 1873, al dirigirse al alcalde Antonio Rodríguez Jaén, exponiéndole el asunto. Este, a su vez, escribió al entonces comandante general, Francisco Gavilá y Sola, trasladándole las palabras del primero –aunque no su nombre- que eran del tenor siguiente (AGCE-FH, 19, 135):

> Estimaré de la bondad de V.S. me manifieste lo más pronto que le sea posible el sitio designado para el enterramiento de los hebreos y demás sujetos que fallezcan de las diferentes sectas que existen en esta Plaza.
>
> Y como quiera que a la fecha no lo haya hecho V.S. y pueda ocurrir el fallecimiento de alguno de aquellos, espero de su bondad lo haga en obsequio a la buena administración de justicia a que todos estamos obligados, y para prohibir detenciones perjudiciales a la salud pública.

El Ayuntamiento se reunió el 10 de enero de 1874 y acordó pedir al Comandante General que informara sobre el tema el Coronel de Ingenieros, como era preceptivo, proponiendo para ello el terreno lindante con el cementerio de Santa Catalina, por su parte sur.

Gavilá lo remitió al coronel Nicolás Cheli, quien envió al teniente coronel Joaquín Montero Navarro a realizar el levantamiento del terreno, dando lugar a un plano con la delimitación de dos rectángulos para el enterramiento, uno de judíos y otro de protestantes.

Se constituyó una comisión compuesta por el teniente alcalde Diego Horguín Pastrana y los concejales José Mas Solano y Antonio Maeso Molina para hacer la recepción de los terrenos, que se consumó el 20 de febrero de 1874.

No sabemos si hubo Orden de concesión, que posiblemente la hubiera, comunicada, pero no pudo ser Real, pues en esos meses gobernaba España el general Serrano, en un gobierno provisional entre la salida de Amadeo de Saboya y la restauración del trono en Alfonso XII.

Los 306 metros cuadrados concedidos se hicieron insuficientes para albergar las sepulturas necesarias a comienzos del siglo XX, por lo que se solicitó una nueva ampliación de 714 metros cuadrados. En esta ocasión medió una Real Orden que se comunicó al Ayuntamiento con su concesión, el 14 de marzo de 1904. Eran entonces, alcalde Juan Sánchez García y comandante general Francisco Fernández Bernal.

De nuevo, hubo que solicitar la delimitación al Cuerpo de Ingenieros y constituir una comisión con el teniente alcalde Saturnino Marco Fernández y los concejales Joaquín Huelbes Temprado y José Barba Báez para su recepción, el 20 de febrero de 1874.

Fue entonces cuando se hicieron el vallado perimetral –que hasta entonces no había tenido- y las gradas, verja y puerta de acceso, todo ello diseñado por la Comandancia exenta de Ingenieros a cuyo frente se hallaba Antonio Roca Pereyra.

Con posterioridad, el cementerio volvería a ampliarse y aún más, se transferiría su propiedad del Ayuntamiento a la Comunidad (MÍGUEZ Y MARTÍNEZ, 1976,87):

En el año 1958, se solicita, y no sólo su ampliación, sino la propiedad "de iure" del mismo. El Pleno del Ayuntamiento, sin discusión y por unanimidad, accede a la enajenación por venta directa a la Comunidad Israelita de Ceuta, por el simbólico precio de una peseta por metro cuadrado.

Los cementerios islámicos

Conquistada la ciudad por las tropas de D. Juan I de Portugal, en 1415, no quedaron musulmanes en la población. Si entraban era para comerciar o tratar algún asunto, pero siempre bajo vigilancia y sin residencia. Eso, inclusive, cuando los Reglamentos de Ciudad de la primera mitad del siglo XVIII (PORTUGUÉS, 1765, t. VIII) nos hablan de la existencia de *Moros de Paz,* dado que estos no vivían intramuros, sino dentro del tiro de cañón.

Durante el cerco de Muley Ismail, el bacha Ahmed ben Alí Ar-Riffi (ERZINI, 1994) levantó a las afueras de Ceuta el palacio denominado por los ceutíes como El Serrallo, delante del cual estaba la mezquita de Sidi Embarek, y en sus inmediaciones los cercadores enterraban a sus deudos. Este cementerio aparece en un plano de la Biblioteca Nacional de 1720 (BNE, MR/42/387) y también nos hemos referido a él a través de las ubicaciones de cementerios en el campo exterior, con motivo de la epidemia que afecto al ejército comandado por el marqués de Lede en el primer cuarto del siglo XVIII, o para instalar el cementerio del hospital provisional de Algeciras en 1811.

Sin embargo, la situación cambiaría a finales del siglo XVIII cuando fueron repatriados los mogataces desde el Oranesado, habilitándoseles un fondak en el paseo de Colón, que con los años se convirtió en un verdadero barrio. Como ya hemos señalado en otros trabajos, debió ser en esos momentos cuando se restauró el morabito de Sidi bel Abbas, en la falda sur del monte Hacho, y en cuyas inmediaciones debieron enterrarse estas familias durante algo más de una centuria. Es más, en algunos documentos registrales de propiedades de la zona del Sarchal hemos visto la denominación del camino que va hasta Sidi bel Abbas citado como "el camino del cortejo" (RPC, t.6, 404, 1806, 224; AHC-CH, Ceuta, Libro 2º, 1852, 215).

Sidi Embarek a comienzos del siglo XX.

Hay que decir que en épocas de paz, al menos en el siglo XVII, se permitía que ocasionalmente entrasen personas para celebrar romerías a Sidi bel Abbas, como demuestran las prohibiciones que sobre el particular hicieron algunos prelados locales, según cuenta Ros Calaf (ROS, 1912, XXXV):

> *Este mismo Ilmo. Sr.* –se refiere al prelado Manuel de Ciabra– *en la Visita de 1578... prohibió igualmente bajo las más severas penas las romerías que hacían los mahometanos al sepulcro del Santón Sidi Bel Abes que estaba en la Almina. Estas disposiciones fueron confirmadas por los Ilmos. Sres. Diego Correa en 1588, Antonio Aguiar en 1619 y Chacón en 1680; desde esta fecha no se habla más de ellas.*

Con la guerra de África de 1859-60 el morabito de Sidi Embarek y su cementerio quedaron dentro de los nuevos límites de la ciudad y así, tanto los miembros de las compañías de Tiradores del Rif, como más tarde los Regulares, utilizaron este cementerio, con ampliaciones constantes hasta nuestros días, entre las cuales ya nos hemos referido en otros trabajos a algunas de ellas. Así, *en 1883 el gobernador José Pascual de Bonanza autorizó la construcción de un albergue para los musulmanes que acudían a rezar a la mezquita y retirarse en ella, a petición del capitán jefe de la Sección de Moros Tiradores del Riff. Con posterioridad, la Comandancia General facilitó obras de ampliación y mejora de la mezquita y el cementerio en 1909 y 1911* (GÓMEZ, 2015).

Y:

En diciembre de 1911 se habían librado 6.000 pesetas para cercar la mezquita y cementerio de Sidi Embarek y construir una escuela para niños moros, de cuyo proyecto se encargó, en julio de 1912, al Teniente de Ingenieros José Mollá Noguerol.

Cementerio de Benzú.

El proyecto de José Ubach y Elósegui, redactado en 1909 venía precedido de un cambio en las relaciones entre Ceuta y las cabilas vecinas, concretamente la de Anyera, propiciado por la visita realizada por S.M. el Rey D. Alfonso XIII el 8 de marzo de 1909. El autor del proyecto expone la dificultad de utilizar la reprensión como política y en ese cambio de línea se justifican las mejoras en éste y otros edificios de uso por los musulmanes fronterizos. Así pues, en el punto tercero de la comunicación enviada por el Coronel Comandante Exento de Ingenieros D. Pedro Vives y Vich, firmada el 10 de marzo de 1909 y dirigida al Comandante de Ingenieros D. José Ubach y Elósegui se decía: Por resultar en la actualidad insuficiente el alojamiento destinado a los moros que en peregrinación afluyen a la Mezquita de Sidi-Embarek se proyectará en los terrenos afectos a la misma un nuevo alojamiento de dimensiones interiores 6'00 x 4'00 metros, procurando la economía en los procedimientos de construcción.

Ubach, en su memoria escribirá: Alojamiento en la Mezquita de Sidi-Embarec.- Los edificios afectos a esta Mezquita son en la actualidad el alojamiento del guardián, y un local dividido en dos departamentos para hombres y mujeres en el que pernoctan los que del interior vienen en peregrinación a rendir homenaje al Santo en ella enterrado. Estas peregrinaciones suelen ser numerosas resultando ya insuficiente para albergarlos el local actual, inconveniente que se aumentará una vez reconstruida la Kabba que motivará mayor número de peregrinaciones y estas seguramente visitarán ambos santuarios. (Se refiere tanto al de Sidi Embarec como al cercano de Sidi Brahim). Como el nuevo local puede destinarse a individuos de un sexo y el actual al del otro, lo hemos dejado reducido a un solo departamento –figura 10, 11 y 12 hoja 3ª-. La planta es de 6'00 x 4'00 metros y para la construcción propo-

nemos emplear mampostería ordinaria en los muros y cimientos. Todos los paramentos se enlucirán con mortero ordinario. Proponemos la cubierta de azotea sobre bovedilla tabicada y viguetas de hierro por las mismas razones ambas expuestas.

En 1940 la Alta Comisaría de España en Marruecos acordó encargar al Arquitecto José María Tejero y Benito los proyectos de dos mezquitas en Ceuta, una de las cuales se haría en los terrenos del cementerio de Sidi Embarek, sin perjuicio de la Qubba existente en el mismo, que quedó en un segundo plano ante la nueva imagen de la mezquita y su torre. La mezquita se hizo insuficiente a mediados de los años noventa por el enorme aumento de la población en las barriadas circunvecinas, demoliéndose la nave principal y haciéndose una nueva edificación que sólo ha respetado la torre alminar del proyecto de Tejero. Este nuevo edificio fue proyectado por las arquitectas Mª Teresa Cerdeira Bravo de Mansilla y Ana María Sales González, siendo inaugurado el 30 de diciembre de 1997 (GÓMEZ, 2008 A).

Como hemos escrito recientemente:

Respecto al cementerio, desde 1978 se han producido numerosas reclamaciones para su ampliación e incluso de construcción de uno nuevo más alejado de la población, pero la imposibilidad de trasladar los restos del actual ha llevado a mantener una situación harto compleja, como refleja la visita al recinto. La costumbre de levantar muretes alrededor de las tumbas –que no estaba en las tradiciones de la región hasta hace menos de una centuria- han dado por resultado este crecimiento enorme de la necrópolis musulmana de Ceuta, lo que tiene paralelismo en ciudades marroquíes como Salé.

Los enterramientos privados son frecuentes en el mundo musulmán. Así, en la ciudad se conserva otro morabito dedicado a Sidi Brahim, restaurado en 1909, tras la petición hecha por los notables de la zona al rey Alfonso XII en su visita de ese año a la Ciudad. En sus inmediaciones hubo enterramientos, hoy prácticamente perdidos. Del mismo modo, existe otro pequeño morabito en las inmediaciones del Renegado, con su correspondiente enterramiento.

En los últimos decenios ha surgido un nuevo cementerio musulmán en la zona que popularmente es conocida como la Cabililla de Benzú. Anteriormente había un pequeño cementerio en la zona limítrofe, pero seguramente por impermeabilización de la frontera llevada a cabo en ese mismo período se ha consolidado y acrecentado este nuevo lugar de enterramiento (GÓMEZ, 2015).

Epílogo

El presente trabajo trata de recoger cuantos datos nos ha sido posible obtener sobre los posibles lugares de enterramiento que los ceutíes han utilizado durante la edad moderna y contemporánea, sin distinción de origen ni religión. No se trata de un estado de la cuestión, pues poco había publicado hasta hoy, y mucha ha sido la documentación vaciada para obtener información. Tampoco es, ni mucho menos, un estudio definitivo, pero puede servir, no sólo para continuar investigando la temática, sino también como orientación para arqueólogos y arquitectos que se enfrentan frecuentemente al hallazgo de restos en los distintos puntos de la ciudad en los que realizan sus trabajos.

Queda mucho por saber y numerosos archivos que consultar.

Fuentes archivísticas:

ADCE (Archivo Diocesano de Ceuta), D (Despacho), legajos: 6, 1003, 1027, 1050, 1075; AC (Actas Capitulares), legajos 863, 864, 1137; CP (Cumplimiento pascual), legajos 769, 771 y 1191; RD (Reglamentación Diocesana) legajo 718.

AGCE (Archivo General de Ceuta) AC (Actas capitulares), legajo 10; FH (Fondo histórico), legajo: 19, expediente 135; SRCM (Santa y Real Casa de la Misericordia), legajos 7, 18, 1065, 1075.

AGS (Archivo General de Simancas) GM (Guerra Moderna), legajo 3338.

AHC (Archivo Histórico de Cádiz), CH (Contaduría de Hipotecas), Ceuta, Libro 2°, 1847-1853.

APNSA (Archivo de la Parroquia de Nuestra Señora de África), series sacramentales.

APNSR (Archivo de la Parroquia de Nuestra Señora de los Remedios), series sacramentales.

BNC (Biblioteca Nacional de Cataluña) FFB (Fondo Ferrer Bravo), Ms. 1379: Montes, F.A. S/F. *Noticias exactas de la fundación de Ceuta y por quien, su antigüedad, dueños que tuvo en ella naciones que la gobernaron, hasta que por la traición del Conde D. Julián fue entregada a los moros, conquista que hizo el Rey de Portugal D. Juan 1 en unión de sus tres hijos mayores para granjeársela a aquellos en el año 1415, Generales que desde esta fecha la han mandado hasta hoy, así por Portugal como por España, incluyendo razón exacta de los Obispos que han gobernado sus Iglesias en tiempo de una y otra Corona y otros asuntos particulares.*

BNE (Biblioteca Nacional de España), MR/42/387.

OROZCO, Ficheros de efemérides de Rafael Orozco García, hoy en poder del autor de este trabajo.

RPC (Registro de la Propiedad de Ceuta), tomo 6, nº 404, año 1806.

Fuentes hemerográficas

Diario Sur de Málaga, Málaga, 8 de febrero de 2006.

El Eco de Ceuta, Ceuta, 8 de julio de 1884; 15 de octubre de 1885.

Gaceta de Madrid, Madrid, 20 de abril de 1787; 27 de julio de 1804; 31 de diciembre de 1831; 24 de octubre de 1855; 1 de marzo de 1872

La Dinastía, Madrid, 28 de octubre de 1890.

La Época, Madrid, 10 de mayo de 1895.

La Esperanza, Madrid, 21 de diciembre de 1863.

La Iberia, Madrid, 23 de diciembre de 1863.

El Faro de Ceuta, 13 de junio de 2003; 6 de septiembre de 2009.

Fuentes bibliográficas:

Joaquín ÁLVAREZ CRUZ (2004), "Monumento a los caídos de la guerra de África 1859-60", en *Cuadernos del Archivo Central de Ceuta*, número 13, Ceuta.

Enrique ARQUES FERNÁNDEZ (1966), *Las Adelantadas de España. Las plazas españolas del litoral africano del Mediterráneo*, Madrid.

António BRÁSIO (1944), "Santa Maria de África, en *Portugal em África*, número 3, Lisboa.

Manuel CÁMARA DEL RÍO (1996), *La Santa y Real Hermandad, Hospital y Casa de Misericordia de Ceuta*, Ceuta.

Arthur de CAPELL BROOKE, (1831), *Sketches in Spain and Morocco*, Londres, t. I. p. 379.

Antonio CARMONA PORTILLO (1996), *Ceuta Española en el Antiguo Régimen. 1640 a 1800*, Ceuta.

Alejandro CORREA DA FRANCA (1999), *Historia de Ceuta. Edición del original manuscrito del s. XVIII*, Ceuta.

Nadia ERZINI (1994), "El serrallo': A palace and mosque built by the basha Ahmad B.'ali Ar-Rifi outside Ceuta" en *Hespéris –Tamuda*, vol. XXXII.

Emilio Alfonso FERNÁNDEZ SOTELO (1991), *La Basílica Tardorromana de Ceuta, Cuadernos del Rebellín,* 3, Ceuta.

Emilio Alfonso FERNÁNDEZ SOTELO (2000), *Basílica y necrópolis paleocristianas de Ceuta,* Ceuta.

Tomás GARCÍA FIGUERAS (1961), *Recuerdos Centenarios de una Guerra romántica. La guerra de África de nuestros abuelos (1859-60),* C.S.I.C., Madrid.

José Luis GÓMEZ BARCELÓ (1983), "Sepulturas episcopales en los templos ceutíes" en *Transfretana,* Instituto de Estudios Ceutíes, año IV, nº 4, pp. 125-133.

José Luis GÓMEZ BARCELÓ (1989), "La Iglesia de Ntra. Sra. de Gracia del Convento de Trinitarios Descalzos de Ceuta (1725-1835), en *Cuadernos del Archivo Municipal de Ceuta,* número 5, Ceuta, pp. 197-226.

José Luis GÓMEZ BARCELÓ (1990), "Evolución de calles y barrios en el istmo de Ceuta, coetánea al cerco de 1694-1727. Esbozo de un nomenclátor para su estudio", *II Congreso Internacional El Estrecho de Gibraltar,* Ceuta, t. IV, pp. 387-404.

José Luis GÓMEZ BARCELÓ (1995), "Nuestra Señora de los Remedios de Ceuta. Datos para el estudio de su devoción, imágenes y templo", en *Actas del Congreso Nacional sobre la advocación de Nuestra Señora de los Remedios,* Córdoba, pp. 187-206.

José Luis GÓMEZ BARCELÓ (1997), "San Juan de Dios. Su estancia en Ceuta y posterior presencia espiritual: Templos imágenes y otros recuerdos", *Religiosidad Popular en España,* San Lorenzo del Escorial, t. I, pp. 558-580.

José Luis GÓMEZ BARCELÓ (1998), "Nuevos datos para el estudio del Real Colegio, Convento e Iglesia de la Santísima Trinidad de Ceuta y la Madraza al-Yadida: Los planos de José Madrid Ruiz y Salvador Navarro de la Cruz y un desapercibido alzado anónimo", en *Homenaje al profesor Carlos Posac Mon,* Ceuta, t. II, pp. 205-222.

José Luis GÓMEZ BARCELÓ (2002) "Diócesis de Ceuta", en *Historia de las Diócesis Españolas: Sevilla, Huelva, Jerez, Cádiz y Ceuta,* Madrid, pp. 725-776 y 791-798.

José Luis GÓMEZ BARCELÓ (2006), "Devoción al Santísimo Sacramento en la Catedral de Ceuta: Capillas, cofradías, procesiones y objetos de culto", en *Simposium Religiosidad y ceremonias en torno a la Eucaristía,* San Lorenzo del Escorial, t. II, pp. 1093-1118.

José Luis GÓMEZ BARCELÓ (2007), "Fundaciones franciscanas en el Obispado de Ceuta (siglos XV al XIX)" en *Primer Simposio sobre Cuatro Siglos de Presencia de los Franciscanos en Estepa,* (2003) Estepa, pp. 373-392.

José Luis GÓMEZ BARCELÓ (2008), *Santa María de África,* Ceuta, 2ª edición.

José Luis GÓMEZ BARCELÓ (2008 A), "Los santuarios islámicos de Sidi bel Abbas, Sidi Embarek y Sidi Brahim" en *Cuadernos del Archivo Central de Ceuta*, nº 17, Ceuta, pp. 325-342.

José Luis GÓMEZ BARCELÓ (2009), "El siglo XIX", en *Historia de Ceuta. De los orígenes al año 2000*, Instituto de Estudios Ceutíes, t. II, pp. 118-209.

José Luis GÓMEZ BARCELÓ (2011), "La iglesia de Ceuta durante el conflicto y la ocupación de Tetuán", en *XII Jornadas de Historia de Ceuta: Ceuta y la Guerra de África de 1859-1860*, Ceuta, pp. 219-266.

José Luis GÓMEZ BARCELÓ (2012), "Curiosidades históricas sobre la Parroquia de N.S. de África", en *El Faro de Ceuta*, de 5 de agosto.

José Luis GÓMEZ BARCELÓ (2013), "Cuando el Afrag era Ceuta la Vieja", en *Al Mansura. La ciudad olvidada*, coords. F. Villada Paredes y P. Gurriarán Daza, Ceuta, pp. 111-134.

José Luis GÓMEZ BARCELÓ (2014), ""Presencia y vida de los judíos en la Ceuta de los siglos XV al XX", en las *XVI Jornadas de historia de Ceuta: Los judíos en Ceuta, el norte de África y el Estrecho de Gibraltar*, Ceuta, pp. 185-276.

José Luis GÓMEZ BARCELÓ (2015), "Los cementerios y lugares de enteramiento históricos conservados en la Ceuta actual", *Cementerios y enterramientos: Una visión patrimonial*, Melilla (en prensa).

José Luis GÓMEZ BARCELÓ (2015 A), "La sede episcopal vacante de Ceuta. Un obispado entre dos coronas", en *Congreso Internacional "Los orígenes de la expansión europea. Ceuta 1415"*, Ceuta (en prensa).

Carlos GOZALBES CRAVIOTO (1995), *El urbanismo religioso y cultural de Ceuta en la Edad Media*, Ceuta.

José Manuel HITA RUIZ y Fernando VILLADA PAREDES (2007), *Un decenio de arqueología en Ceuta 1996-2006*, Ceuta.

Enrique JARQUE ROS (1989), *Historia general de la peste. La peste bubónica y Ceuta*, Ceuta.

Emilio LAFUENTE ALCÁNTARA (1862) *Catálogo de los códices arábigos adquiridos en Tetuán por el Gobierno de S.M.*, Madrid.

Jerónimo MASCARENHAS (1918) *Historia de la ciudad de Ceuta*, Coimbra.

Manuel MÍGUEZ NÚÑEZ y José Luis MARTÍNEZ LÓPEZ (1976), *Ceuta, también es, Sefarad*, Ceuta.

Francisco María MONTERO (1860), *Historia de Gibraltar y de su Campo*, Cádiz.

Mikel NISTAL (1996), "Legislación funeraria y cementerial española: Una visión espacial, en *Lurralde: investigación y espacio*, nº 19, pp. 29-53.

Visconde de PAIVA MANSO (1872), *Historia Ecclesiastica Ultramarina,* Lisboa.

Manuel PÉREZ-PETINTO y COSTA (2001), *Historia de Algeciras,* Algeciras.

Joseph Antonio PORTUGUÉS (17659, *Colección general de las Ordenanzas Militares, sus innovaciones, y aditamentos, dispuesta en diez tomos...* Madrid, tomo VIII.

Carlos POSAC MON (1965), *Estudio arqueológico de Ceuta,* Ceuta.

Carlos POSAC MON (1966) "Una necrópolis romana descubierta en Ceuta", en *Actas del IX Congreso Nacional de Arqueología,* (Valladolid 1965), Zaragoza, pp. 331-333.

Juan José RELOSILLAS MELLADO (1886) *Catorce meses en Ceuta,* Málaga.

Francisco Javier RODRÍGUEZ BARBERÁN (2004), "Cementerios en Andalucía e Iberoamérica", en *Enfermedad y muerte en América y Andalucía (siglos XVI-XX),* ed. J.J. Hernández Palomo, Madrid, pp. 537-546.

Francisco José RODRÍGUEZ MARÍN (2005), "Patrimonio y ciudad. Valores artísticos y culturales en el cementerio inglés de Málaga: Entre la magnificencia y el deterioro, en *Isla de Arriarán: Revista cultural y científica,* nº 25, Málaga.

Salvador ROS y CALAF (1912), *Historia eclesiástica y civil de la célebre ciudad de Ceuta,* Ceuta, inédita.

Francisco SÁNCHEZ MONTOYA (2004), *Ceuta y el norte de África. República, guerra y represión 1931-1944,* Ceuta.

Emilio SANTACA y MENSAYAS (1901), *Antiguo y Moderno Algeciras,* Algeciras. (Edición facsímil 2006).

José Luis SANTONJA CARDONA (1998-9), "La construcción de cementerios extramuros: un aspecto de la lucha contra la mortalidad en el antiguo régimen", en *Revista de Historia Moderna,* nº 17, Alicante, pp. 33-44.

David SCHIRIQUI (1965), *Ceuta antigua y moderna,* Publicaciones del Instituto Nacional de Enseñanza Media, Ceuta.

Asier SOLANA BERMEJO (2011), "La pila bautismal de la Iglesia de África recupera su aspecto original", en *El Faro de Ceuta,* 13 de mayo de 2011.

Joaquín VALLVÉ BERMEJO (1962), "Descripción de Ceuta musulmana en el siglo XV", en *Al Andalus,* 27-2, Granada.

Juan Ignacio VICENTE LARA (2001), "El siglo XIX: la consolidación" en Historia de Algeciras, Algeciras, t. 2.